Les Domestiques de Berthier

12/9

Catalogage avant publication de Bibliothèque et Archives nationales
du Québec et Bibliothèque et Archives Canada

Turcotte, Monique, 1940-

Les domestiques de Berthier

Sommaire: t. 1. Premières amours, 1766-1767.

ISBN 978-2-89585-151-6 (v. 1)

I. Titre. II. Titre: Premières amours, 1766-1767.

PS8639.U722D65 2011   C843'.6   C2011-941094-X
PS9639.U722D65 2011

Les Éditeurs réunis bénéficient du soutien financier de la SODEC
et du Programme de crédit d'impôt du gouvernement du Québec.

Nous remercions le Conseil des Arts du Canada
de l'aide accordée à notre programme de publication.

Nous reconnaissons l'aide financière du gouvernement du Canada
par l'entremise du Fonds du livre du Canada pour nos activités d'édition.

Édition :
LES ÉDITEURS RÉUNIS
www.lesediteursreunis.com

Distribution au Canada :   *Distribution en Europe :*
PROLOGUE   DNM
www.prologue.ca   www.librairieduquebec.fr

 Suivez Les Éditeurs réunis sur Facebook.

Imprimé au Canada

Dépôt légal : 2011
Bibliothèque et Archives nationales du Québec
Bibliothèque nationale du Canada
Bibliothèque nationale de France

MONIQUE TURCOTTE

Les Domestiques de Berthier

★

Premières amours
1766-1767

LES ÉDITEURS RÉUNIS

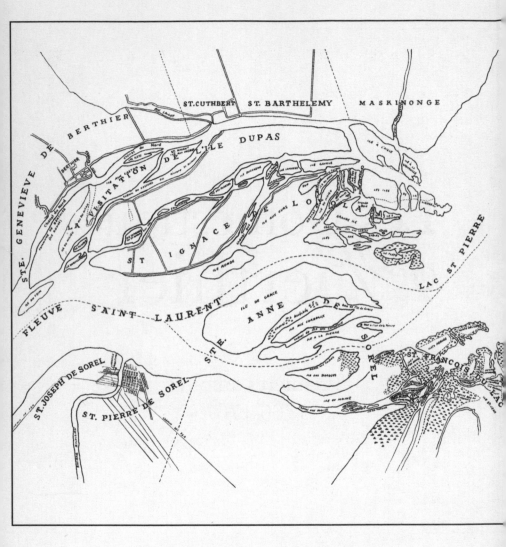

Carte 1 : *Îles de Sorel (anciennement «Saurel»)*

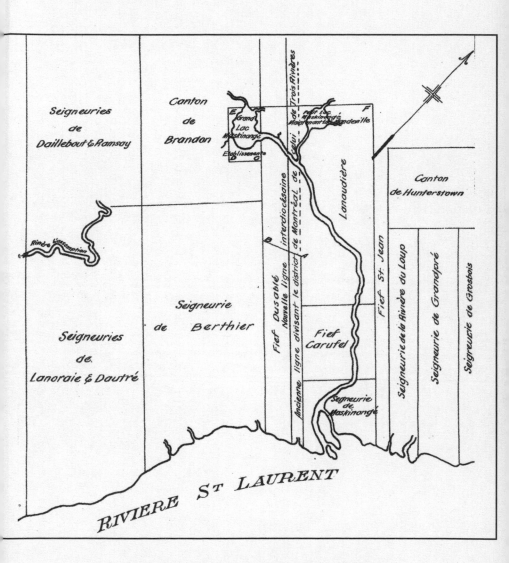

Carte 2 : *Berthier et les seigneuries avoisinantes*

1

*L*es mains arquées au-dessus des sourcils, faisant écran pour se protéger les yeux des rayons du soleil, Mathilde Guillot arpentait le sentier qui menait à la berge, sa jeune sœur Marguerite sur les talons. Leur père, Antoine, debout sur le chaland, s'approchait du ponton leur servant de quai ; il ramenait de Berthier une belle vache et son veau, achetés du maquillon, Jos Marchand. Sa femme, Anne, sera contente, elle qui rêvait depuis si longtemps de posséder quelques bêtes bien à eux. Antoine voulait lui en faire la surprise ; elle n'en savait donc rien, seule Mathilde en avait été informée.

Aussitôt débarquées sur la terre ferme, les deux bêtes furent dirigées vers le pâturage, guidées par Mathilde et Marguerite, tandis qu'Antoine allait quérir sa femme qui s'affairait autour du poêle.

— Mais où étais-tu donc passé, mon homme ?

— J'arrive de la seigneurie. Viens voir ce que j'ai rapporté.

Anne essuya ses mains humides sur son tablier, prit le blondinet Nicolas dans ses bras et, curieuse, suivit son mari. Un beuglement, tout proche, l'intrigua. Elle devança Antoine et courut jusqu'à la prairie où elle vit ses deux filles caressant la vache et son petit qui cherchait avidement le trayon de sa mère.

— Mère, venez voir ! Nous avons maintenant notre vache qui fournira le lait pour toute la famille. On pourra peut-être ben en vendre quelques chopines, s'enthousiasma Mathilde.

— La vache s'appelle Frisette, pis son petit, Pompon, renchérit Marguerite du haut de ses sept ans.

— Mais, mon homme, où as-tu trouvé l'argent pour payer ces animaux ? demanda Anne, les sourcils froncés, les poings sur les hanches, dévisageant son mari, à la fois intriguée et curieuse.

— J'ai rien volé à personne, rassure-toi, ma femme. C'est avec les livres gagnées au service du nouveau seigneur que j'ai pu acheter les bêtes, précisa Antoine, heureux comme un prince dans son royaume. Jos Marchand m'en demandait cinquante livres, pis j'ai marchandé gros, et finalement y m'a laissé la vache et son veau pour trente-cinq livres. Une bonne affaire, j'te dis !

— T'es ben vaillant, mon Antoine. Astheure, on pourra dire qu'on est de vrais habitants.

— Pis c'est pas toute, ajouta le père de famille, s'adressant à son aînée. Le seigneur Cuthbert m'a demandé si j'avais une fille vaillante qui pourrait aider au manoir sitôt que les travaux seront finis. J'ai répondu que je t'en glisserais un mot. À toi d'y réfléchir, je te forcerai jamais de servir des maîtres anglais. T'as ben le temps de retourner la question sous toutes ses coutures, il est parti à Boston, tôt ce matin. Je lui porterai ta réponse quand il reviendra, dans quelques semaines.

Ainsi une vie nouvelle s'offrait à Mathilde… Elle, qui filait vers ses seize ans, se voyait devoir faire un choix pour la première fois de sa vie ; elle pouvait ignorer cette invitation, trouver un époux, habiter son île, élever une famille comme le faisait sa mère, ou relever le défi et changer de rive. Sa décision fut vite prise, elle irait travailler au manoir.

— Je t'approuve, ma fille, la rassura Anne, dès que Mathilde l'informa de son choix, au cours de l'après-midi. Même si tes bras sont ben utiles icitte, tu dois marcher sur ta propre route, sans te retourner. Peut-être ben que ta vie sera plus douce que la mienne, confia Anne d'une voix triste.

— Je partirai pas avant le milieu de l'été, faut pas vous chagriner astheure.

— T'es une fille ben sage. J'en remercie le ciel chaque jour.

* * *

Ce printemps 1766 était précoce, il faisait encore chaud, à l'heure où le soleil faisait le beau en irradiant le couchant avant de se noyer dans les eaux encore froides du fleuve. C'était l'heure de la traite, tâche désormais dévolue à Mathilde ; elle prit le seau, le tabouret et rejoignit Frisette qui s'impatientait. La jeune fille s'estimait privilégiée d'échapper à la corvée de la cuisine dans la tranquillité du soir qui approchait à pas de loup ; elle se plaisait à écouter le clapotis des vagues toutes proches et le gazouillis des oiseaux qui regagnaient leur nid. Elle était certaine que le pur bonheur ne se trouvait que sur cette île, et que nulle part au monde la vie était plus douce. Un bref instant, fugace comme une étincelle, elle craignit de regretter la décision qu'elle avait prise plus tôt dans la journée ; machinalement, elle remit une mèche rebelle sous son bonnet et reprit le travail.

La vache meugla et, d'un coup de tête, éloigna son veau insistant. Attiré par l'odeur du lait chaud, le petit suivit Mathilde qui venait de terminer la traite. La jeune fille versa du lait dans l'auge qu'Antoine venait tout juste de placer au bout du champ ; elle caressa la tête frisée de Pompon qui but goulûment, le museau plongé jusqu'aux yeux dans le récipient.

Mathilde était heureuse ; elle se contentait de ces bonheurs occasionnels et simples que lui offrait si généreusement la vie dans son île. Ses parents, Anne et Antoine, formaient un couple harmonieux et offraient à leurs six enfants un foyer où il faisait bon vivre. Ils étaient pauvres, comme tout un chacun dans ce pays, mais ils possédaient un toit et du courage à la tonne. Que pourrait-elle désirer de plus ?

L'aînée des Guillot avait hérité de son aïeule, Fille du Roi venue de la Vendée au siècle précédent, d'une indéfectible joie de vivre. Douée pour le bonheur, elle saluait chaque matin avec enthousiasme et appréciait tous les aspects de sa vie. Elle possédait peu, sinon l'amour des siens et la liberté de folâtrer sur les rives du grand fleuve qu'elle aimait tant, quelle que soit la saison. Seule ou avec ses frères, Jean-Baptiste, Louis et Firmin, elle explorait la centaine d'îles dispersées entre le lac Saint-Pierre et la seigneurie de Berthier; ces escapades la remplissaient d'un bonheur simple qui marquerait sa vie à jamais.

* * *

Le seau à demi rempli, Mathilde revenait vers la maison en chantonnant quand elle entendit des sanglots étouffés. Elle s'arrêta et prêta l'oreille, tentant de deviner d'où venaient ces pleurs. D'un geste brusque, elle chassa Comète, le jeune chien de berger, qui essayait de laper le lait moussant et encore chaud, et porta son attention vers la rive, devant leur maison. Sa cousine Angélique était là, prostrée, le visage baigné de larmes.

— Mon doux Jésus! Qu'est-ce qui t'arrive? demanda Mathilde, déposant le seau de lait sur le ponton.

— Il est retourné en France par le premier bateau.

— Qui? Éloi, ton promis, est parti?

— Il m'avait pour… tant juré que ja… mais il parti… rait sans moi, sanglota Angélique. Quel gou… gou… jat!

— Es-tu certaine qu'il s'est enfui?

— Mon frère Xavier l'a appris à l'auberge de Berthier, hier soir. Un marin lui a dit qu'il avait vu Éloi sur le quai à Québec, négociant le prix de son passage. Pas de doute possible, il est parti comme un voleur.

— Un voleur de cœur, oui! Va, pleure pus, il en vaut pas la peine. Tu trouveras ben un meilleur parti.

— Mais je l'aime. On devait se marier, maintenant que la paix est revenue. Je l'ai cru comme une sotte, s'emporta la jeune fille, plus mortifiée que peinée.

— T'as que dix-sept ans, pis t'es un beau brin de fille ; crains pas, tu coifferas pas la sainte Catherine. Sèche tes larmes, ma cousine ; Éloi vaut pas les pleurs versés. Et viens avec moi, au bout du ponton. Regarde les dernières lueurs du jour qui se noient vers le couchant ; la beauté de notre monde va te consoler. Viens !

Rassérénée, Angélique suivit sa cousine, renifla un moment et essuya ses larmes. Elle releva la tête, bien décidée à ne pas laisser toute la place aux sentiments de tristesse qui l'habitaient. Mathilde avait raison : elle était trop jeune et trop belle pour sombrer dans la déprime. Elle restait tout de même blessée et humiliée ; elle ne s'y laisserait pas prendre de sitôt, se promit-elle.

— Les hommes sont des poltrons qui se sauvent avant de s'engager, conclut Angélique, lançant un caillou dans l'eau qui se plissa en formant de grands cercles.

— Parle pas de même, ils sont pas tous comme Éloi. Père et oncle Olivier, ton père, sont de bons époux qui font ben vivre leur famille.

— Comment reconnaître l'homme qui restera à mes côtés aux bons comme aux mauvais jours ?

— Il faudra que tu sois plus sage, moins frivole, chère cousine, la taquina Mathilde. Mère me répète souvent que notre cœur sait trouver celui qu'il nous faut.

— Que Dieu t'entende, Mathilde ! Cette fois, j'ai ben appris ma leçon.

Avant de se séparer, debout face au couchant, les deux cousines firent le serment de réserver leur amour à celui qui le mériterait. Elles se jurèrent de se confier l'une à l'autre, de se soutenir dans les moments difficiles et de partager leurs joies comme leurs chagrins. Elles s'embrassèrent affectueusement et prirent chacune une direction différente ; l'une remontant vers sa maison, le seau de lait à la main, l'autre, longeant la rive du fleuve jusqu'au bout de l'Île Du Pas, là où l'attendait sa mère, Marie Huguenin. Les étoiles s'allumaient une à une dans le ciel encombré de nuages qui traînaient paresseusement là-haut. Angélique rentrerait chez elle alors que la nuit serait bien installée au-dessus des eaux.

***

Mathilde aida sa mère à mettre les enfants au lit et lui tint compagnie jusqu'au retour d'Antoine qui avait besogné à préparer les semences. Elle se retira alors, fit un brin de toilette et sortit. Elle marcha un long moment, longeant la rive, écoutant les chants de la nuit. Elle repassa dans sa tête tous les événements de la journée et, dans un rituel connu d'elle seule, elle s'engagea, envers elle-même, à toujours rechercher les petits bonheurs cachés dans les gestes quotidiens, même ceux qui font naître les larmes. « Grand-père disait qu'au-dessus des nuages le soleil brillait toujours ; il avait ben raison. Je dois toujours me rappeler de sa sagesse, pis de son courage. Qu'il me vienne en aide chaque jour… » pria Mathilde, bien décidée à rencontrer le meilleur à chaque détour de sa vie.

Il s'agissait là d'une résolution bien naïve… Elle ignorait ce qui l'attendait sur l'autre rive.

2

« *T*ant que je baignais dans la candeur de mon enfance, chaque jour me semblait merveilleux, magique ; je pensais à mon avenir et je faisais des rêves fous. Je croyais que l'avenir ressemblerait au présent, que le bonheur était là, et que je n'aurais qu'à tendre la main pour le cueillir. Mais il n'en fut pas ainsi… »

(Extrait du journal de Julia Scott, 30 avril 1766)

Accoudée au bastingage du bateau, Julia regardait la rive s'éloigner ; les douces collines de Boston s'estompaient sous les reflets du soleil couchant. Envoûtée par la beauté du ciel flamboyant, incendié de mille feux, elle se laissait bercer par le roulis du voilier. Le spectacle était grandiose, unique. Ses yeux, aussi sombres que la nuit, fixaient les contours familiers du port qui disparaissait peu à peu dans l'ombre enveloppante de la nuit naissante. Une sensation indéfinissable, troublante comme un vertige, accabla Julia ; elle essuya discrètement quelques larmes, alors qu'elle s'était pourtant juré de ne pas pleurer.

* * *

La jeune femme n'oubliera jamais le jour où *sister* Mary Elizabeth l'avait convoquée dans son bureau, ce moment précis où, subitement, elle était devenue une adulte.

— Ma chère enfant, le jour approche où vous atteindrez votre majorité ; vous ne serez plus sous notre tutelle, et il vous faudra alors choisir de servir à l'orphelinat ou de partir travailler comme domestique dans une bonne famille. Avez-vous déjà nourri des projets d'avenir, Julia ?

— *Sister* Mary Elizabeth, je vois venir le mois de juin avec tristesse et un peu d'angoisse; je sais qu'il me faudra bientôt vous quitter. Bien que je vive dans ce couvent depuis plusieurs années, je ne ressens nullement le désir d'y passer le reste de ma vie. Et comme je n'ai plus de famille et nulle part où aller, je m'en remettrai donc à vous.

— Merci pour la confiance que vous nous témoignez, chère enfant. Hier, nous avons reçu la visite providentielle d'un Écossais, *Mr* James Cuthbert; il s'est adressé à notre orphelinat puisqu'il est à la recherche d'une jeune femme pour tenir compagnie à sa nouvelle épouse et prendre en charge la domesticité de son manoir. Ledit seigneur nous a demandé de lui recommander une personne ayant reçu une bonne éducation protestante, instruite, discrète et parlant français. J'ai pensé que vous étiez la candidate recherchée. Que penseriez-vous de partir avec ce seigneur?

— La charge me semble bien lourde, je n'ai aucune expérience comme dame de compagnie, encore moins pour diriger des serviteurs...

— Rassurez-vous à ce sujet: si vous acceptez cette proposition, nous demanderons à une riche famille de Boston, des bienfaiteurs en qui nous avons pleine confiance, de vous prendre avec eux quelques jours; vous y serez formée par leur personnel. Vous y apprendrez tout ce que vous aurez besoin de savoir pour prendre la charge qui vous incombera au manoir des Cuthbert.

— Un détail m'intrigue... Pourquoi me serait-il utile de parler français? Irais-je habiter au Canada?

— Vous avez bien deviné. Le seigneur James Cuthbert a acquis la seigneurie de Berthier en mars de l'année dernière. Ses terres sont situées sur les rives du Saint-Laurent, entre Québec et Montréal. Il vient d'épouser Catherine Cairns, qui a votre âge, et il compte s'installer à son manoir, avec sa femme, dès l'été qui s'en vient. Le seigneur souhaite trouver ici une jeune femme qui acceptera de le suivre au Canada et d'assumer les responsabilités qui lui seront confiées. Que pensez-vous de cette offre, Julia ?

— Vous me prenez au dépourvu, *sister*; permettez-moi d'y réfléchir. Et quand devrais-je partir ?

— Dès que le seigneur de Berthier en aura terminé avec les commerçants de Boston. Bien sûr, si cette offre ne vous convient pas, vous pouvez la refuser. Mais n'attendez pas trop avant de prendre votre décision; le seigneur Cuthbert, qui brasse des affaires à Boston et qui y est encore pour quelques jours, semble bien déterminé à repartir d'ici avec la dame de compagnie de son épouse. Si ce n'est pas vous, il me faudra lui proposer une autre orpheline qui, soit dit en passant, ne posséderait pas toutes vos qualifications. Priez notre Dieu afin qu'il vous guide.

— Vous me proposez de faire de grands changements dans ma vie ; je n'avais jamais pensé quitter Boston.

— Les desseins de la Providence sont bien mystérieux, ma fille. Quelle que soit votre décision, *God bless you !* Julia.

* * *

En quittant Boston, Julia laisserait derrière elle une amie, Françoise Morant, orpheline comme elle, capturée en Acadie française par les troupes anglaises. L'enfant venait tout juste d'avoir six ans quand un capitaine l'avait confiée à l'orphelinat. Les deux fillettes avaient grandi ensemble, inséparables les bons comme les mauvais jours. La petite Canadienne, baptisée dans la religion catholique, parlait français, alors que Julia appartenait à la majorité anglo-protestante des colonies américaines.

Julia, brune au regard sombre, grandissait plus rapidement que son amie, plus costaude et plus replète. Françoise, blonde comme les blés mûrs, avait le teint laiteux d'une enfant bien nourrie. Son air jovial lui attirait la sympathie des autres orphelines ; d'instinct, elle connaissait l'art de se faire des amis.

Impulsive, elle exprimait ses sentiments sans retenue : elle riait et pleurait facilement. « Une vraie Madeleine ! » disait-on d'elle. Julia était son antithèse ; secrète et réservée, elle se confiait à petites doses, et seulement à qui méritait sa confiance. Maîtresse d'elle-même, elle laissait rarement paraître ses émotions.

Tandis que Françoise se montrait toujours soucieuse du bien-être des autres, Julia pensait d'abord à s'assurer la meilleure place ; l'une offrait, l'autre prenait. Julia exprimait-elle quelque désir qu'aussitôt Françoise s'empressait de la satisfaire. Julia réfléchissait, son amie agissait. Leurs différences les rapprochaient, elles s'attiraient comme des aimants et partageaient tout bonnement leurs savoirs respectifs, leurs projets et leurs rêves. Elles étaient de véritables amies, des âmes sœurs, d'inséparables et fidèles confidentes.

Au fil des ans, Julia était devenue une jeune fille réfléchie qui prenait habituellement ses décisions selon les faits énoncés, en calculant froidement les probabilités de succès ; cette fois, l'enjeu était de taille, et elle estima qu'il valait mieux accepter l'offre du seigneur de Berthier, plutôt que de servir comme simple domestique dans une riche famille bostonnaise. Elle ne fit pas attendre *sister* Mary Elizabeth : le soir même, elle se rendit au bureau de la supérieure. Elle avait pris une décision : elle partirait pour Berthier avec le seigneur Cuthbert.

Elle parla de son départ imminent à son amie Françoise, qu'elle présenta comme une aventure de quelques années ; mais comme ni l'une ni l'autre n'avait jamais envisagé de se séparer, un immense chagrin les submergea aussitôt. Enlacées, inondées de larmes, elles se jurèrent de s'écrire et de se retrouver un jour.

* * *

La dernière nuit passée à l'orphelinat Holy Mary, partagée entre la curiosité pour le monde nouveau qui s'offrait à elle et la tristesse de se séparer de tout ce qui avait nourri son enfance et son adolescence, Julia avait mis bien du temps à s'endormir ; toutes sortes de bruits, habituellement familiers et rassurants, l'inquiétaient.

Les questions se bousculaient alors dans son esprit tourmenté... Que deviendrait-elle, en ce pays inconnu, sous la tutelle de l'Écosssais James Cuthbert ? Quelle vie l'attendait ? Quel serait son destin dans cette société qui lui était étrangère ? Trouverait-elle, à la seigneurie de Berthier, la sécurité et tout ce dont elle avait bénéficié jusqu'à maintenant sous la protection des religieuses ? Au petit matin, elle plia soigneusement ses quelques vêtements d'orpheline, les rangea dans sa malle, vida ses tiroirs et emporta tous ses souvenirs : dessins, cahiers, notes, poèmes, billets échangés avec Françoise... Elle délia un cordon, y glissa le jonc que portait sa mère et l'attacha autour de son cou. Sa valise remplie, elle ferma les yeux, respira longuement et sortit de sa chambrette sans se retourner, abandonnant à jamais tout ce qui avait tissé son enfance et sa jeunesse.

* * *

Le vent du large effleura les voiles et fit frissonner la jeune femme qui ramena machinalement sa cape de fin lainage sur ses épaules. Sobrement vêtue d'une robe de lin, elle portait une coiffe empesée qui laissait voir de lourdes tresses d'ébène. *Miss* Scott ne passait pas inaperçue. Sans être jolie, elle retenait pourtant l'attention en raison de sa taille élancée et de son port altier ; elle était presque aussi grande que la plupart des matelots. Un homme s'approcha d'elle sans hésiter, faisant montre d'une familiarité qui déplut à la puritaine Julia.

— Vous voyagez seule, *Miss* ?

— Une jeune fille de bonne famille ne voyage jamais seule. Mon père est avec moi, mentit Julia, sachant que James Cuthbert, monté à bord en même temps qu'elle, assurait une surveillance discrète.

— Veuillez m'excuser, je ne voulais pas vous importuner, mais seulement vous faire un brin de causette. Vous vous rendez à Montréal ? poursuivit l'intrus.

Irritée par ce bavardage futile, Julia le salua froidement et retourna à la solitude de sa cabine. Elle se prépara pour sa première nuit en mer, le cœur lourd de tout le poids des amitiés laissées derrière elle, de son enfance déracinée, de son avenir incertain. À la lueur de la bougie, elle déplia la carte géographique que lui avait remise la supérieure de l'orphelinat, juste avant qu'elles se disent adieu, et y suivit du regard la longue route navigable entre Boston et Montréal.

Assise sur sa couchette, Julia relut attentivement les informations notées lors de sa formation chez les Raleigh où, en élève appliquée et minutieuse, elle avait appris les règles de la bienséance de la riche société anglaise et le mode de gouvernance des serviteurs. Elle s'appliqua à la relecture du contrat que lui avait fait signer son maître, James Cuthbert, s'arrêtant à la description de sa tâche principale : dame de compagnie de la seigneuresse Catherine. Ainsi engagée dans un destin qui semblait s'imposer à elle, Julia se rappela ces vers de Dante :

Tu sentiras, bien loin de Florence et des nôtres
Qu'il est dur de monter par l'escalier des autres,
Et combien est amer le pain de l'étranger.

Refoulant ses larmes, elle plia les précieux documents qu'elle avait en main, éteignit la bougie et s'endormit, recroquevillée comme une enfant abandonnée. Son esprit, habituellement si lucide et si réservé, bascula dans un rêve qui la conduisit vers des paysages imaginaires ; naviguant sur un fleuve sans fin, elle s'émerveillait devant des fleurs aux noms inconnus et des arbres gigantesques qui se disputaient les rives. Au terme de ce long voyage, elle entrait dans un château, entre James Cuthbert et une jeune femme au teint d'albâtre, richement vêtue.

À l'aube, les manœuvres bruyantes des matelots la réveillèrent ; elle s'habilla et monta sur le pont, aussi troublée que la veille au sujet de son avenir bien aléatoire. Le voilier filait vers le nord sur une mer étale, croisant d'autres vaisseaux remplis de marchandises et de voyageurs. À tribord, appuyé sur la rambarde, l'homme qui l'avait importunée la veille courtisait une jeune femme rieuse. « Il ne perd pas de temps, celui-là ! » songea-t-elle avec dédain. Le soleil qui se levait, radieux, dorant la crête des vagues, attira son regard vers l'est. Le calme habitait ce jour nouveau, unique. La jeune fille se laissait paresseusement bercer, bien enveloppée dans son long châle de laine, fixant distraitement l'horizon, sans s'émouvoir de la beauté virginale qui l'entourait.

L'immensité environnante la laissait sans repères et ravivait ses inquiétudes ; mesurant toute l'étendue de sa solitude, elle soupira au souvenir des années insouciantes de sa petite enfance. « Je nourrissais mon avenir de rêves fous, pensa-t-elle. Mais ce jour qui commence m'appartient, comme la vie qui m'attend ; je ne laisserai personne briser mes rêves ni entraver mes projets. Personne ! » Retrouvant sa force et sa détermination, elle redressa les épaules, replaça une mèche de cheveux rebelle et se dirigea vers la salle à manger, bien décidée à prendre le gouvernail de son propre navire, à naviguer entre les écueils afin d'arriver à bon port.

* * *

L'entrée dans le golfe du Saint-Laurent retint l'attention de Julia. Habituée à la vastitude de l'Atlantique qui baignait les côtes de Boston et qui offrait des horizons infinis à qui s'attardait sur les quais, la jeune femme suivait avec intérêt la route fluviale. Elle appréciait la vue des montagnes qui se profilaient au loin, ainsi que les nombreuses îles semées dans les eaux tumultueuses de ce fleuve indomptable, que James Cuthbert lui décrivait avec fierté.

Julia était fascinée par les villages de pêcheurs et les phares accrochés aux falaises ou nichés sur des îlots isolés. Jamais elle n'avait imaginé ce fleuve si grand, si parsemé d'îles, si vivant, si habité de nombreuses embarcations naviguant sur ses eaux.

Il était large entre ses rives, ce fleuve aux écueils redoutables où s'étaient échoués tant de bateaux, poussés par les vents de tempêtes.

Les fins d'après-midi, juste avant la corvée du soir, des matelots racontaient d'étranges légendes dont les héros prenaient la forme de sirènes, de loups-garous ou de feux follets. Ces récits fantaisistes distrayaient Julia qui n'avait d'autres compagnons de voyage que ses précieux livres et l'austère James Cuthbert. Elle laissait ensuite ses pensées errer par-delà le fleuve et les montagnes, s'émerveillant des époustouflants couchers de soleil qui irradiaient l'horizon de mille couleurs. Elle restait muette devant tant de beauté, devant l'infini, devant tout ce qui lui restait à découvrir de ce monde nouveau qui s'offrait à elle comme une coupe pleine.

Ils arrivèrent au port de Montréal au milieu du jour. Un jeune militaire, portant l'uniforme de l'armée anglaise, vint au-devant du seigneur Cuthbert. Les deux hommes, qui semblaient se connaître, étaient fort heureux de se retrouver ; ils se gratifièrent d'une chaleureuse accolade. James, veillant à ce que la dame de compagnie de Catherine retrouve tous ses bagages et fasse rapidement connaissance avec son entourage, fit aussitôt les présentations :

— Henry, voici *Miss* Julia Scott, dame de compagnie de ma femme.

— De ma sœur ? Je vous plains, *Miss* Julia, ajouta le jeune homme affable, tout en la saluant avec courtoisie.

— Mon beau-frère aime bien taquiner sa cadette, n'y portez pas attention. Catherine est une femme charmante, rassurez-vous. Vous vous entendrez bien, toutes les deux, je n'en doute pas.

— Vous m'en verrez ravie, *Mr* James.

***

Dès que commença le débarquement, Julia compara l'animation du port de Montréal avec ce qu'elle connaissait de l'agitation constante du port de Boston où, avec sa mère, elle avait tant de fois attendu le retour de son père. Enlacées, nourrissant l'espoir de le voir arriver les bras chargés de trésors insolites, elles revenaient, jour après jour, saluer le retour des marins. Tout l'été 1750, elles avaient espéré en vain : Walter Scott, navigateur et explorateur, ne revint jamais de son expédition dans la mer du Nord. Le bateau sur lequel il voyageait avait sombré, avec tout l'équipage. Sa mère prit le deuil et mourut deux ans plus tard d'une fièvre mystérieuse, laissant la petite Julia orpheline.

Remuée par les souvenirs douloureux d'une enfance trop brève, Julia redressa la tête d'un geste brusque ; elle repoussa une mèche de cheveux qui obstruait sa vue et, après quelques pas hésitants, conséquence du tangage constant du voilier, elle suivit les deux hommes d'une démarche assurée.

Elle observait tout, rien n'échappait à sa curiosité. Plusieurs navires étaient ancrés dans le port où déambulaient voyageurs, commerçants et badauds ; de multiples odeurs se mêlaient aux mille couleurs des vivres déposées sans ménagement sur les pierres mouillées d'embruns qui montaient du fleuve. Ici, peu d'esclaves pour transborder les marchandises et peu de ballots de coton, mais plutôt des billots de bois, des sacs de céréales et quantité de fourrures de castors, portés par des hommes blancs qui parlaient un patois qui lui était étranger.

Tout ce branle-bas coutumier tracassait James Cuthbert qui ne voulait pas s'attarder, le port n'étant pas le meilleur endroit pour une jeune fille vertueuse comme Julia. Repérant un charretier qui attendait patiemment l'arrivée des passagers, il lui signala de prendre leurs malles et de les attacher solidement sur sa charrette. Il lui fournit clairement l'adresse d'Alexandre Cairns, rue Saint-Jacques, lui demanda d'y transporter leurs affaires et il le paya généreusement.

— Venez avec nous, *Miss* Julia, proposa le seigneur. Nous allons retrouver mon épouse Catherine, qui habite à la résidence de son cousin, pendant les rénovations du manoir de la seigneurie. Vous y resterez quelques jours, le temps de faire connaissance avec la seigneuresse. Dès que j'aurai réglé mes affaires, nous partirons pour Berthier avec Henry.

Ils croisèrent des coureurs des bois et des sauvages dont l'étrange accoutrement surprit Julia, qui se garda bien d'en faire la remarque, se promettant toutefois de noter fidèlement ses premières impressions dans son journal intime. L'omniprésence militaire dans les rues de Montréal ne manqua pas de l'étonner.

— Dites-moi, capitaine Cairns, pourquoi y a-t-il tant d'habits rouges tout autour de nous ?

— La présence militaire est essentielle pour le maintien de la paix ; mais rassurez-vous, depuis la signature du traité de Paris, il y a trois ans, tout est calme sur les rives du Saint-Laurent.

— Que Dieu vous entende ! dit Julia, hésitant à poser le pied dans la fange qui ruisselait dans les rues encombrées de cette ville, dont les habitants lui semblaient si pressés.

Les affiches des commerces battaient au vent, invitant les visiteurs à s'y attarder, mais les deux hommes marchaient d'un bon pas, ignorant les sourires invitants des aubergistes. Au loin, les clochers des églises rivalisaient entre eux, en perçant leurs flèches de plus en plus loin dans le ciel de mai. *« Étrange ville de papistes »*, nota plus tard Julia dans une lettre adressée à son amie Françoise.

En dépit de la saleté des rues et de la familiarité des gens, qui semblaient faire fi des classes sociales, Julia essaya d'apprécier son nouveau pays qui, de prime abord, ne l'attirait pas du tout. Pendant qu'à Boston les jardiniers jetaient déjà leurs semences dans les sillons, elle constatait avec une amertume à peine dissimulée qu'à Montréal la nature était encore endormie et que le fond de l'air restait froid.

Elle chercha en vain les lilas en fleurs, les arbres verts, les fougères. Accablée par ces constats, elle se confia, le soir venu, à son fidèle journal : « Cette cité est trop habitée, grouillante, sale, bruyante, froide, suspecte même. Les rues malodorantes, jonchées d'immondices, me soulèvent le cœur. Alors que le port maritime de Boston laisse voir l'immensité de l'océan, celui de Montréal, fluvial, enserré entre les rives du Saint-Laurent, ne présente aucune perspective d'horizon lointain. Dès que j'ai mis les pieds dans cette ville, je me suis sentie emprisonnée dans la foule disparate d'un petit peuple indiscipliné. Il fait froid, ce soir. Je tremble. M'habituerai-je à ce pays étranger ? » Puis la jeune femme, triste comme un ciel de novembre, se mit au lit.

* * *

Tôt le lendemain matin, Julia fit sa toilette, descendit le long escalier sculpté et se rendit à la cuisine où l'attendait le major-dome de la maison d'Alexandre Cairns.

— Vous avez passé une bonne nuit, *Miss* Scott ?

— Assez bien, merci ! Il faisait bon dormir sans le roulis constant du bateau.

L'homme l'invita à déjeuner et lui tendit une liste précisant ses tâches pour la journée : petit déjeuner avec la seigneuresse, Catherine Cairns, visite des magasins, accompagnée d'une servante, afin d'effectuer les achats de vêtements dont elle aurait besoin dans l'exercice de ses fonctions, et ce, tout en observant la bonne marche de la maison d'un riche commerçant écossais.

— Cet emploi du temps vous convient-il, *Miss* Julia ?

— Oui, monsieur. Je m'appliquerai sans réserve, sous votre gouvernance, à répondre aux exigences de la seigneuresse.

La rencontre entre les deux jeunes femmes allégea le cœur de Julia ; Catherine se montra chaleureuse et courtoise, peu exigeante et compréhensive. Toutes deux déracinées, elles avaient en commun de vouloir se tailler une place dans cette société si différente de celle où elles avaient grandi. Julia prit aussitôt l'engagement de servir fidèlement sa maîtresse avec dévouement et loyauté, et d'apprivoiser sa nouvelle vie. La présence rassurante du capitaine Cairns, son sourire charmeur et sa voix envoûtante finirent par apaiser ses dernières craintes. « Un jour, tu seras à moi, beau capitaine », se promit Julia, qui ne s'était jamais intéressée à aucun jeune homme avant Henry Cairns. Elle se prit à rêver…

Pendant tout son séjour à Montréal, Julia s'appliqua à parfaire ses connaissances afin de servir ses maîtres avec compétence, goût et raffinement. La richesse et le statut social des Cairns, les manières raffinées des domestiques, l'atmosphère festive qui régnait autour de la table, tout devenait pour elle un sujet d'intérêt. Elle se réjouissait surtout de fréquenter exclusivement des Britanniques ; pour l'instant, les Canadiens, qui se tenaient loin des conquérants, ne l'importunaient pas le moindrement.

La jeune femme apprivoisait sa nouvelle vie en se consacrant entièrement au service de sa maîtresse, Catherine. Elle appréciait le style européen des meubles et des boiseries de la maison des Cairns, et elle rêvait d'habiter et de diriger un manoir aussi somptueux, garni de lourdes tentures comme celles qui agrémentaient les larges fenêtres de la demeure cossue de la rue Saint-Jacques. Elle espérait y recevoir les invités des Cuthbert en étalant les fines porcelaines et l'argenterie, telles qu'elles étaient disposées sur la longue table d'acajou de cette résidence.

Attentive à toutes les mondanités, elle observait scrupuleusement les us et coutumes de cette société bourgeoise anglophone, résolue à les imposer ensuite aux domestiques du manoir de Berthier ; ainsi ses maîtres pourraient recevoir leurs invités avec la même dignité que ces Écossais bien nantis. Elle entendait surtout profiter de son séjour dans la métropole pour observer les allées et venues du capitaine Cairns, qui courtisait assidûment la très séduisante Esther Mc Connell, belle-sœur d'Alexandre Cairns. Cette dernière veillait jalousement sur son cavalier. La route n'était donc pas libre ; une lutte bien inégale allait donc s'engager…

3

*L*e 15 juin, jour de son anniversaire, Julia partit très tôt
pour le manoir de Berthier ; elle se préparait à célébrer
ses vingt et un ans en tant qu'orpheline, au milieu d'étrangers.
Secrète, elle avait préféré garder pour elle seule la tristesse
prégnante qui l'étouffait… Personne pour la prendre dans ses
bras, personne pour lui offrir des souhaits de bonheur, personne
pour lui offrir un présent. Que sa mère lui manquait en ce jour
qui, avant qu'elle n'eût sept ans, revêtait un air de fête !

Maintes fois au cours de la journée, Julia dut refouler ses
larmes et dissimuler son désarroi en affectant un calme
trompeur ; sous l'apparente tranquillité de la dame de compagnie de la seigneuresse Catherine s'agitait une mer orageuse.
Elle remercia les Cairns et quitta leur spacieuse et riche
demeure, tout en se réjouissant de voyager en compagnie
d'Henry, qui accompagnerait son beau-frère jusqu'au manoir
de Berthier.

Le seigneur Cuthbert avait hâte de chevaucher son vigoureux
étalon et de reprendre la route qui le mènerait à sa seigneurie ;
il aimait ses bêtes et s'enorgueillissait de posséder des chevaux
rapides et fougueux qui faisaient l'envie de tous. Ce matin de
juin, lumineux et chaud, il était prévu qu'il galoperait en
compagnie du capitaine Cairns, tout en veillant à la sécurité et
au confort de Julia, qui voyagerait dans une voiture couverte,
conduite par un cocher. L'équipage transporterait aussi les colis
bien emballés, dont le contenu était destiné à la décoration du
manoir : tentures, couvertures, coussins et quelques menus
objets. Les autres achats seraient acheminés par bateau dans
les prochains jours.

Au milieu du jour, ils s'arrêtèrent à l'auberge de la seigneurie de La Valtrie pour manger et faire se reposer les bêtes, ruisselantes de sueur. Avant de passer à table, James et Henry bouchonnèrent leur monture et s'approchèrent du fleuve pour y faire boire les chevaux. Embrassant la vue qui s'étendait devant eux, James, admiratif, rappela à son beau-frère :

— Ce pays est maintenant le nôtre, puisque le roi de France, Louis XV, a cédé ce royaume à notre roi George III en signant le traité de Paris.

— Le roi de France n'avait sans doute jamais visité sa vaste colonie, sans quoi il ne l'aurait jamais cédée. Quand je vivais en France, j'ai lu dans *Candide* les propos méprisants de Voltaire au sujet de la Nouvelle-France : *« Ces quelques arpents de neige pour lesquels la France a dépensé beaucoup plus que tout le Canada ne vaut. »* Très étonnante interprétation des faits ! déclara Henry, tout en caressant le cou de son cheval, qui commençait à piaffer d'impatience.

— Tout philosophe qu'il était, ce Voltaire ignorait la valeur et l'étendue de cet immense pays. Tant pis pour la France ! Et vive l'Angleterre !

— Vive la France qui nous a cédé ce si vaste pays ! ajouta Henry, avec un adorable accent français.

— Ma chère Catherine m'a appris que tu avais été fait prisonnier en France et que tu avais donc pu perfectionner tes connaissances de la langue des rois Louis. C'est bien vrai ?

— Depuis l'enfance, je sais lire le français, et le temps que j'ai passé en France, au début du conflit, m'a offert la possibilité de baigner dans la culture française et de parler la langue de Molière. Je me suis toujours passionné pour les cultures et les langues étrangères, j'en maîtrise maintenant plusieurs ; nos parents tenaient à ce que nous apprenions soit le français, soit l'allemand, en plus du gaélique et de l'anglais. Catherine parle assez bien l'allemand et un peu le français, ce qui lui sera bien utile au Canada dans ses rapports avec les habitants de votre seigneurie. Toi aussi, tu sembles en mesure de discuter en français avec les Canadiens.

— *Well!* Depuis mon arrivée à Québec avec les troupes de James Murray, j'ai appris à me débrouiller dans la langue du pays ; sauf en ce qui concerne l'emploi des termes légaux, dont je ne connais pas toute la signification, je m'adresse générale-ment aux Canadiens dans leur langage. Et toi, cher beau-frère, connaissant tant de dialectes, comptes-tu voyager dans le monde, comme un fils de bonne famille ?

— C'est un rêve de jeunesse ; le réaliserais-je ? Je l'ignore.

— Mais tu as encore bien des années devant toi, dit James.

— Crois-moi, je compte bien en profiter ! En attendant, allons rejoindre dame Julia, qui doit s'impatienter, proposa Henry, reprenant les rênes de leurs chevaux, maintenant nourris et reposés.

* * *

Plus Julia approchait de sa destination, plus elle ruminait sa déception ; bien sûr, la seigneurie de Berthier était vaste et le fleuve, majestueux, mais toutes ces étendues désertes qui occupaient l'espace exacerbaient son ressentiment envers son nouveau pays.

Le manoir n'était pas le château qu'elle avait imaginé, mais une grande maison à deux étages. En façade, une galerie couverte regardait le fleuve et l'île Randin. Quelques dépen-dances, bâties derrière le manoir, servaient d'étable, d'écurie ou de fenil ; certains bâtiments protégeaient des intempéries les voitures, les attelages, les charrues, les outils du jardinier et tous les autres instruments utiles aux travaux agricoles.

En balayant l'ensemble d'un regard dédaigneux, Julia faisait montre de condescendance, car sans être le plus imposant ni le plus luxueux des manoirs de la colonie, celui de Berthier avait fière allure et dominait largement les habitations regroupées autour de la petite église paroissiale. Construit sur la rive nord du Saint-Laurent, à l'est de la chapelle catholique, le manoir arborait encore tous les signes de la présence française en Amérique. La conception architecturale, la décoration intérieure, la division des terres des censitaires, le jardin : tout témoignait encore de l'origine du peuple bien enraciné sur cette terre.

Un siècle de colonisation avait laissé des traces indélébiles et des souvenirs impérissables, que nulle influence étrangère ne saurait jamais effacer. Julia eut l'impression de revenir au XVIIe siècle, tant l'écart était grand entre sa vie à Boston et celle qui l'attendait au manoir de Berthier.

Elle ignora la lumière qui jouait dans les feuilles du chêne, les lilas qui offraient de généreuses grappes parfumées, la nichée de canetons qui jouaient à cache-cache entre les joncs ; toute cette beauté lui échappait. Elle n'avait qu'un désir : s'enfuir. Mais elle s'était engagée à servir fidèlement la seigneuresse ; parce qu'elle avait donné sa parole, elle tiendrait la promesse faite à Catherine, quel que soit le prix à payer.

Faisant contre mauvaise fortune bon cœur, Julia descendit de voiture, escortée par le fier seigneur, et entra au manoir comme dans une prison, à la fois résignée et révoltée. Personne ne semblait les attendre ; dépitée, elle se referma un peu plus sur sa déception. Seuls des rires d'enfants provenant de la cuisine perçaient le silence qui habitait tout l'espace.

— Adèle, vous êtes là ? demanda le seigneur, se dirigeant vers la pièce d'où provenaient les voix.

— Mon doux Jésus ! Occupée avec les petits, je n'ai rien entendu. Pardonnez-moi, *Mr* James, personne ne nous a prévenus de votre arrivée, même Groggy n'a pas jappé à votre approche. Guillaume n'en sait rien non plus ; tous les hommes sont au champ.

— Ça ira, Adèle; mon beau-frère m'accompagne et m'aidera à desseller les chevaux.

— Cette jeune femme, c'est votre dame, la seigneuresse Catherine ?

— Non, mon épouse Catherine arrivera lorsque nous aurons fini les travaux de rénovation du manoir. Je vous présente *Miss* Julia Scott, qui sera au service de la seigneuresse; elle s'occupera aussi de la domesticité et de l'organisation des réceptions. Elle parle bien votre langue, ce qui facilitera vos rapports mutuels dans la gestion de la maison.

— Entendu, monsieur. *Miss* Julia, je vous présente mes respects. J'espère que vous vous plairez au manoir de Berthier.

— Notre cuisinière se nomme dame Adèle de Beauval, ajouta James, s'adressant à Julia. Elle est vaillante et débrouillarde; vous pourrez vous adresser à elle en toute circonstance.

— Bien, *Mister* Cuthbert, dit la dame de compagnie, bien résolue à ne jamais s'abaisser à demander conseil à une subalterne.

* * *

Le mari de la cuisinière, Jean de Beauval, militaire dans l'armée de Montcalm, était tombé sous les balles des Anglais sur les plaines d'Abraham. À la mort de son mari, Adèle, qui attendait son troisième enfant, préféra rester en Nouvelle-France plutôt que de retourner en Normandie. Elle aimait répéter : «C'est icitte que cette petite-là a été faite, c'est icitte qu'elle va grandir avec ses frères. Et puisque la terre de ce pays recouvre mon Jeannot, jamais je ne partirai.»

À la fin du Régime français, Adèle était la cuisinière de confiance de Montcalm et de ses officiers. Vive et délurée, elle savait où trouver les vivres, qui étaient si rares : les viandes, les œufs si précieux, le blé pour le pain, et parfois même un peu de vin pour agrémenter les repas du général ; rien ne manquait à sa table. Elle savait apprêter des mets recherchés en utilisant ce qu'elle avait sous la main ; elle était à la fois créative et économe. Tous les Français de la ville de Québec connaissaient la réputation d'Adèle de Beauval.

Après la longue guerre, veuve et sans ressource, Adèle accepta de travailler pour un aubergiste qui tenait commerce, rue du Port. N'aimant pas la grivoiserie de la place, malsaine pour ses enfants, elle quitta l'auberge et dut, un moment, se contenter de petits boulots mal payés. Ainsi, quand monsieur de Ramesay, lieutenant du roi et officier responsable de Québec, apprit que James Cuthbert cherchait une personne de confiance pour effectuer diverses tâches ménagères à son manoir de Berthier, il suggéra le nom de la jeune veuve. Libre et heureuse d'échapper à la pauvreté, à la saleté et à la promiscuité de la ville dévastée, elle accepta cette offre inespérée et, sans regret, elle quitta Québec. Elle était aussitôt venue s'établir à la seigneurie avec ses trois enfants.

Très rapidement, la famille s'enracina dans les berges du fleuve, « le même qui coule bien au-delà de Québec et qui mène aux vieux pays », répétait Adèle à ses deux fils, Pierre et Baptiste, curieux et aventuriers. Les deux gamins profitaient des vastes espaces de la seigneurie et connaissaient la joie de la liberté ; ils couraient dans les champs, jouaient avec Groggy, le chien du jardinier, et pêchaient dans la paresseuse rivière Bayonne. Quant à Geneviève, la benjamine, il lui importait peu de vivre sous n'importe quels cieux, pourvu que maman Adèle soit tout près d'elle pour la rassurer.

Joviale et aimant la compagnie, Adèle savait s'entourer ; jamais elle ne connaîtrait la profonde solitude qui pesait sur Julia. L'accueillante cuisinière des Cuthbert était costaude et parlait avec autorité ; malgré ses airs bon enfant, elle se montrait parfois impatiente et bourrue. Elle savait toutefois imposer le respect. Les propos d'expressions colorées du patois normand, dont elle émaillait souvent ses conversations, faisaient sourire les autres domestiques. On la disait belle, cette servante normande qui dissimulait ses cheveux brun foncé sous une coiffe ornée de dentelle, qui laissait pourtant deviner quelques mèches indisciplinées. Sa figure ronde, ses joues rosées, son front haut et son regard clair et expressif adoucissaient ses traits, lui conférant un air jovial et enjoué qui contrastait avec sa démarche assurée et sa voix forte.

Débrouillarde, elle semblait avoir été dotée de tous les talents, et James Cuthbert lui accorda son entière confiance dans la gestion domestique du manoir. Dès que d'autres serviteurs s'ajoutèrent afin de répondre aux besoins grandissants de la seigneurie, Cuthbert crut bon d'alléger la tâche d'Adèle et lui réserva exclusivement la préparation des repas, les cueillettes, les conserves et l'approvisionnement en nourriture. Adèle régnait en maîtresse dans sa cuisine et comptait bien assumer les responsabilités que le seigneur lui avait confiées. L'arrivée de cette Anglaise, de surcroît dame de compagnie, chamboulerait-elle l'ordre établi ? Soudainement, devant le regard froid et calculateur de Julia, elle se sentit quelque peu menacée : « Morbleu, j'espère qu'elle ne me sortira pas de ma cuisine, celle-là ! maugréa Adèle pour elle-même. Mais qui vivra verra ! » philosopha-t-elle. Et s'adressant au seigneur qui s'apprêtait à sortir :

— Vous serez combien de convives à table pour le repas du soir, monsieur James ?

— Trois personnes : Henry, mon beau-frère, Julia et moi.

— Le service sera prêt pour sept heures, monsieur.

Adèle, jamais prise au dépourvu, prépara une bouillabaisse, accompagnée de chou et de pain frais. Au dessert, elle présenta une délicieuse tarte à la mélasse, parfumée au gingembre et décorée de crème Chantilly. Les deux hommes la complimentèrent sur la qualité des mets, alors que Julia n'émit aucun commentaire.

À la fin du repas, s'adressant à ses deux compagnons et bien consciente de son rang social, Julia décréta :

— Désormais, je prendrai mes repas après vous. Dès demain, je servirai la table moi-même.

— Vous pouvez attendre l'arrivée prochaine de la seigneuresse ; d'ici là, dame Adèle peut très bien effectuer cette tâche elle-même.

— Monsieur, si vous souhaitez que vos domestiques demeurent des serviteurs respectueux, ils devront s'en tenir aux tâches précises qui leur seront dévolues. Dès demain matin, à partir de la liste des noms de vos domestiques, je préciserai les fonctions de chacun d'eux. Tous sauront exactement ce qu'ils auront à faire, et comme il semble que bien peu d'entre eux savent lire, les ordres devront être précisés oralement et compris de tous.

— Nos serviteurs ne sont pas des esclaves, *Miss* Julia ; ce sont des gens d'expérience qui bénéficient d'une certaine liberté d'action. Il faudra les traiter avec respect ; je parle aussi au nom de la seigneuresse, qui ne tolérerait jamais d'injustice envers nos domestiques.

Henry sourit devant l'air ahuri de Julia, qui semblait compter sur l'autorité reconnue du seigneur Cuthbert pour asseoir la sienne.

— *Miss* Julia, avança Henry avec prudence, il faudra sans cesse vous rappeler que diriger des hommes et des femmes exige de la diplomatie et du doigté ; autrement, vous vous ferez des ennemis. Il sera important que vous gardiez toujours en mémoire qu'ici vous êtes en territoire occupé, et que les « occupants », c'est nous.

Julia le regarda un long moment, songeuse, se leva et prit congé des deux hommes. Un peu secouée par la remarque du capitaine Cairns, elle s'attabla devant la fenêtre donnant sur le fleuve, ouvrit son encrier et, d'une écriture régulière, confia ses états d'âme à Françoise :

« La journée de mon triste anniversaire aura été aussi longue que décevante. La seigneurie Cuthbert est vaste et vide ; seulement quelques centaines de papistes sont regroupés dans des maisonnettes autour du clocher de leur petite église. Le fleuve coule paresseusement devant le manoir, séparé de la route navigable par de très nombreuses îles. Adèle, la cuisinière, semble la seule servante à tenir cette grande maison. Où sont passés les autres serviteurs ? Je me préparais à régenter ces domestiques à la manière de gens civilisés, mais il me semble que je devrai me résoudre à les regarder faire à leur guise, sans avoir le pouvoir d'intervenir. Pourquoi suis-je venue aussi loin de ma source, de mes propres rives ? Je m'ennuie déjà de toi, précieuse confidente, à qui je me ferai un devoir d'adresser régulièrement de longues lettres décrivant, à ton intention, les us et coutumes de cette société française. Je me sens si seule, j'ai le cœur à la dérive… »

Lasse et désemparée, elle assécha les larmes d'encre avec un papier buvard, plia la feuille et l'inséra dans une enveloppe.

Elle sortit sur la galerie. Les étoiles s'allumaient une à une, comme de minuscules paillettes d'or dans le ciel qui s'endeuillait par-delà l'île de la Commune. Julia fut médusée par la symphonie nocturne qui sourdait des rives du fleuve, enjolivée par le hululement de la chouette perchée très haut dans le chêne, qui régnait majestueusement devant le manoir. Intriguée par le bruissement des ailes des chauves-souris, elle les repéra, alors qu'elles chassaient les insectes qui tournoyaient au-dessus des eaux fluviales.

À l'exception de l'aboiement des chiens errants, qui témoignait de la vie qui animait encore le village de Berthier à cette heure tardive, tous ces bruits étaient nouveaux pour Julia ; elle devrait consulter ses livres pour connaître le nom de tous ces oiseaux et de toutes ces bêtes qui peuplaient les rives et les îles du fleuve. Méditative, elle s'assit sur la première marche de l'escalier, allongea ses longues jambes et ferma les yeux. Groggy vint flairer son odeur, la tirant de sa rêverie ; elle le chassa d'un geste méprisant. Elle n'aimait pas les chiens.

* * *

— Vous m'accompagneriez pour une promenade sur le sentier qui longe le rivage ? proposa Henry, qu'elle n'avait pas entendu approcher.

— Vous connaissez bien cet endroit ? s'informa-t-elle, quelque peu suspicieuse.

— Pas beaucoup, j'avoue. C'est seulement ma deuxième visite à la seigneurie de James, mais rassurez-vous, vous ne courez aucun risque ici. Profitons de cette nuit chaude et du ciel rempli d'étoiles. Venez…

« Une jeune femme vertueuse devrait-elle accepter de suivre un homme séduisant, fût-il militaire ? » se demanda brièvement Julia, quelque peu tourmentée, avant de se lever, soutenue par la main invitante d'Henry. Elle balaya rapidement ses scrupules et lui emboîta le pas.

L'athlétique capitaine offrit galamment le bras à la jeune femme qui se laissa guider jusqu'au fleuve. L'air chaud et humide avait incité Henry à délaisser le costume militaire ; il portait une chemise blanche, échancrée, qui laissait entrevoir le pelage roux de sa poitrine. Son pantalon de toile s'arrêtait à la cheville ; ses pieds étaient nus. Ses cheveux brun roux ondulaient négligemment sur ses épaules sous la caresse de la brise du soir. Julia s'étonna de cet accoutrement quelque peu négligé, mais réserva ses impressions pour les confier plus tard à son amie.

Désinvolte, Henry accompagnait Julia en ce lieu inconnu, mais il émanait de lui une telle assurance qu'on aurait dit que les pires dangers n'auraient jamais d'emprise sur lui. Totalement rassurée, la jeune femme se laissa envoûter par le son de cette voix d'homme qui ne s'adressait qu'à elle seule… Quand elle percevait les yeux pers du capitaine posés sur elle naissait alors dans son esprit débridé une sensation inconnue, mystérieuse, troublante même. « Que m'arrive-t-il ? » pensa l'orpheline, inquiète, jusque-là prude et craintive. Mais sous la voûte étoilée, le sourire irrésistible d'Henry fit une brèche dans les défenses qu'elle avait soigneusement érigées pendant les longues années passées dans un monde de femmes.

Le ciel, sans lune et libre de nuages, qui s'étendait à l'infini par-delà le chapelet d'îles, offrait les mystères de ses constellations aux deux jeunes gens ébahis devant tant de grandeur.

— Connaissez-vous la position des étoiles, Julia ?

— Seulement ce que m'ont appris les livres étudiés durant mon enfance : la Grande Ourse et son opposée, la Petite Ourse, et bien sûr l'étoile Polaire, qui indique le nord. À mon grand regret, je n'ai jamais consacré beaucoup de temps à l'étude du ciel, vous m'en voyez désolée.

— Le ciel de nuit est une inépuisable source de légendes, nées de l'observation des étoiles ; toutes les grandes civilisations ont inventé des mythes qui nourrissent encore l'imaginaire des marins.

— Vous me rappelez certains récits fantaisistes racontés par mon père, dans ma très lointaine enfance.

Connaissant déjà l'origine de la jeune fille, Henry ne releva pas le commentaire, voulant éviter d'aviver de pénibles souvenirs. Il poursuivit :

— Dans notre hémisphère, quatre-vingt-huit constellations se partagent la voûte céleste. La plus célèbre s'appelle Cassiopée, beaucoup plus visible dans le ciel d'août. Elle prend la forme d'un W ou d'un M, selon la saison, et les quatre étoiles les plus brillantes servent à situer d'autres constellations.

— C'est tout à fait passionnant ! Vous m'apprendrez à lire le ciel ?

— Certainement, ce sera un grand plaisir de partager mes connaissances avec vous ; je vous laisserai quelques ouvrages très intéressants. Vous les garderez aussi longtemps que nécessaire.

— J'en prendrai grand soin, *Mister*…

— Henry, je vous prie ; *just* Henry.

— Mais je ne vous connais pas assez pour…

— Ne faites pas tant de manières avec moi, Julia. Gardez votre *Mister* pour votre seigneur, mon beau-frère James.

— Comme vous voudrez, Henry. Revenons maintenant au manoir, il se fait tard.

— Vous avez raison ; l'observation des astres nous a fait oublier le temps.

— Je n'oublierai rien de cette première soirée à la seigneurie, Henry. *Never !* lui confia Julia, habitée par une indicible émotion, tout aussi bouleversante que délicieuse.

Avant d'entrer au manoir, le capitaine attira l'attention de la jeune femme sur le spectaculaire ballet des lucioles amoureuses qui s'en donnaient à cœur joie. Les mouches à feu clignotaient dans le ciel de juin, séduisant leur partenaire grâce à une étrange danse, rituel millénaire de reproduction.

— J'ai lu dans un traité d'histoire, précisa Henry, qu'en mai 1642, lors de la première messe célébrée à Montréal, bourgade qui se nommait encore Hochelaga, le père Vimont se servit de lucioles pour éclairer son autel improvisé, comme s'il s'était agi de lampe du sanctuaire. Étrange, n'est-ce pas ?

— Rien ne m'étonne de la part de ces papistes, trancha Julia.

— Vous êtes sévère, *Miss.*

— Vous ne m'appelez plus Julia ?

— Si, Julia. Rentrons maintenant.

* * *

Julia aurait aimé ne jamais revenir au manoir et rester pour toujours sous le charme de cette soirée qui couronnait le jour marquant officiellement sa majorité. Elle aurait souhaité arrêter le temps et emprisonner à jamais le capitaine Cairns dans la toile de son amour naissant.

C'est bien à regret qu'elle monta l'escalier et se prépara à dormir sa première nuit au manoir de Berthier. Elle se sentait maintenant moins seule, car malgré le silence qui enveloppait la maison endormie, elle savait qu'il était là. Sous l'emprise d'un bonheur trouble, Julia s'attarda longuement devant son miroir ; elle brossa ses longs cheveux maintenant libérés et évalua sa silhouette longiligne. Elle se trouva presque jolie, et conclut que, ajoutant un brin de fantaisie à sa tenue austère, elle pourrait peut-être se rapprocher d'Henry.

Avant de souffler la bougie, elle ajouta quelques paragraphes à la lettre adressée plus tôt à Françoise : *« Soirée inoubliable gravée à jamais dans ma mémoire ; le plus merveilleux cadeau d'anniversaire jamais reçu… »* Elle s'épancha ensuite sans retenue, laissant libre cours à son imagination exaltée ; elle découvrait, avec étonnement, inquiétude et espoir, que des sentiments amoureux se bousculaient dans son esprit enfiévré.

Elle se dirigea ensuite vers la fenêtre ouverte, se délecta des parfums montés de la nuit et jeta un dernier regard aux constellations. Elle retint un instant sa respiration en entendant du bruit venant de la chambre d'Henry, mais le silence s'installa de nouveau. Elle se mit au lit et rêva de longues chevauchées le long du fleuve en compagnie du plus beau des cavaliers, de voyages sur une mer en furie et de beaux enfants rieurs.

4

Le lendemain de son arrivée au manoir de Berthier, le seigneur James se présenta au presbytère pour faire connaissance avec le curé de la paroisse catholique, Louis-Marie Kerberio, un homme fort respecté de ses paroissiens. La cinquantaine avancée, le prêtre était à la fois robuste et raffiné. Il avait les yeux aux aguets et un sourire bon enfant ; il observait ce qui l'entourait en prenant son temps, pour mieux prendre la mesure des choses, et surtout des humains. Perspicace, Cuthbert reconnut rapidement chez l'homme d'Église un être rassembleur, cultivé et tolérant. Après s'être présentés, ils discutèrent longuement des projets du seigneur, des mœurs de la société berthelaise et de politique.

— Monsieur Cuthbert, je vous invite à considérer les habitants de votre seigneurie comme des sujets loyaux à la Couronne britannique, qui souhaitent faire prospérer leur lopin de terre et non pas reprendre les armes, dit le prêtre, voulant protéger ses ouailles de tout jugement hâtif de la part du nouveau seigneur.

— Dieu nous garde d'un nouveau conflit armé ! Soyez assuré que je n'aspire qu'à la prospérité de la seigneurie, qui repose sur le travail des censitaires, avec qui j'entends bien entretenir des rapports cordiaux. Je compte garder le sieur Guillaume Piet à l'intendance ; il connaît bien mes terres et saura me seconder dans mon entreprise. Vous qui le connaissez bien, qu'en pensez-vous ?

— C'est une décision pragmatique ; Guillaume est un brave homme, honnête et vaillant, vous serez sans aucun doute satisfait de ses services. Vous paierez vos domestiques, monsieur ? s'enquit le curé, quelque peu embarrassé.

— Certainement! Personne ne travaillera sans recevoir de justes gages; de plus, quelques domestiques seront aussi logés au manoir, comme la cuisinière et ses trois enfants.

— Nos paroissiens seront fort aise de voir la seigneurie s'animer de nouveau, c'est-à-dire reprendre les semences et les récoltes. Vous pourrez compter sur mon soutien.

— Vous aurez toujours mon appui, je vous en assure. Vous serez le bienvenu au manoir, dès que les travaux seront terminés, si toutefois vous acceptez de fréquenter un presbytérien, dit James, un brin moqueur.

— Nous prions le même Dieu, *Mister* Cuthbert.

— *God bless you!* lança le seigneur, serrant vigoureusement la main du curé Kerberio.

* * *

James, secondé par Henry, consacra le reste du mois de juin à rénover le manoir, à nettoyer les dépendances, à meubler et à décorer les pièces. Il fit appel aux menuisiers Pierre Fafard et Antoine Guillot, de l'Île Du Pas, et au ferblantier Élie Valois, qui installa un poêle en fonte, au grand plaisir d'Adèle qui, jusque-là, pour cuisiner, devait suspendre les lourds chaudrons en fonte au-dessus de la braise du foyer.

Tout ce brouhaha indisposait Julia, plus familière avec un horaire précis et le silence des murs de l'orphelinat. Le désordre constant, le bruit strident des outils et l'odeur du bois fraîchement coupé l'impatientaient; elle bougonnait et rudoyait les enfants, au lieu de s'abaisser à balayer les copeaux qui jonchaient le sol.

Cuthbert avait aussi prévu que l'ameublement serait remplacé par des meubles plus luxueux, fabriqués par l'ébéniste Filiaud dit Dubois; ce dernier devrait utiliser l'ébène et l'acajou, des bois venus des pays chauds et achetés à fort prix par James Cuthbert à des marchands anglais. La décoration, confiée aux mains expertes de dame Marie-Archange Dizis et de ses ouvrières, devrait être terminée avant l'arrivée attendue de la seigneuresse.

Dans leurs moments libres, Pierre et Baptiste s'approchaient des pièces en chantier ; ils admiraient l'habileté des ouvriers et tentaient de leur rendre de menus services en échange de quelques bouts de bois qu'ils comptaient bien utiliser plus tard.

Leur présence agaçait l'impatiente Julia qui fulminait en les entendant rire ; si les domestiques s'échangeaient des propos qu'elle ne comprenait pas toujours, elle montait rapidement sur ses ergots et les houspillait sans ménagement. Se moquaient-ils d'elle quand ils faisaient mine de ne pas bien saisir ses instructions ? Préparaient-ils un complot contre elle quand ils n'obéissaient pas à ses ordres et n'en faisaient qu'à leur tête ? Elle parlait pourtant couramment le français, mais leur accent et le patois dont ils émaillaient leurs dialogues lui restaient étrangers et semaient l'inquiétude dans son esprit toujours suspicieux.

En servant le repas du seigneur et du capitaine, Julia se plaignit de l'ignorance et de la désinvolture des serviteurs qu'elle tentait de diriger et qui résistaient trop souvent à ses ordres. Elle ne pouvait supporter qu'ils bouleversent l'ordre et bousculent ainsi les convenances. Elle était désemparée.

Le maître la rassura, lui disant qu'elle s'en tirait fort bien.

— Les domestiques qui sont en service ici depuis quelques années savent ce qu'ils doivent faire ; quant aux autres, ils apprendront. Ne les jugez pas trop sévèrement, Julia, et cultivez la patience ; c'est une belle vertu !

— Souhaitons que l'arrivée prochaine de dame Catherine leur inspire un peu de respect et de savoir-vivre.

— La seigneuresse saura dissiper vos doutes, Julia. Ma sœur vous accorde déjà sa pleine confiance, affirma Henry pour la rassurer. Vous passerez la majeure partie de votre temps en sa compagnie ; ainsi, vous vous éloignerez un peu des domestiques. Vous avez terminé votre service pour ce soir ?

— Je crois bien que oui. Avez-vous une autre besogne pour moi, *Mister* James ?

— Non, vous pouvez disposer. Merci, et bonsoir, Julia.

— Vous m'accompagneriez sur la rive du fleuve pour observer les étoiles ? proposa le capitaine Cairns.

— Si le seigneur le permet…

— Faites donc, Julia. Vous êtes majeure, maintenant.

— En effet, *Mister.*

« Ainsi, mon maître le savait ! C'était mon anniversaire, mais personne ne l'a souligné », songea Julia, encore meurtrie d'avoir été oubliée. Elle sortit rapidement de la salle à manger, laissant à Adèle le soin de desservir la table, et rejoignit le capitaine qui étudiait déjà le ciel.

* * *

Comme le jour s'étirait encore longtemps à cette période de l'année, la nuit n'était pas encore vraiment levée ; des nuages aux fioritures mouvantes coloraient le couchant, alors qu'à l'est un croissant de lune orangée montait avec lenteur pour rejoindre les étoiles, qui apparaissaient une à une. Des oiseaux de nuit volaient au-dessus des eaux sombres du fleuve, tandis que les grenouilles coassaient sur les berges.

La nature apaisante pacifia l'esprit ombrageux de Julia ; elle oublia ses incertitudes et ses doléances. Soucieuse de se montrer bonne élève, elle avait étudié attentivement les constellations dans les livres qu'Henry lui avait prêtés. Déterminée à séduire le capitaine par son intelligence et sa perspicacité, elle se préparait à rivaliser avec lui dans l'identification des constellations : elle ne devait pas faillir.

Accordant son pas au rythme indolent des flots, Henry se rapprocha lentement d'elle et rompit le silence :

— Vous avez trouvé le Triangle des nuits d'été, décrit dans le traité que je vous ai remis ?

— Le voici, juste au-dessus de nous. Les trois constellations les plus brillantes viennent tout juste d'apparaître : regardez, ce sont celles de l'Aigle, de la Lyre et du Cygne.

— L'étoile de la Lyre, Véga, est plus visible ce soir que ses deux rivales, Altaïr, de l'Aigle, et Deneb, du Cygne. Plus tard dans la nuit, ces étoiles seront encore plus scintillantes.

— À moins que le quartier de lune n'atténue la luminosité des étoiles, risqua Julia.

Tête levée, contemplant la voûte constellée de points lumineux, elle se rapprocha très près de son compagnon. Son cœur battait à un rythme nouveau, inquiétant ; le souffle de l'homme sur sa nuque la fit tressauter. Troublée, elle imagina ses lèvres effleurant les siennes… « Est-ce cela, l'amour ? » se demandait-elle, le cœur affolé. Immobile, elle pria qu'il fasse le pas qui les séparait encore, mais ignorant son trouble, Henry se perdit dans l'observation du ciel. Elle attendit en vain. Déçue, mais pas désespérée, elle marcha sur la grève un long moment, au même rythme que celui de l'homme. Leur ombre dansait sur le sable tiède ; comme un gamin enjoué, le capitaine lança quelques cailloux dans l'eau qui éclaboussa en gouttelettes argentées.

Le vent s'était levé abruptement, un vent chaud, annonciateur d'orage. La tête des arbres oscillait comme celle d'un vieillard endormi, émettant un sifflement plaintif et continu ; au loin, les nuages se bousculaient sous la poussée de la bourrasque. La lune disparut. Julia frissonna ; avec délicatesse, Henry remonta le châle de la jeune femme sur ses épaules et lui sourit.

— Faut rentrer maintenant, avant que l'orage éclate. Et je dois préparer mon départ pour Montréal ; au retour, James et moi ramènerons la seigneuresse Catherine au manoir.

— Le seigneur James me semble anxieux, est-ce que je me trompe ?

— Il est préoccupé par le bien-être et le bonheur de ma sœur, son épouse. Il souhaite qu'elle se plaise à la seigneurie, où il compte bien s'établir définitivement.

— Elle s'y fera ; il semble qu'on s'habitue à tout dans la vie, surtout quand on est aimée.

— Je remarque de la tristesse dans votre voix, Julia. Vous êtes jeune, bien éduquée, l'amour vous attend, n'en doutez pas, ajouta Henry, lui ouvrant galamment la porte du manoir endormi.

Avant de se mettre au lit, Julia ouvrit son journal et écrivit : « Pourquoi n'aurais-je pas droit à l'amour de cet homme séduisant qui occupe maintenant mes pensées et habite mon cœur ? Un jour, tu seras mon époux et je serai à toi, mon beau capitaine, parole de Julia ! »

Solitaire et secrète, Julia aimait davantage la nuit que la clarté du jour ; elle appréciait l'obscurité, les ombres, les secrets… Elle fit sa toilette, s'installa confortablement entre ses oreillers et ouvrit *L'histoire de la grande peste de Londres*, de Daniel Defoe, bouquin que lui avait offert *sister* Mary Elizabeth avant son départ. Elle lut longtemps, jusqu'à ce que le vent se calme, que les nuages se dispersent et que le croissant de lune passe à l'ouest.

***

Catherine Cairns se plut rapidement dans son rôle de seigneuresse ; son époux, James Cuthbert, avait su lui présenter *sa* seigneurie comme étant le plus bel endroit où ils pouvaient s'installer pour y élever une famille. Le nouveau seigneur, riche veuf écossais né vers 1719 au château de Castel Hill, en Écosse, dans le royaume de Northumbrie, était un homme d'honneur qui avait fière allure. Grand, droit comme un chêne, il portait bien la fin de la quarantaine.

Il se félicitait de posséder une belle terre au Canada et surtout d'avoir rencontré la femme dont il rêvait depuis la mort de Margaret MacKenzie, laissée en terre d'Écosse. Sa bonne fortune l'avait conduit jusqu'à Montréal, après qu'il eut participé à la bataille des plaines d'Abraham, comme aide de camp du général Wolfe. Dès 1760, il retourna à la vie civile et se voua au commerce.

Son ami et associé, Alexandre Cairns, l'invita à une soirée mondaine et lui présenta sa jeune cousine, Catherine, qui venait tout juste de débarquer au port de Montréal. Ce fut le coup de foudre pour cette jeune compatriote, dont le charme juvénile convenait à ses vingt ans ; ses cheveux châtain clair chatoyaient sous la lumière, prenant des tons de roux qui illuminaient son regard enjoué. James Cuthbert fut séduit et comprit aussitôt que Catherine était la femme de sa vie ; le temps de s'arrêter pour fonder une famille était enfin venu. Et il voyait grand, ce seigneur, et comme sa richesse était à la hauteur de ses ambitions, aussi vastes que le pays à bâtir, il trouva sur les rives du fleuve la seigneurie qui le fit rêver.

* * *

À la fin du Régime français, la seigneurie de Berthier appartenait encore à Pierre-Noël Courthiau, qui n'avait plus les ressources nécessaires pour y vivre décemment. Pendant les années de la guerre de Sept Ans, les habitants se consacraient davantage à la défense de la colonie qu'à l'agriculture, causant la disette dans chaque seigneurie. Le seigneur français, peinant à honorer ses dettes, était retourné en France, à Bayonne, dans l'espoir d'y trouver un acheteur pour sa seigneurie. Son fief, sous la gouverne de son frère, Jean-Baptiste, avait subi les ravages du long conflit ; éprouvé par les mauvaises récoltes des années 1750, il s'était appauvri davantage. L'argent comptant se faisait rare, les transactions courantes étaient conclues grâce au troc et à l'échange de monnaie de cartes. La colonie étouffait, elle manquait cruellement de nouveaux défis.

L'arrivée des Anglais, qui s'installèrent à Québec, à Montréal ou sur les rives du Saint-Laurent, modifia alors le paysage économique et social du pays. C'est ainsi que la vente de la seigneurie de Berthier avait fait l'affaire des deux parties : en cédant ses terres à fort prix, Courthiau pouvait vivre aisément en France et, du même coup, se libérait de ses engagements envers ses censitaires ; quant à James Cuthbert, il comptait bien rentabiliser rapidement les soixante-dix mille livres investies en faisant prospérer ses terres.

James Cuthbert devint le nouveau seigneur de Berthier en signant le contrat d'achat le 7 mars 1765 devant le notaire Pierre Panet, à Montréal. L'acte de vente, signé par Jean-Baptiste Courthiau, spécifiait que ce dernier cédait à James Cuthbert *« la possession de la seigneurie située dans le district de Montréal et que la terre vendue mesurait environ deux lieues de front donnant sur un bras du fleuve Saint-Laurent sur une profondeur de cinq lieues, entre la seigneurie Dautray et la rivière Chicot ; au-devant de laquelle seigneurie de Berthier sont l'île aux Castors, l'île Randin et les autres îles. »*

Par cet achat, le nouveau seigneur acquérait aussi tous les biens et meubles de la seigneurie : manoir, boulangeries, moulin, écuries, animaux, granges, terres, ouvertures sur le fleuve et la rivière Bayonne.

***

Rompu à la vie militaire, discipliné et exigeant tant envers lui-même qu'envers ses serviteurs, le seigneur Cuthbert supervisait tout ce qui entourait sa nouvelle vie à la seigneurie. Quand il posait son regard sévère sur ses interlocuteurs, il les intimidait et les troublait par son lourd silence.

Mais en présence de Catherine, il devenait tout autre ; il lui vouait un amour empreint de respect et de dévotion ; dès qu'elle se trouvait à ses côtés, son regard s'attendrissait, sa voix s'adoucissait. Le contraste était frappant : les deux époux étaient aussi dissemblables que l'ombre et la lumière. Par son imagination et sa jeunesse, elle était son île aux trésors, tandis que par sa force et son impétuosité, il était son rocher. Elle privilégiait la médiation, alors qu'il aimait le jeu de l'affrontement ; elle parlait avec une douceur remarquable dans la voix, tandis qu'il s'exprimait avec force et conviction, surtout devant ses adversaires politiques. Elle était douce et patiente, il était sévère et irritable. Elle était son havre d'harmonie et d'équilibre ; il était son puits d'inspiration, son indomptable chevalier.

Malgré le bonheur qu'elle éprouvait depuis qu'elle était installée au manoir, la seigneuresse trouvait parfois pénibles les longues absences de son époux, occupé à galoper sur ses terres avec Henry ou à s'entretenir avec l'intendant, au profit de la gestion de la seigneurie. Elle fit part à sa dame de compagnie de son désir de nouer des relations sociales avec son entourage.

— *Lady* Catherine, j'ai le regret de vous mettre devant la réalité : autour du manoir ne vivent que des papistes illettrés. À l'exception de votre cuisinière, Adèle, presque aucun d'entre eux ne sait lire ou écrire. Il vous sera difficile de vous lier d'amitié avec les gens du peuple, vous qui êtes si distinguée.

— James et moi comptons bien entretenir de bonnes relations avec les habitants de Berthier ; mais je vous donne raison, la présence d'une amie de notre société me comblerait d'aise.

Julia comprenait trop bien où voulait en venir la seigneuresse et garda le silence.

— Trouveriez-vous votre charge de dame de compagnie trop lourde, Julia, si nous invitions l'amie de mon frère, *Miss* Esther Mc Connell, à venir passer le reste de l'été au manoir ?

— Cette décision ne m'appartient pas, *Lady* Catherine. Je suis entièrement dévouée à votre service… Parlant de service, vous plairait-il que je vous accompagne pour une longue marche le long du fleuve ?

— Voilà une excellente suggestion, Julia. Demandez à Adèle de nous préparer un panier de provisions, nous nous arrêterons un moment pour manger en contemplant ce fleuve si changeant, qui me rappelle la rivière Ness, dans mon Écosse natale.

— Je suis plus familière avec les grandes eaux, c'est-à-dire la mer à perte de vue, qu'avec ce fleuve. Allons nous préparer, nous partirons dès qu'Adèle aura rempli le panier de victuailles ; la journée est belle, profitons-en, loin des domestiques, des bruits de la maison et des cris des enfants.

Afin de ne pas engager une polémique inutile, Catherine ne releva pas ce commentaire irrespectueux, mais plaignit Julia qui semblait manquer de bienveillance envers le monde qui l'entourait. Elles sortirent et prirent la direction de la rivière Bayonne. Groggy tenta de les suivre, mais Julia le chassa d'un geste impatient. Catherine, qui aimait tant les chiens, se retint toutefois de corriger le geste inapproprié de sa dame de compagnie, mais elle en garda un goût amer.

Qui était cette jeune femme qui faisait montre d'une telle dureté de cœur, tant envers l'animal innocent qu'envers les habitants de la seigneurie ? Catherine résolut d'observer davantage Julia Scott, d'analyser son comportement et, au besoin, d'affiner ses manières trop cavalières. *Mrs* Cairns aimait l'harmonie et ne tolérerait pas l'acrimonie ni la discorde autour d'elle. Emboîtant le pas à sa dame de compagnie, elle se rendit sur la rive de la Bayonne.

Le temps était à la détente et, d'un sujet de conversation à l'autre, Julia informa la seigneuresse de la nécessité d'engager une autre domestique, afin de seconder Adèle, dont la tâche devenait trop lourde.

— Faites ce qui convient, Julia. Mon époux a proposé d'engager la jeune fille d'un habitant qui travaille parfois au manoir, et comme notre cuisinière vit à la seigneurie depuis un moment déjà, elle doit la connaître. Il serait bon de lui demander conseil. Il m'appartiendra ensuite de rencontrer la personne que vous aurez choisie ensemble.

— Ce sera fait dès aujourd'hui, *Mrs* Catherine. Et quand votre frère reviendra-t-il de Montréal ? demanda Julia d'un ton détaché, comme si le retour du capitaine lui était indifférent.

— Au cours de la semaine prochaine, et, cette fois, *Miss* Esther l'accompagnera.

* * *

Déçue de devoir souffrir prochainement la présence d'Esther, Julia devait maintenant naviguer entre le rêve et la réalité. Bien déterminée à jouer ses cartes pour éliminer cette trop jolie rivale, elle confia à son journal : « À nous deux, belle Esther ! Tes magnifiques cheveux de feu et ton rire cristallin ne feront pas le poids devant le dévouement dont je ferai preuve envers la seigneuresse. Le capitaine est noble et il saura bien reconnaître la valeur de ma fidélité et de mon attachement au service de sa sœur bien-aimée… »

Bien résolue à gagner l'amour du capitaine Cairns, Julia était prête à jouer tous les jeux de la séduction ; elle commencerait par amadouer Catherine, espérant gagner ainsi l'amour de son frère ; en cas d'échec, elle sortirait ses griffes. Pour se donner du courage dans sa lutte pour faire son nid, elle porta la main à son cou et serra très fort le jonc de sa mère, confiante en son amour protecteur. « *Dear mother, help me.* Vous me manquez tant. »

5

— Mathilde, la fille d'Antoine, le menuisier de l'Île Du Pas ? Elle vient souvent au marché et s'arrête ensuite au manoir ; vous la connaissez sans doute, *Miss* Julia… le beau brin de fille aux longs cheveux tressés. Vous voyez de qui je parle ? *Lady* Catherine pourrait pas trouver mieux ! affirma Adèle.

— Oui, je vois de qui vous parlez. Elle est vaillante et bien éduquée ? demanda la soupçonneuse Julia.

— Morbleu, bien sûr ! Je ne vous la recommanderais pas si je n'étais pas certaine de ses vertus et de sa vaillance. Mathilde est l'aînée de six enfants, habituée à lessiver, à cuisiner et à jardiner, et c'est aussi une bonne chrétienne. Vous pouvez lui faire confiance. Vous voulez que j'envoie quelqu'un la quérir ?

— Faites donc ; je m'assurerai qu'elle est aussi vertueuse et respectueuse que vous le dites. Elle devra aussi se montrer discrète et débrouillarde, des qualités requises pour travailler à la seigneurie de nos maîtres.

— Pour ça, j'en réponds ; Mathilde est une fille honnête et courageuse, croyez-moi.

— Je verrai ça moi-même, Adèle. Convoquez-la pour demain.

— Ce sera fait, *Miss*.

***

Le sommeil fuyait Mathilde qui écoutait la chouette hululer ; cette dernière nuit passée sous le toit familial la rendait fébrile. Dès le lendemain, sa vie changerait ; elle deviendrait désormais

« une domestique, une servante » au manoir de Berthier, sous les ordres de James et Catherine Cuthbert. Quelques jours plus tôt, Antoine, son père, avait signé d'une croix l'engagement de sa fille aînée contre des gages en argent sonnant ; l'entente stipulait aussi que Mathilde serait, de plus, logée et nourrie au manoir. « Une bonne affaire », avait affirmé l'homme à sa femme.

Réveillée à l'aube, Mathilde s'attarda sur le paisible minois de Marguerite, sa jeune sœur, encore tout enveloppée de sommeil. Elle se leva sans bruit, abria l'enfant avec tendresse, sortit de la maison et marcha jusqu'au quai, où une loutre paressait dans le soleil levant. Elle s'assit, trempa ses pieds dans l'eau tiède et ferma les yeux pour mieux engranger les images venues de son enfance. Comète, son chien affectueux et fidèle, qui l'avait suivie, se coucha près d'elle et appuya sa grosse tête blanche sur les cuisses de Mathilde. La bonne bête fixait ses yeux tristes sur le visage mélancolique de la jeune fille et semblait partager avec elle les sentiments qui l'habitaient. Mathilde caressa la tête de l'animal, gratta distraitement son cou laineux, s'attardant un moment devant les douces couleurs qui irisaient les eaux mouvantes du fleuve, enveloppées dans la brume qui s'évaporait en gouttelettes lumineuses. « C'est le dernier et le premier matin, songea-t-elle. Je quitte une rive pour en aborder une autre. À partir d'aujourd'hui, je n'habiterai plus dans la maison qui m'a vue naître et alors s'ouvrira à moi un monde nouveau. Sainte Marie, guidez mes pas », pria Mathilde, confiante en la force de la prière. Elle respira profondément, s'imprégna de l'odeur de son île et remonta jusqu'à la maison, Comète sur les talons.

Quand elle entra dans la cuisine, Anne, sa mère, était déjà debout. « Elle a pleuré », remarqua la jeune fille.

— Mère, faut pas vous chagriner comme ça, j'vais pas trop m'éloigner. Père viendra me mener sur l'autre rive, à la seigneurie de Berthier, c'est pas l'bout du monde !

— T'es encore ben jeune pour partir d'la maison, mais j'comprends qu'il faut que tu suives ton propre chemin. Le moment est maintenant venu pour que tu quittes le nid, même si j'trouve que cette heure vient trop vite. Approche maintenant, viens manger ; une rude journée t'attend.

Réveillé par les chuchotements, Antoine les rejoignit et s'installa à table. Ils partagèrent le repas en silence, de crainte qu'un mot inapproprié ne déclenche un flot de tristesse. Chacun savait que plus rien ne serait comme avant ce 15 juillet 1766.

* * *

— Prends garde, fille ! Faut pas t'enfarger en embarquant.

— Tenez d'abord mon baluchon, père. J'saute dans le canot.

Avec l'agilité d'un félin, Mathilde se glissa à bord, prit un aviron et tendit l'autre à son père. Père et fille avaient l'habitude du fleuve ; l'embarcation tangua à peine lorsqu'ils donnèrent les premiers coups d'envoi. Habitants des îles, ils faisaient corps avec cette route à la fois séduisante et fantasque ; ils lui faisaient totalement confiance, car jamais le fleuve ne les avait trompés. Ils lui devaient tout : la vie, la beauté, le rêve, la mort.

En ce matin de la mi-juillet, Mathilde regardait la rive de l'Île Du Pas, son île, s'estomper dans la brume matinale qui s'effilochait à mesure que le soleil réchauffait les eaux calmes du fleuve. Le front volontaire, le regard déterminé, silencieuse, elle était résolue à embrasser sa destinée avec courage et confiance ; ses valeureux parents lui avaient appris très tôt à prendre ses responsabilités et à se soumettre à la volonté du Tout-Puissant. Elle n'allait pas fuir devant l'inconnu et, consciente des besoins financiers de sa famille, elle apporterait sa contribution.

À la dérobée, elle observait Antoine, son père, qui, légèrement voûté, maniait lestement les avirons de ses mains larges et calleuses, lesquelles semblaient davantage faites pour le travail que pour les caresses. Il avait le teint basané comme un cuir usé ; quelques brins d'acier, dans ses longs cheveux brun clair, frôlaient ses épaules musclées, et de discrètes pattes d'oies aux commissures des lèvres laissaient deviner qu'il arrivait déjà à la fin de la trentaine. Un large chapeau de paille protégeait son crâne qui commençait à se dégarnir et ombrageait davantage ses yeux sombres comme des puits. Taciturne, il détournait le regard pour mieux cacher son embarras devant le sacrifice que leur piètre situation financière exigeait de son aînée.

Habituée à seconder sa mère dans la plus totale liberté, Mathilde devrait désormais se plier aux désirs de ses maîtres, des Anglais, des occupants. « Se nourrir du pain de l'étranger », ruminait Antoine qui se sentait humilié et dépossédé de sa dignité. Drapé dans sa fierté, il avait hésité un bref moment avant d'accepter l'offre du nouveau seigneur de Berthier : sa fille aînée, engagée à les servir, contre des gages généreux, une chambrette pour elle toute seule et une table bien garnie. « Au moins, celle-là mangera trois fois par jour », songeait-il, satisfait de la force tranquille de Mathilde qui chantonnait en fendant les flots à grands coups d'aviron. Elle était forte et belle, son aînée ; elle était sa fierté. « Ne l'aura pas qui veut, confiait-il parfois à Anne, sa femme, celui qui la voudra pour épouse devra la mériter ! »

Tout à ses pensées, il accosta devant le manoir tout juste rénové et aménagé pour recevoir la jeune seigneuresse, *Lady* Catherine.

— Il est beau, ce manoir, vous en avez fait une confortable bâtisse, constata Mathilde en remontant le sentier.

— En travaillant icitte avec ton oncle Olivier, nous avons gagné assez d'argent pour acheter une vache et son veau, pis payer nos dettes, rappela Antoine.

— Pis astheure, j'apporterai ma contribution : le seigneur vous remettra les gages que j'gagnerai chaque mois ; toute la famille pourra en profiter, comme convenu entre *Mr* Cuthbert et vous, père.

— Fais-toi pas mourir au travail, ils seront peut-être très sévères envers leurs serviteurs, ce sont des Anglais, les nouveaux maîtres du pays. Faudra l'dire si t'es maltraitée. J'cré que *Mr* James est exigeant mais juste, pis quant à sa femme qui vient d'arriver, j'peux rien dire, j'la connais pas encore.

— J'saurai ben me défendre. Vous inquiétez pas pour moi ! Mais si mère a besoin de moi, j'retournerai à la maison. J'ai remarqué qu'elle était pâlotte, ce matin ; elle est sortie vomir sa soupane. Elle attend un autre petit ?

— Peut-être ben ; ça, c'est des affaires de femmes !

— J'reviendrai à la maison chaque dernier dimanche du mois, comme entendu avec le seigneur, mais si les plus jeunes peuvent pas aider mère, promettez-moi de venir me chercher.

— Promis, ma fille ; ta mère manquera de rien.

Emboîtant ses pas à ceux d'Antoine, Mathilde monta prestement les marches de la galerie ; la porte s'ouvrit devant une mince jeune fille au regard sévère et peu amène.

— Les maîtres vous attendent. Venez par ici, leur enjoignit la jeune dame, qui leur sembla plutôt antipathique.

Assis au salon, les Cuthbert buvaient leur *tea*, tout en profitant de la fraîcheur de la pièce ombragée, avant que la chaleur envahisse leur vaste demeure.

James Cuthbert et sa dame se levèrent et accueillirent leurs visiteurs avec courtoisie.

— Bonjour, monsieur Guillot. Mademoiselle, voici votre maîtresse, *Mrs* Catherine. Vous avez fait une bonne traversée ?

— Ben sûr ! Ma fille et moi connaissons ben le chenal ; on n'a mis que quelques minutes à faire le voyage, précisa Antoine, faisant tourner son chapeau entre ses mains.

— Monsieur, je crois que vous connaissez ma femme, *Lady* Catherine ?

— Je l'ai juste aperçue une fois ou deux. On s'est pas encore adressé la parole, répondit Antoine, intimidé.

— Elle connaît un peu votre langue et, avec le temps, elle la parlera de mieux en mieux.

Et s'adressant à Mathilde :

— Elle l'apprendra avec vous, mademoiselle Guillot, ainsi qu'avec notre cuisinière, madame Adèle, que vous seconderez dans ses tâches, précisa le seigneur, qui étudiait attentivement la physionomie de Mathilde qui, de prime abord, ne savait pas comment réagir devant le maître.

Personne ne l'avait jamais regardée ainsi ; Mathilde avait l'impression que le seigneur scrutait ses pensées et lisait en elle. Elle redressa les épaules et le regarda droit dans les yeux :

— J'pourrai aussi lui apprendre la route du fleuve entre les nombreuses îles que je connais bien depuis l'enfance, s'il vous en plaît ainsi.

— *Well…* *Miss* Guillot, nous verrons, vous aurez beaucoup à faire pour aider madame de Beauval, vous aurez peu de temps libre, surtout pendant la saison des récoltes.

— Vous savez que vous habitez une très belle région, s'efforça de dire la seigneuresse dans un français boiteux.

— Ce pays magnifique me rappelle Inverness, cette région de l'Écosse où j'ai grandi, précisa James Cuthbert, mais je n'ai pas encore eu le temps d'explorer ce fleuve et les îles en compagnie de *Mrs* Catherine.

— Je serai à sa disposition quand il vous plaira, *Mr* James, confirma Mathilde, saluant gauchement ses maîtres.

— Bien. Maintenant, Julia vous conduira à votre chambre, vous expliquera les tâches qui vous seront confiées et vous fera ensuite visiter les lieux. Quand vous aurez terminé votre tournée, vous serez libre jusqu'à l'heure du repas du soir. J'espère que vous vous entendrez bien avec la dame de compagnie de la seigneuresse.

— Ma fille est ben élevée et ben délurée aussi. Elle vous décevra pas, monsieur.

— Je n'en doute pas. L'entente conclue entre votre père et moi vous convient-elle, mademoiselle ? s'enquit le seigneur.

— Père m'en a informée ; c'est ben d'adon d'même. Vous permettez, *Mr* Cuthbert ? On m'attend…

— Faites donc, mademoiselle Guillot.

Avant que son père quitte le manoir, Mathilde l'étreignit ; il cachait mal sa tristesse. Avant ce jour de juillet, jamais il n'avait eu à se séparer de l'un de ses enfants, et il avait l'impression d'être faible, de capituler devant le nouveau maître. Il abandonnait à l'étranger sa fille aînée, sa fierté, son avenir. Il n'était pas certain d'avoir pris la meilleure décision en acceptant l'entente proposée par le seigneur de Berthier ; de nouveau enceinte, Anne avait tellement besoin de son aînée. Ressentant le malaise de son père, Mathilde le regarda d'un air coquin et le taquina avec une pointe de moquerie respectueuse :

— Père, le soleil est bien haut, il est temps de partir, sinon vous vous ferez gronder par mère qui s'inquiète aisément.

— J'y vais. Fais ben attention à toi, ma fille !

— Vous la verrez chaque mois, le dernier dimanche, rappela le seigneur. Et nous traitons bien nos serviteurs, rassurez-vous.

Prestement, Mathilde saisit son maigre bagage et suivit l'Anglaise, pendant que son père remerciait et saluait le seigneur.

— Vous venez, Mathilde ? Le grand salon est par ici…

***

Antoine, malheureux comme les pierres, descendit le sentier qui conduisait à la rive et sauta dans son canot. Il avironna sans se retourner, emprunta le chenal du Nord, longea l'île aux Castors, contourna l'île aux Vaches et approcha négligemment son canot de son lopin de terre, à l'Île Du Pas. Anne, les yeux rougis, l'attendait sur le modeste quai, leur fils Nicolas agrippé à ses jupes. Sans dire un mot, Antoine enlaça sa femme et gravit la route sinueuse qui menait à leur humble logis.

6

Le jour s'écoulait dans la chaleur moite de juillet. La visite du manoir terminée, Mathilde entreprit de faire le tour des granges et des prairies. Les cheveux blonds comme le blé mûr, noués sous un bonnet de lin beige, le teint basané d'une fille de la terre et des eaux, la démarche légère, elle paraissait plus jeune que ses seize ans. Elle s'attarda un moment à regarder les ouvriers de la seigneurie qui s'affairaient à la construction d'un trottoir de bois menant au fleuve. Elle reconnut son oncle Olivier et son cousin, Xavier le renard, qu'on disait plus futé que ce carnassier. Elle les salua de la main et marcha jusqu'aux champs où s'activaient encore quelques censitaires ; vaillamment, ils coupaient, amassaient et retournaient le foin, prêt à être récolté.

La fenaison était une tâche ardue, et seuls les plus costauds pouvaient fournir les efforts nécessaires à la récolte. Les faucilles s'agitaient en cadence, comme de longues ailes métalliques mutilant les champs ondulés. Les moissonneurs peinaient, essuyant la sueur qui ruisselait sur leurs visages fatigués ; ils ne s'arrêtaient que pour mieux reprendre, silencieusement, leur rythme lent, incessant, uniforme et régulier.

En voyant tous ces bras s'échiner au travail, la jeune fille convint qu'en produisant de meilleures récoltes la seigneurie renaîtrait en fournissant aux boulangeries les farines nécessaires à leurs fournées ; encouragés par l'arrivée de quelques dizaines d'Anglais, militaires et civils, les commerces reprendraient leurs lucratives activités. Mathilde comprenait que les habitants qui avaient servi sous le drapeau français, enfin libérés du service militaire, souhaitaient ardemment le retour à la paix et à une vie plus traditionnelle, faite de labeur, de rires, de pleurs, de naissances, de morts, de mariages et de fêtes.

L'argent circulait de nouveau dans la colonie ; on voyait, avec ravissement, tourner les roues des moulins à scie et à farine. Et maintenant, le peuple pouvait rire et chanter. Mathilde se mit à fredonner en effeuillant une marguerite et poursuivit son exploration.

La jeune fille longea ensuite la clôture de pieux jusqu'à la limite de la prairie en tentant d'identifier quelques plantes familières : ici, elle reconnut des marguerites au cœur d'or qui foisonnaient à perte de vue, offrant leurs pétales immaculés à la beauté du monde, et là, du plantain, de la bardane et de l'ortie qui poussaient abondamment en bordure des champs de foin.

Elle s'arrêta un instant devant ce paysage nouveau, lieu qu'elle ferait sien pour les années à venir. Elle se hâta ensuite vers les framboisiers sauvages, remplis de baies rougies, qui croissaient en abondance à l'orée du bois. Elle en cueillit quelques-unes, les porta à sa bouche gourmande et les laissa reposer un moment sur sa langue, goûtant ces fruits délicieux avant de les avaler. Elle revint sur ses pas et aperçut un rosier sauvage, tout garni de magnifiques roses rouges, qui enserrait sa tige épineuse autour d'un piquet de clôture. « Ce genre de rosier ne pousse pas à l'Île Du Pas », remarqua-t-elle.

Ne pouvant résister à l'envie d'apporter quelques fleurs, tout en prenant garde aux épines traîtresses, elle détacha trois roses, les plus belles. « Les premières roses que je cueille », se dit-elle, essuyant une goutte de sang qui perlait sur l'index de sa main droite.

Elle poursuivit sa marche, humant les parfums des champs lourds d'été et de fleurs sauvages ; elle admira le travail des jeunes glaneuses qui besognaient, ramassant parcimonieuse-ment les précieux épis oubliés ici et là par les hommes ; elles devaient se montrer vigilantes et ne rien oublier. À peine se permettaient-elles quelques rires et certaines taquineries. Elles s'absorbaient dans ce travail routinier, coiffées et vêtues comme des nonnes en prière, remplissant les paniers qui attendaient patiemment à la lisière des champs. Les hivers s'attardaient si longtemps sur le Canada que pour survivre il fallait dès maintenant engranger tout ce que la terre donnait si généreusement pendant la belle saison et ne rien laisser sur place.

Le labeur de ces fermiers rappelait à Mathilde le courage de son père et la vaillance de ses frères, qui n'abandonnaient jamais devant la difficulté de la tâche à accomplir. «Je dois pas les décevoir, il faut que j'sois aussi forte qu'eux», se promit la jeune fille, fermement résolue à se soumettre à la volonté de ses maîtres. Le silence de cette fin d'après-midi lui pesait; les cris et les rires de ses frères et de sa sœur lui manquaient déjà, et, instinctivement, son regard se dirigea vers son île.

Désormais, elle devrait partager certains lieux avec des adultes inconnus, aux habitudes très différentes des siennes : les Cuthbert priaient certes le même Dieu, mais ils professaient une autre religion, inconnue des habitants de la seigneurie ; de plus, ils étaient Écossais, vivaient selon leurs coutumes et leurs lois et s'exprimaient dans une langue étrangère. «Mon Dieu, comment pourrai-je arriver à les comprendre, moi qui ne sais ni lire ni écrire ?» se troubla Mathilde, inquiète, devant ce monde si différent de ce qu'elle avait connu jusqu'à ce jour.

Songeuse, elle s'arrêta un moment sur la rive du fleuve, d'où elle reconnut l'envers de son île.

* * *

Jamais Mathilde n'avait été heurtée à son ignorance ni connu la servitude. Habituée à la simplicité de la vie dans une société française et catholique, où chacun partageait son savoir et ses avoirs avec les autres habitants de l'île, jamais elle ne s'était sentie inférieure à qui que ce soit. Mais à partir de ce jour, elle devrait apprendre à servir et à obéir aux ordres des maîtres de langue anglaise. Un bref moment, elle envia la liberté de ses frères, restés auprès de ses parents ; elle s'ennuyait déjà des escapades innocentes dans les îles avec sa cousine Angélique, des confidences échangées et des secrets partagés depuis l'enfance. «Maintenant, seule Julia pourra m'accompagner, m'apprendre des choses, m'écouter… mais pour ça, il faudra qu'on se comprenne ! Elle me semble plutôt farouche, celle-là ! »

La grosse cloche du manoir sonna, la tirant de ses rêveries ; c'était l'appel convenu, elle devait se rendre à la cuisine immédiatement pour la préparation du repas du soir. La servitude commençait dès maintenant. Sérieuse et réfléchie, elle s'accommoderait de sa nouvelle condition, elle n'en doutait pas.

Les deux fils d'Adèle, Pierre et Baptiste, s'amusaient avec Groggy sur les marches du perron ; Mathilde leur sourit et poussa la porte. Elle se sentit immédiatement rassurée de retrouver ces figures familières, cette famille française qui ressemblait à la sienne. Geneviève, une petite fille blonde aux cheveux bouclés, plus jeune que Marguerite, était assise près de sa mère qui s'affairait déjà avec diligence aux préparatifs du repas.

Adèle remarqua à peine Mathilde qui, debout près de la table, attendait ses ordres. Il faisait chaud et, malgré la chaleur caniculaire, elle ajouta une bûche au gros poêle de fonte. Déjà, des plats mijotaient, un fumet invitant enveloppait la pièce et aiguisait l'appétit.

— Tu viens, Mathilde ? Tu veux bien commencer à préparer les légumes ?

— Ils sont où ?

— Morbleu, Mathilde, faut d'abord les récolter au potager ! Ils n'ont pas de pattes et ne viendront pas tout seuls à toi ! Cette fois, Pierre et Baptiste iront avec toi.

— J'peux amener la petite aussi ?

— Cette petite s'appelle Geneviève ; elle peut t'accompagner, si tu réussis à apprivoiser cette enfant farouche comme un écureuil.

Étonnamment, la fillette timide tendit aussitôt la main à Mathilde et, sautant toutes les deux à cloche-pied comme des gamines, elles se dirigèrent vers le potager où les attendaient les deux garçons, les bras déjà remplis de carottes, de betteraves, de patates, de feuilles de laitue, de radis et d'oignons.

La température de l'été 1766 avait été favorable aux récoltes, et les légumes croissaient en abondance. « Peut-être est-ce là le signe que la disette est ben finie », pensa Mathilde, tout en remplissant le grand panier d'osier destiné aux cueillettes.

Mathilde revint à la cuisine, Geneviève sur les talons ; elles se hâtèrent de laver et de couper les légumes, devisant et riant comme d'inséparables complices.

— Mais, dis donc, qu'est-ce que t'as fait manger à ma petiote pour qu'elle soit enfin sortie de sous mes jupons ?

— Mathilde est gentille, elle ; pas comme *Miss* Julia, chuchota Geneviève, surveillant la porte de la cuisine.

— Ah, celle-là, soupira Adèle. En parlant du diable…

Arrivant comme un cheveu sur la soupe, Julia s'adressa à la cuisinière d'une voix autoritaire :

— Le repas sera bientôt prêt ?

— À l'heure habituelle, *Miss* Julia ; pas besoin de surveiller mes chaudrons, je m'en occupe moi-même… À moins que vous souhaitiez changer de tâche, *Miss* ?

Julia tourna les talons, furieuse. Mathilde se retint de rire devant l'expression frondeuse d'Adèle.

— Faut la remettre à sa place, celle-là ; elle se croit tout permis parce qu'elle est anglaise, j'cré ben ! Toi, si t'as un caractère docile, tu t'entendras peut-être ben avec elle, mais moi, j'ai pas toujours la patience de l'endurer autour de mes chaudrons.

— L'Anglaise me paraît plutôt farouche et pas commode pantoute. Est-ce qu'elle agit comme ça avec tous les serviteurs du manoir ?

— Elle est autoritaire avec tous les Canadiens, seuls l'intendant Guillaume Piet et le jardinier McPherson échappent à sa tyrannie. Faut souvent lui tenir tête ; n'oublions pas qu'elle aussi, c'est une domestique ! rappela Adèle, bien décidée à rester reine dans son royaume.

* * *

Julia et Mathilde étaient aussi différentes que la nuit et le jour ; la jeune Anglaise, élancée et svelte, posait ses yeux sombres et mystérieux sur la blonde Mathilde, plus costaude, au regard franc et enjoué.

Julia, satisfaite des responsabilités que ses maîtres lui avaient confiées, dirigeait le service d'une poigne solide, sans ménagement ni délicatesse. Elle trouverait un plaisir indicible à domestiquer cette nouvelle servante, « cette Canadienne illettrée », tâche à laquelle elle s'appliquerait avec une dureté inflexible. Elle poserait sur elle une main de fer, sans enfiler un gant de velours.

— *Mrs* Catherine exige que la table soit bien mise, lança-t-elle d'un ton sévère. Tu dois placer les ustensiles correctement : le couteau à droite, les fourchettes à gauche. Les plats de service, devant *Mr* James. Sa place est ici, tu devras t'en souvenir.

— Je veux bien apprendre, j'suis pas sotte, reprit Mathilde, surprise par l'attitude agressive de sa compagne.

Mal à l'aise, elle tenta de corriger la présentation du service afin de satisfaire aux exigences de Julia.

— C'est mieux. Maintenant, va à la cuisine, le premier service doit être prêt.

La soupière, déjà remplie par Adèle, invitait à la gourmandise. Les légumes, fraîchement cueillis et mijotés dans un bon bouillon de bœuf, dégageaient une odeur alléchante. Sous l'œil vigilant de Julia, Mathilde versa la soupe fumante dans les bols et servit ses maîtres avec déférence.

— Bien, Mathilde. Le pain, je vous prie, demanda Cuthbert avec affabilité, satisfait de la débrouillardise de la fille Guillot.

Les plats bien apprêtés se succédaient les uns aux autres, au grand étonnement de la jeune fille qui n'avait jamais vu tant d'abondance, pas même au jour de l'An, chez la grand-mère Huguenin.

Julia, perspicace, remarqua le regard gourmand de Mathilde.

— Ça te donne faim, Mathilde, de servir tant de plats? chuchota malicieusement Julia, cherchant à humilier la jeune Canadienne.

— On a toujours mangé à notre faim chez nous, même si on servait pas tant de plats, riposta Mathilde qui, piquée au vif, se précipita vers la cuisine, les joues en feu.

« Insolente ! » ragea Julia en elle-même.

Adèle, remarquant la mauvaise humeur de Mathilde, l'interrogea, sourire en coin.

— Que se passe-t-il, ma fille ?

— Julia m'a fait comprendre, par son expression et ses remarques… disons un peu dédaigneuses, que j'suis pauvre et ignorante.

— Celle-là, je te rappelle qu'il faudra t'en méfier.

— Tu arrives avec le *tea* ? Nos maîtres s'impatientent, lança Julia, les poings sur les hanches et le regard sévère.

Mathilde s'empressa aussitôt d'apporter le *tea* et les *cakes*, préparés par la cuisinière, et les déposa silencieusement devant les maîtres.

— *Well!* Mathilde, souligna le seigneur, vous êtes réservée et discrète, deux qualités indispensables pour rester à notre service. Et, avec l'habitude, vous gagnerez de l'aisance et de la rapidité. Vous pouvez nous laisser maintenant ; Julia s'occupera de *Mrs* Catherine. *Good night!*

Mathilde salua gauchement ses maîtres, sous le regard railleur de Julia.

***

— Ah, madame Adèle ! Ma première journée est presque terminée. J'ai juste le goût de m'écrapoutir dans mon lit.

— Pas si vite, ma belle, faudra d'abord manger et ensuite nettoyer la cuisine. Le dodo, ce sera pour plus tard. Pis je m'appelle Adèle, pas « madame Adèle ».

— Mais…

— Pas de « mais ». Je suis trop jeune pour que tu emploies *madame* en t'adressant à moi. Et puis, je suis juste une servante, comme toi !

— Bien, Adèle, balbutia Mathilde, habituée à vouvoyer les personnes qui ne lui étaient pas familières.

La nuit était déjà bien installée quand Mathilde entra dans la chambrette que Julia avait mise à sa disposition : une paillasse posée sur un lit étroit, une table et une chaise disposées dans un coin, ainsi qu'un coffre en chêne composaient l'humble mobilier. Mathilde arrangea les trois roses rouges cueillies plus tôt dans un récipient de verre emprunté à la cuisine et le plaça sur la large tablette de la fenêtre. Un délicat rideau de dentelle d'Alençon, cadeau d'Adèle, égayait l'humble décor. Les nuances des feuilles vertes, alliées au rouge vif des délicates fleurs, se découpaient dans l'ombre de la nuit. Mathilde contempla ces roses, en huma la douce odeur qui s'en dégageait et s'agenouilla devant la fenêtre ouverte sur la plaine infinie de la seigneurie, ne sachant quel saint invoquer pour apaiser l'angoisse qui l'oppressait.

Malgré l'épuisement, elle n'arriverait pas à dormir dans cette pièce qui lui était étrangère. Divers sentiments l'envahissaient et se bousculaient dans son esprit fatigué. « Tout est si nouveau pour moi. Pour la première fois de ma vie, j'vais dormir seule sur ma paillasse. Marguerite, ma p'tite sœur, j'm'ennuie déjà de toi, de ton odeur d'enfant, de tes câlins ! Pleures-tu, toute seule dans le noir ? » se demandait Mathilde, inquiète, dans la solitude qui enrobait cette nuit de juillet.

Les rêves de sa première nuit passée à la seigneurie furent habités par des soldats en habits rouges qui avançaient vers le manoir, affamés et menaçants. Ils insistaient pour entrer dans la cuisine, et Adèle devait les repousser avec force afin de protéger ses jeunes enfants. Mathilde essayait d'intervenir, mais elle ne pouvait bouger, paralysée par une profonde léthargie. Elle voulait appeler à l'aide, mais aucun son n'arrivait à franchir le mur de ses lèvres, paralysées dans l'irréalité onirique.

Un bruit la réveilla brutalement ; elle était tout emmêlée dans ses couvertures, les cheveux mouillés, les lèvres desséchées. Elle se leva, se rendit jusqu'à la fenêtre et écouta les bruits étranges de la nuit. Elle s'apaisa en admirant la voûte céleste où la place millénaire qu'y occupaient les constellations la rassura. Elle sourit en pensant à son chien, Comète, et frissonnante elle retourna entre ses draps et retrouva le sommeil. C'est le cri du coq qui la réveilla à l'aube. Timidement, le soleil chassa la nuit qui se réfugia lentement dans l'abîme des eaux fluviales. Le jour se levait, majestueux, plein de promesses.

Mathilde se hâta de sortir, avant que la maisonnée s'éveille, et elle descendit jusqu'à la rive du fleuve encore au repos. Elle se glissa nue dans l'eau tiède, s'y baigna, nagea avec l'aisance d'une naïade, fit quelques brasses et se laissa ensuite volup-tueusement porter sur l'eau vaporeuse du jour nouveau. Des reflets lumineux ondoyaient sur ses longs cheveux défaits qui se déployaient autour d'elle comme des algues vivantes.

Des familles de hérons vinrent lui tenir compagnie, voguant habilement entre les grandes herbes qui leur servaient d'abri, tandis que des canetons jouaient à cache-cache avec leur mère, dans les joncs qui oscillaient à leur passage. Mathilde, heureuse et détendue, sourit à la beauté de la vie et, regagnant la berge, cueillit au passage un magnifique lys d'eau qui irait tenir compagnie aux roses rouges, dans le vase déposé sur le rebord de sa fenêtre. « Le lys et la rose, quel merveilleux mariage », songea-t-elle.

Une belle journée s'annonçait dans la moiteur du matin nouveau, une page vierge s'offrait à elle, tandis que, baignée de grand air, une sorte de plénitude physique l'envahissait. Apaisée et sereine, elle revint vers le manoir silencieux, accueillie par Groggy, le gros chien dodu du jardinier.

7

Groggy grogna en regardant vers l'ouest. Des cris, venant d'une maisonnette située un peu plus loin que le manoir, attirèrent l'attention de Mathilde, qui en un coup d'œil réalisa que la maison des Valois était la proie des flammes. Au-dehors, une forme s'agitait en mouvements désespérés, les cheveux brûlés, les vêtements en flammes. La silhouette folle s'effondra, se roula dans la terre humide du matin, cherchant désespérément à éteindre le feu qui s'acharnait à la consumer. Un drame épouvantable se déroulait sous les yeux de Mathilde, et sans perdre un instant elle courut au manoir quérir l'aide nécessaire pour secourir ces pauvres gens.

La maisonnée s'éveillait à peine, mais le seigneur James fit immédiatement sonner le tocsin, appelant tous les censitaires à la corvée. Les seaux furent vite remplis d'eau du puits ; des pelles, des pioches, des échelles furent apportées. Tous les bras réquisitionnés, du plus petit au plus grand, formaient une longue chaîne humaine, du manoir jusqu'à la pauvre résidence en flammes.

En militaire aguerri, James dirigeait habilement les secours, et ce qui lui importait le plus, en ce moment, c'était de sauver la vie des habitants de cette propriété. Il connaissait bien le père de cette famille, le ferblantier Élie Valois, dont les services avaient été requis pour effectuer des travaux au manoir. Sans perdre un instant, malgré l'agitation, le bruit, le crépitement infernal du feu qui s'obstinait à détruire le fruit de tant de labeur, James Cuthbert chercha à identifier les membres de la famille ; d'un coup d'œil expert, il repéra facilement quelques enfants dépenaillés, pleurant devant la maison qui flambait.

Des ordres furent alors donnés à grands cris afin de rassembler les parents et les enfants.

— Est-ce que toute votre famille est avec vous ? demanda-t-il à Élie.

— J'sais pas, m'sieur. Y a trop de monde et de fumée, j'peux pas voir, gémit le pauvre homme.

— Je m'occupe de faire le compte, s'empressa d'ajouter le curé Kerberio, arrivé en trombe sur les lieux du drame avec le viatique.

D'autorité, le prêtre regroupa la famille autour de lui et conclut que l'aîné, Daniel et le bébé n'étaient pas avec eux.

— *Mr* James, deux personnes manquent à l'appel : Daniel et le bébé, lança le prêtre.

— Ils sont certainement à l'intérieur, et je crains qu'il ne soit trop tard pour eux. Le toit tombe déjà, et il est impossible d'entrer dans cette fournaise. *God bless them !*

— Dieu les bénisse ! ajouta le curé qui retourna aussitôt auprès des parents hébétés et impuissants, tout en agitant son goupillon avec nervosité.

Le seigneur et les habitants tentèrent de préserver ce qui pouvait encore être sauvé, mais on se rendit vite compte que, quels que soient leurs efforts, l'humble maison ne pourrait être conservée après les ravages de l'incendie.

Les cris et les pleurs cédèrent la place au silence étouffant, mêlé au pétillement du feu qui achevait son œuvre destructrice. De temps à autre, le bruit déchirant d'un mur qui s'affaissait suscitait des murmures de compassion, et bientôt seule la cheminée de briques témoignerait de la place occupée par la maison maintenant complètement détruite.

Cunégonde, la veuve Nolan, arriva sur les lieux, apportant dans sa besace des onguents et des infusions dont elle seule connaissait le secret; on la conduisit aussitôt auprès de la pauvre Thérèse, qui avait miraculeusement survécu, mais que les flammes avaient gravement brûlée. Le seigneur fit transporter la fillette au manoir, pour que des soins lui soient prodigués, et envoya un messager afin qu'Adèle et les servantes préparent des vivres pour soutenir la famille éprouvée et les généreux sauveteurs. Et seulement quand les dernières braises furent éteintes, les recherches pour retrouver les disparus purent débuter.

L'attente fut éprouvante pour les parents éplorés qui ne comprenaient pas ce qui avait pu causer cet incendie au cœur de l'été.

— J'sais pas ce qui est arrivé! se lamentait Josephte. Mon Dieu, mes enfants, où sont-ils?

— En v'là quelques-uns, là-bas; les servantes du manoir s'en occupent, ajouta une voisine secourable.

* * *

Trop ébranlée par cette catastrophe, Josephte, la mère de famille, ne réalisait pas encore que deux de ses enfants avaient péri dans ce tragique incendie et que Thérèse, sa grande fille, était sérieusement blessée. C'est seulement en entendant James Cuthbert donner l'ordre de commencer les fouilles qu'elle comprit qu'une tragédie venait de se produire.

Les secouristes ne mirent que quelques minutes à identifier le corps calciné de Daniel, tenant dans ses bras le bébé d'à peine quelques mois. Effondré près de la porte, le garçon, serrant le petiot contre lui pour le protéger de la fumée, n'avait pas eu le temps de sortir.

— Il a sans doute voulu sauver sa petite sœur, mais il n'en a pas eu le temps, supposa James.

— Il est mort en héros, ajouta le curé, s'agenouillant pour bénir ce qui restait de ces deux corps unis dans une mort atroce. Il faut maintenant en informer les parents…

La journée durant, une forte odeur de fumée et de chair brûlée enveloppa le village comme un linceul, pendant que les habitants, unis dans l'épreuve, apportèrent aide et consolation à la famille endeuillée. Journée de recueillement, journée paren-thèse où chacun, songeant à la fragilité de l'existence, revécut avec émotion la tragédie survenue à l'aube de ce qui s'annon-çait comme une belle journée d'été.

Le lendemain, le soleil était voilé de deuil. C'était jour de tristesse dans la paroisse, et tous les travaux des habitants furent reportés. Très tôt, les quarante-quatre bancs de la petite église paroissiale, drapée de noir, furent occupés pour les funérailles de Daniel et la cérémonie des anges de la petite Joséphine.

James, sa femme, les domestiques, le capitaine de milice ainsi que les notables du village, recueillis et émus, assistèrent à la liturgie présidée par le curé. Un seul cercueil fait de bois blond, généreusement offert par l'ébéniste Filiaud dit Dubois, conte-nait les restes calcinés des enfants victimes de l'incendie et reposait devant la modeste balustrade. Le requiem interprété par le maître chantre retentit dans la petite église qui pleurait la perte de ces deux jeunes vies.

Après l'*Ite, missa est*, le curé invita les paroissiens à être généreux et à partager avec cette famille si éprouvée. Une corvée improvisée s'organisa et les Valois purent rapidement s'installer dans leur nouvelle demeure, construite sur les cendres de la première, où fleurissaient, impassibles, des boutons-d'or et des marguerites.

La vie, exigeante et capricieuse, reprit rapidement ses droits. La corvée terminée, tous les censitaires et les domestiques s'acti-vèrent aux travaux sur leur lopin de terre, ou encore à l'entre-tien du manoir.

* * *

Témoin de la compassion des Cuthbert, Julia exprima son désaveu et son incompréhension dans une lettre adressée à son amie Françoise : *« Mes maîtres se donnent bien de la peine pour soulager la misère de ces habitants paresseux, buveurs impénitents. Que peuvent-ils attendre de ces êtres ingrats qui ne lèveraient pas leur petit doigt pour défendre la seigneurie ? Je ne comprends pas les seigneurs… »* Elle termina sa lettre en confiant que le capitaine Cairns était attendu très prochainement au manoir, mais omit d'ajouter qu'Esther l'accompagnerait.

Le lendemain matin, attablée devant son bol de gruau fumant, Julia attendait Mathilde :

— Bien reposée, ce matin ?

— Oui, merci, Julia ! Tu parles bien notre langue. Où as-tu appris à parler français ?

— À Boston, où j'ai étudié chez des religieuses ; je comprends et parle couramment votre langue, mais pas toujours votre patois, avoua Julia.

— Ben moi, j'parle pas anglais pantoute ! reprit Mathilde, et dire que *Mrs* Catherine compte sur moi pour…

— Pour rien, Mathilde ! Elle ne compte pas sur toi ! C'est moi qui suis au service particulier de notre maîtresse, pas toi ! Faudra t'en souvenir. D'ailleurs, *Lady* Catherine a fréquenté la noblesse française avant d'épouser *Mr* James et elle comprend un peu la langue des gens du pays. La voilà justement qui vient.

— Bonjour, *Misses*, dit la seigneuresse avec un sourire engageant. Julia, *please*, vous savez où est mon époux ?

— *Mr* James est avec les ouvriers qui travaillent au sentier menant au fleuve.

— Vous voulez bien l'informer que je l'attends au salon ? Et vous, Mathilde, vous me tiendrez compagnie en attendant mon mari.

Lady Catherine, songeuse, regardait fuir les eaux calmes du fleuve. Son regard s'assombrit un moment devant ce monde inconnu. Intimidée par le silence qui se prolongeait, Mathilde ne savait comment engager la conversation. C'est la seigneuresse qui fit le premier pas :

— Vous semblez *timid*, Mathilde. Venez !

— Je… parle… pas anglais.

— Je connais quelques mots français, commençons ainsi ; vous apprendrez avec Julia et moi.

— Vous êtes bien bonne, madame !

— *Mrs* Catherine, dit la seigneuresse pour la corriger.

— Pardonnez-moi, *Mrs* Catherine. Je m'en souviendrai.

La conversation anodine se poursuivit péniblement entre ces deux jeunes femmes qui se rejoignaient dans leur solitude. Et toutes deux, à leur manière et selon leur destin, devaient apprivoiser le maître.

— *Mr* James arrive, *Mrs* Catherine, annonça Julia, heureuse de mettre ainsi un terme à la conversation entre la seigneuresse et cette Canadienne ignorante. Et toi, Mathilde, tu te prépares à servir la table maintenant.

— J'vais à la cuisine tout de suite, tout est prêt.

* * *

Son service terminé, Mathilde s'enquit de la santé de Thérèse auprès d'Adèle qui, la veille au soir, avait rendu visite à Cunégonde, la guérisseuse du village, qui avait proposé au seigneur d'amener la blessée chez elle.

— Les plaies guériront bien. La veuve Nolan connaît tous les secrets des plantes et saura bien ramener la blessée à la santé, mais la pauvre enfant restera marquée au visage toute sa vie. Elle dort beaucoup, sans doute sous l'effet de quelque potion magique dont cette sorcière fait usage.

— Sorcière ou non, on dit que cette femme sait guérir les gens. Pour ça, tu as raison, et même si le curé soupçonne qu'elle parle au diable, on lui amène tous les malades que le docteur Généreux ne peut soigner, et ils repartent souvent soulagés, sinon guéris.

Une bousculade entre Pierre et Baptiste, qui rivalisaient pour s'approprier la première place à table, coupa court à la conversation.

— La petite n'est pas encore réveillée ? demanda Mathilde.

— Geneviève… Ge-ne-viè-ve, répéta Adèle, quelque peu impatiente. Ma fillette se nomme Geneviève.

— Geneviève n'est pas encore là ?

— Pour une fois que ses espiègles de frères ne l'ont pas réveillée, elle dort sans doute encore, mais elle ne devrait pas tarder. Et comment trouves-tu ton travail auprès des Cuthbert ? enchaîna Adèle.

— Ça fait pas encore assez longtemps que j'travaille icitte, faudra voir plus tard ! Madame me semble timide, réservée et gentille. Mais le seigneur Cuthbert m'impressionne avec ses airs de militaire. Quand il pose sur moi ses yeux perçants, j'me sens fondre.

— Ben moi, le seigneur James, tout écuyer du roi George qu'il soit, ne me fait pas beaucoup d'effet ! C'est peut-être l'un des soldats de Sa Majesté britannique qui a tué mon Jeannot pendant la grande bataille, alors tu comprends que plus je me tiens loin des Anglais, mieux ça vaut ! Heureusement pour moi, celui-là ne viendra pas souvent dans ma cuisine ! Bon, voyons qui arrive, astheure ! s'exclama Adèle, tendant les bras à sa benjamine.

Geneviève, le minois encore tout fripé de sommeil, les cheveux emmêlés, rejoignit ses frères qui réclamaient des œufs à leur mère.

— Allez donc au poulailler voir si les poules ont déjà pondu, ordonna Adèle sur un ton ferme, qui ne laissait place à aucune hésitation.

Le calme revenu pour un moment, Mathilde raconta, à l'intention d'Adèle, les événements des années passées dans la région de Berthier.

— Après la bataille à Québec, à l'automne 1759, les troupes anglaises ont continué leur guerre, au-delà de la ville de Québec. Elles ont descendu le fleuve, soumettant les villages les uns après les autres. Elles se sont arrêtées à Saurel, à la fin de l'été 1760, et devant la résistance du peuple, le général... Murray, me semble bien...

— C'est ce général Murray qui est maintenant notre gouverneur.

— C'est ben ça. Il a donné l'ordre de brûler une grande partie des maisons des habitants. Plusieurs se sont cachés dans les îles en attendant que les Anglais partent. Ma mère, qui venait tout juste d'accoucher de Marguerite, pleurait tout l'temps, parce que son frère, Olivier, avait tout perdu dans cet incendie. Tout perdu : sa maison, son commerce, tout. Il s'était installé chez nous avec sa famille ; ma tante attendait un bébé, et la misère était si grande que l'enfant est morte à sa naissance. Angélique a eu beaucoup de peine, elle venait d'perdre sa p'tite sœur. Depuis ce temps, ma cousine et moi sommes devenues amies pour toujours. Jamais on n'oubliera cette année-là.

— Et maintenant, ils habitent encore à l'Île Du Pas ?

— Oui, mon oncle a acheté un petit lopin de terre sur la pointe ouest de l'île. À peine de quoi faire vivre sa famille. Il travaille aussi comme menuisier ou encore comme maçon ou bûcheron. Il en veut toujours aux Anglais, pis Xavier est encore pire ; il prendrait volontiers les armes contre eux. Il rêve de voir de nouveau le drapeau français flotter à Québec.

— Et qu'en pensent ta tante et ta cousine ?

— Tante Marie prie chaque jour pour que son fils renonce à se battre, mais il est entêté et rancunier, il cherchera vengeance jusqu'au bout du monde. Pis encore, Angélique est amoureuse d'un jeune soldat anglais qui se cachait dans les îles pendant les dernières années de la guerre. Blessé, estropié à vie, il vivait de l'hospitalité que lui offraient les habitants, autant par charité chrétienne que pour enquiquiner les Anglais. Il n'est jamais reparti et tourne autour de ma cousine, Angélique Huguenin, mais son père veut pas entendre parler du mariage de sa fille avec un ennemi. Ça fait qu'elle pleure, la pauvre fille, elle qui avait un fiancé français, Éloi Lemaistre, un noble, retourné en France, au printemps, sur le premier bateau. Souhaitons que plus jamais nous n'ayons de guerre !

— Qui sait, on dit que les colonies anglaises complotent contre le roi d'Angleterre.

— Parle pas de malheur, Adèle. Y en a ben assez d'même !

Le chahut mit fin à la conversation. Les garçons entrèrent en trombe, suivis de Geneviève, les cheveux ébouriffés, un gros panier d'œufs encore tout chauds à la main.

— Eh, mes petits sacripants ! Un peu de calme, c'est pas un moulin, icitte ! Maintenant, allez quérir l'eau au puits. Allez, ouste !

La tornade passée, Mathilde et Adèle ajustèrent leur tablier et se remirent prestement à la tâche.

— La journée sera belle et chaude, affirma la cuisinière pour conclure en regardant les rayons du soleil qui doraient les champs de blé autour du manoir. Il serait temps d'aller cueillir des framboises avec les enfants, en fin de journée. Tu les accompagnerais ?

— Ben sûr, et demain, j't'aiderai pour les confitures.

— Je suis bien heureuse que tu sois là, Mathilde. T'es vaillante et les enfants t'aiment beaucoup.

— Merci, tu pourras toujours compter sur moi, Adèle.

Les deux femmes se donnèrent l'accolade en signe de fidélité et d'amitié, déterminées à s'aider pour le meilleur et pour le pire, au service des nouveaux maîtres.

8

$\mathcal{M}$athilde espérait l'arrivée du dernier dimanche de juillet avec impatience ; plus ce jour approchait, plus son attente devenait inquiétude… Ne restaient plus que quelques jours… Le plus vieux de ses frères, Jean-Baptiste, serait-il à la porte de l'église après la messe dominicale, Comète sur les talons, l'attendant ? Les forts orages des derniers jours, qui avaient gonflé les flots, empêcheraient-ils son frangin d'entreprendre la traversée en canot ? Et comment se passerait ce premier retour à la maison familiale ?

Distraite, elle laissa échapper le précieux vase de porcelaine rapporté des vieux pays par *Mrs* Catherine. Fort heureusement, elle le rattrapa juste au moment où il allait se fracasser devant l'âtre de la cheminée.

— *Stupid girl !* lança Julia, entrée au salon sans crier gare. Ne touche plus jamais aux trésors de notre maîtresse, ce n'est pas ton travail.

Humiliée, au bord des larmes, Mathilde se réfugia sur la rive du fleuve, là où elle retrouvait sa source et ses racines. « Pourquoi Julia me traite-t-elle ainsi ? *Stupid !* Ce mot veut sans doute dire la même chose qu'en français… *Girl* ? Je vais demander à Adèle. » Apaisée par les eaux calmes, Mathilde retrouva la Normande qui s'affairait déjà à pétrir le pain, et à peine venait-elle de nouer son tablier qu'elles entendirent sonner la cloche du manoir, appelant les domestiques à accueillir des invités qui se préparaient à accoster.

Aussitôt, elles virent Julia, fébrile, s'activant autour de la seigneuresse Catherine, qui accourait vers la rive à la rencontre d'Henry. Ils se firent des accolades et s'embrassèrent, et des rires se mêlèrent aux cris des serviteurs qui débarquaient les marchandises tant convoitées, achetées à la ville. Pour Mathilde, aucun des visages n'était familier.

— Ce sont tous des Anglais ?

— Le militaire rouquin qui tient une jeune femme par la taille est Écossais, c'est le frère de la seigneuresse, Henry Cairns, et sa promise Esther, m'a-t-on dit ; les autres, je ne les connais pas, précisa Adèle.

— Avec l'arrivée de tous ces nouveaux invités au manoir, pourrai-je aller voir ma famille dimanche ?

— Si c'est l'entente signée par le seigneur, tu pourras sans doute partir ; il ne revient jamais sur une parole donnée. Je me débrouillerai sans toi.

* * *

La soirée était chaude et le temps, lourd d'humidité ; les pelouses encore mouillées laissaient paraître les traces des pas de ceux qui s'attardaient encore au jardin. D'autres invités s'étaient regroupés sur la vaste galerie, face au fleuve ténébreux, alors que quelques-uns avaient pris l'initiative de sillonner les eaux sombres à bord d'embarcations d'où s'échappaient quelques ricanements et quelques murmures. Les serviteurs s'affairaient autour des invités, remplissant les verres, ramassant les assiettes délaissées, cherchant à assurer le confort de chacun.

Julia, fière de diriger tous ces domestiques, s'ingéniait à attirer l'attention du capitaine Cairns ; elle épiait chacun de ses gestes, analysait les regards qu'il posait sur l'exubérante Esther, s'empressait à le servir elle-même, sans dire un mot, mais toujours en posant sur lui un regard insistant qu'il feignait d'ignorer. Julia n'abandonnait pas, déterminée à utiliser ses talents et son savoir-faire contre la frivolité et la vanité puérile de la trop belle Esther. Elle les vit se lever et prendre la direction du fleuve, enlacés, riant comme des enfants.

Elle profita de ce moment pour se diriger vers la chambre réservée au capitaine ; elle ouvrit toutes grandes les fenêtres et étendit sur le lit des draps de coton finement tissés. En déposant un bouquet de roses sur la commode, Julia y remarqua de jolies aquarelles et une autre toile, inachevée, exposée sur un chevalet ; elle en admira la qualité, bien décidée à savoir si Henry les avait dessinées lui-même. Elle ferma doucement la porte, presque avec dévotion, laissant les parfums des fleurs se répandre dans la chambre comme des effluves enivrants.

Elle ne mit que quelques minutes à connaître la vérité : en écoutant les conversations, elle apprit que l'armée anglaise avait confié au capitaine Cairns la réalisation de dessins descriptifs relatant les exploits des troupes. Pour le militaire, dessiner était une seconde nature ; crayon à la main, il représentait sur papier, et avec une fidélité déconcertante, tout ce qui l'entourait : paysages, animaux, personnages, bâtiments, rien n'échappait à son œil averti et à sa main experte. Il savait dessiner comme l'oiseau savait chanter.

C'est ainsi qu'une belle soirée, au cœur de l'été canadien, le capitaine Cairns, assis devant la seigneuresse, entreprit d'esquisser le portrait de sa sœur ; soulignant la finesse de ses traits, son regard lumineux et son abondante chevelure, il reproduisait fidèlement l'expression juvénile de sa cadette. James se montra satisfait du travail de l'artiste et, réconforté de savoir sa femme heureuse, il se montra permissif. Il proposa à Henry d'utiliser la chaloupe pour explorer les environs des îles, avec Esther et Catherine.

— Mais, recommanda-t-il, si vous voulez vous éloigner, demandez à Mathilde de vous accompagner, elle connaît bien cette région.

— Tu ne me fais pas confiance, James ? demanda Henry pour plaisanter.

— *Yes !* Mais Catherine m'est trop précieuse pour que je prenne le risque de la perdre.

Dès le lendemain, les eaux calmes du fleuve les invitèrent à la promenade en chaloupe ; Catherine demanda à Adèle de préparer un pique-nique et à Julia de rassembler tout le nécessaire requis pour passer confortablement la journée entière dans les îles avec Henry et Esther : chaises, jeux, livres, couvertures. Tout fut prêt rapidement, et comme Julia se dirigeait vers la chambre d'Henry pour y prendre pinceaux, toiles et peinture, le militaire l'arrêta d'un geste courtois.

— Merci, ma bonne Julia, pour les fleurs déposées dans ma chambre ; et laissez, je m'occuperai moi-même de mes dessins.

— Bien, *captain* Cairns.

Quand tout fut rangé dans l'embarcation, James répéta ses conseils de prudence, embrassa Catherine et les regarda s'éloigner. Julia était blessée ; jusqu'à la dernière minute, elle avait espéré que *Lady* Catherine l'inviterait à l'accompagner dans l'exploration des îles, mais la seigneuresse resta ferme :

— Prenez cette journée pour vous et reposez-vous. Votre présence ne sera pas nécessaire, Henry et Esther veilleront sur moi. Je vous souhaite une bonne journée, ajouta Catherine, prenant sa coiffe et son ombrelle.

Julia monta à sa chambre et resta longtemps debout devant la fenêtre, scrutant le fleuve qui avalait peu à peu les silhouettes drapées dans les reflets bleutés des flots. Groggy à ses côtés, James Cuthbert marcha un long moment sur la grève avant de retourner à ses affaires.

* * *

Partis du quai du manoir, les aventuriers explorèrent les îles inconnues, s'amusèrent à leur donner des noms selon la morphologie du relief, et s'arrêtèrent à l'île aux Ours pour y passer le reste de la journée. Les deux femmes servirent le pique-nique, jouèrent aux cartes et bavardèrent pendant qu'Henry appréciait, d'un œil d'artiste, les paysages à la fois maritimes et riverains, presque idylliques, qui s'étendaient à l'infini devant lui. Il rendit justice à ce lieu magique en reproduisant avec art tout ce qui l'entourait. En fin d'après-midi, les femmes remballèrent toutes leurs affaires, alors qu'Henry insistait pour terminer l'aquarelle commencée.

— Il faut rentrer, Henry. James va s'inquiéter, insista Catherine.

— Quelques minutes encore, *please*.

— Tu agis comme un vrai petit garçon, lança sa sœur en guise de réprimande, en se dirigeant vers l'embarcation.

— À votre service, mesdames. J'arrive !

Henry se fiait à la position du soleil pour s'orienter, mais comme il connaissait mal ce labyrinthe formé par le chapelet d'îles éparpillées entre le lac Saint-Pierre et la seigneurie, il ne savait plus où se diriger. La brunante les surprit ; le militaire avait perdu ses repères et peinait à retrouver le chenal. James, inquiet de leur retard, scrutait nerveusement le fleuve, broyant du noir, se remémorant la peine profonde causée par la mort de sa première épouse, Margaret Mackenzie, enterrée en terre d'Écosse des années plus tôt. Il craignait plus que tout de perdre sa femme, mais il calma ses folles appréhensions en entendant l'écho des rires complices qui se rapprochaient du quai. Plus inquiet que fâché, il les aida à accoster et gravit le sentier, enfin soulagé du poids de l'angoisse.

* * *

Le temps restait beau et chaud en ce dernier dimanche de juillet, et, impatiente de revoir les siens, Mathilde s'éveilla avant le chant du coq. Elle s'habilla rapidement, mit quelques effets dans son baluchon et descendit prestement dans la cuisine. Elle était prisonnière de la lenteur du temps qui s'attardait, et le silence l'impatientait. Elle avait faim, mais elle ne pouvait se permettre une seule gorgée d'eau ni quelques bouchées de pain si elle voulait se présenter à la sainte table pour communier. Elle partirait donc après la messe, le ventre vide.

Un bruit de pas étouffés la surprit. Une ombre s'avança dans la cuisine, cherchant discrètement où poser les pieds pour éviter de faire du bruit. Elle reconnut aussitôt la silhouette décontractée du capitaine Henry. Bien que l'obscurité soit encore totale dans la pièce, elle ne pouvait en sortir sans attirer son attention. Elle prit plutôt le parti d'attendre, il allait peut-être partir sans remarquer sa présence.

L'homme alluma la lampe, qui fit danser son ombre sur le mur de la cuisine. Toujours immobile, Mathilde l'observait et s'amusait de se savoir invisible. Mais le temps passant, le jeu ne pouvait plus durer ; elle prit l'initiative de signaler sa présence en toussotant.

— Vous m'avez fait peur, mademoiselle !

— Moi, effrayer un militaire anglais ? J'en doute, répondit-elle sur un ton moqueur.

— Écossais, pas Anglais, mademoiselle, rectifia Henry. Vous ne m'avez pas vraiment fait peur, vous avez raison, vous m'avez tout simplement surpris. Je pensais être le premier debout à cette heure matinale. Mais où comptez-vous aller de si bonne heure ?

— À l'église. Et après la messe, Jean-Baptiste m'attendra pour m'amener chez moi ; je serai en congé toute la journée.

— Ce Jean-Baptiste est... votre amoureux ?

— Juste mon frère, monsieur Cairns, dit Mathilde en souriant.

— Vous vous appelez Mathilde, je crois ? J'aime beaucoup votre prénom. Vous saviez que ses racines signifient « *mighty in battle* » ou « puissante dans la bataille » ?

— Ben sûr que non, mais maintenant que j'sais, j'l'oublierai jamais. Merci, *Mr* Henry.

— J'ai toute la journée devant moi. Vous voulez que je vous reconduise chez vos parents quand vous aurez terminé vos dévotions ?

— Merci, mon frère sera là. Bonne journée.

— Bonne journée à vous aussi, Mathilde.

Fascinés, médusés, leurs yeux rivés l'un à l'autre, les deux jeunes gens restèrent un très bref moment immobiles dans l'aube naissante, retenus par un sentiment trouble qui les garda captifs, séduits et envoûtés. Mais subtilement, un mur se dressa entre eux : le lys d'un côté, la rose de l'autre, chacun attaché à ses racines, soumis aux traditions séculaires, fidèle au pays, à la religion, à la famille.

Mathilde prit son baluchon et sortit ; Henry attendit un moment, appela Groggy et se dirigea vers l'écurie. Il sella Gus, son cheval préféré, et galopa le long de la rive du fleuve, espérant y apercevoir la troublante Canadienne. Il cavala longtemps dans les forêts de la seigneurie où poussaient de longs pins blancs, très vieux, évalua-t-il. Il s'arrêta à la rivière Petite-Chaloupe, y laissa Gus boire tout son soûl, pendant qu'il détendait ses jambes engourdies. La bête reprenait son souffle, alors qu'Henry s'allongeait sur un tapis d'aiguilles de pin. Il se reposa en écoutant le doux clapotis de la rivière, tout en suivant la course des nuages parmi les branches du grand arbre. Il touchait presque au bonheur, il se sentait bien, sans savoir quelle était la source de cette sérénité qui l'envahissait en même temps que la chaleur du midi engourdissait son corps. Il ressentit la faim et, comme il n'avait rien apporté pour casser la croûte, il rebroussa chemin, mettant le cheval au pas jusqu'au manoir, où Julia, impatiente, épiait son retour.

9

Firmin, Marguerite et Nicolas, assis au bout du quai, attendaient impatiemment l'arrivée de leur sœur. Ils trompaient le temps en s'amusant à attraper des grenouilles et des ménés qui s'agitaient frénétiquement dans les eaux courantes et poissonneuses de ce bras du fleuve. Les deux plus jeunes, les jambes ballantes, s'éclaboussaient et se chamaillaient comme des chatons, tandis que Firmin, plus sage, cherchait du regard l'arrivée de l'embarcation. Mathilde leur avait beaucoup manqué, le départ de leur grande sœur pour la seigneurie avait fait une brèche dans leur enfance, comme si une partie de leur jeune vie les avait désertés.

— Les voilà, les voilà ! s'écria Marguerite, frétillant d'impatience.

— Mathilde… Mathilde… reprirent en chœur les trois enfants.

Sautant lestement du canot, précédée par Comète, tout excité, la grande sœur serra si fort les petits qu'ils peinaient à reprendre leur souffle.

— T'as ben grandi, mon beau Nicolas ! Tes cheveux sont plus blonds aussi, dit Mathilde pour le taquiner, ébouriffant la chevelure rebelle du benjamin de la famille.

— J'suis grand maintenant, affirma l'enfant, du haut de ses trois ans.

Firmin, frêle pour ses dix ans, restait silencieux et souriant, fort heureux de retrouver enfin sa grande sœur. Depuis le début de la semaine, il attendait ce jour comme une percée de soleil ; entraîné par l'allant des autres, il courut rejoindre ses frères et sœurs qui escaladaient en sautillant le sentier abrupt menant à leur maison.

Mathilde, les plus jeunes sur ses talons, fit rapidement le tour de la maisonnette. Tout était propre, bien rangé, comme dans ses plus récents souvenirs. Elle huma les odeurs connues, caressa les objets familiers, s'attarda à la chambre des filles, son lieu privilégié, son sanctuaire, là où elle se recueillait et imaginait son avenir, rempli de bonheur ; c'était l'endroit où elle rêvait de liberté. Tout était pareil, immuable dans le temps et l'espace. Tout son passé était ici, en ces lieux.

Mais elle n'avait pas le temps de s'attendrir, on la sollicitait de toutes parts, chacun réclamant son attention.

— Holà, les mousses. J'vais remplacer mère à la cuisine, elle mérite bien un petit repos. Vous venez m'aider ? Adèle m'apprend d'excellentes recettes, j'vais vous préparer tout un festin !

— C'est qui, Adèle ? questionna Marguerite qui talonnait sa grande sœur.

— P'tite curieuse ! Adèle est la cuisinière au manoir ; elle a une fillette de ton âge, Geneviève. Je l'amènerai à ma prochaine visite, si sa mère le permet.

Mathilde observait ses parents avec attendrissement ; une ambiance joyeuse animait le foyer depuis que la jeune fille était entrée chez elle.

— Comment sont les récoltes, cet été ?

— C'est une assez bonne année. Ta mère est ben occupée à ne rien gaspiller et prépare les conserves avec ta tante Marie et Angélique, comme par les années passées.

— Je m'ennuie de ma chère cousine. J'pourrai la voir aujourd'hui ?

— Angélique aussi attend ta visite avec impatience. Elle viendra plus tard, précisa Anne.

— J'vous trouve pâle… Vos traits sont tirés. J'regrette tant de ne pouvoir rester avec vous…

— C'est mieux ainsi, c'que tu rapportes nous est ben nécessaire. On aura une autre bouche à nourrir au cours de l'hiver, confia Anne à voix basse, pour ne pas être entendue par les autres enfants.

— Raison de plus pour…

— Non, Mathilde ! Ce qui est fait est fait, on reviendra pas là-dessus. Firmin et ta petite sœur se débrouillent pas mal, maintenant que t'es plus là. Faut ben qu'ils grandissent eux aussi. Et t'as ta vie maintenant.

— Avec des Anglais ! Heureusement qu'Adèle est là ! Avec elle, tout est plus simple. Elle m'apprend beaucoup.

— Ma fille, c'est bon qu'tu sortes de l'Île Du Pas, que tu voies d'autres cieux.

— Ouais… tant qu'le fleuve restera présent dans ma vie…

* * *

Jean-Baptiste, le plus vieux des fils Guillot, était costaud pour ses quatorze ans ; sa voix muait déjà et quelques poils garnissaient son menton, jusque-là imberbe. Il était presque un homme et il besognait aussi fort que son père. Depuis que Mathilde ne vivait plus à la maison familiale, il prenait davantage de responsabilités et agissait comme s'il était l'aîné de la famille. Il aimait la terre plus que l'eau ; il labourait les champs, tandis que son frère Louis, à peine un an et demi plus jeune que lui, se plaisait davantage à rêvasser et à pêcher entre les îles.

Ce dimanche de la première visite de sa sœur, Jean-Baptiste ne manqua pas la chance de la taquiner.

— Faudrait ben remercier Adèle de t'initier à une meilleure cuisine, car avant de travailler à la seigneurie t'étais pas mariable ; mais là, tu progresses, grande sœur ! Fais ben attention aux Anglais, il paraît qu'ils rôdent autour des Canadiennes comme des loups affamés !

— Et pis, ça te dérange ?

— Bon, bon, les enfants ! Pis, peu importe qui rôde autour de Mathilde, Anglais ou Français, elle est trop jeune pour s'marier ! trancha Antoine.

C'était dimanche : pas de travail aux champs. « *Les dimanches, tu garderas en servant Dieu dévotement* », dictait l'Église catholique. Mais comme la vie avait ses exigences, les femmes assumaient le service nécessaire aux soins de la famille et, dans les campagnes, les hommes devaient s'astreindre à faire le train deux fois par jour ; le reste des travaux attendrait au lendemain.

C'était jour de repos et de recueillement, de visites familiales et de rencontres sur le parvis des églises, où les gens s'échangeaient les qu'en-dira-t-on ; où le crieur du village essayait d'attirer l'attention des fidèles pour annoncer les encans, les diverses aubaines et les activités de la paroisse ; où les dames affichaient leurs plus beaux atours, et où les garçons courtisaient ouvertement les demoiselles chaperonnées. Le dimanche était attendu par tous comme un jour de répit, jour de rencontres amicales, jour de récompenses.

Julia, protestante puritaine, ridiculisait l'observance du dimanche et des nombreux jours fériés par les paroissiens de la seigneurie, les jugeant paresseux et fainéants. « *Ils s'abritent sous l'ombrelle de la piété pour ne rien faire* », écrivait-elle dans une lettre destinée à son amie Françoise. Décidément, elle n'avait que des reproches à adresser aux habitants qu'elle évitait de fréquenter.

***

La journée était belle et chaude, bien qu'un vent léger atténuât la chaleur de cette fin de juillet. Mathilde et Angélique admiraient le ciel d'azur, habité par de gros nuages immaculés qui se bousculaient, s'étiraient paresseusement et s'effilochaient ensuite en de longues bandes ouatées. Le fleuve calme chatoyait comme mille diamants, sous le jeu des reflets du soleil. Seul le clapotis des vagues qui se brisaient sur la grève troublait le silence dominical qui enveloppait les deux cousines, si heureuses de se retrouver.

Tendrement enlacées, les deux jeunes filles marchaient lente-ment le long de la grève. Elles s'attardèrent devant une famille de canards, observèrent le jeu de lumière qui miroitait sur les eaux calmes du chenal. Elles saluaient des voisins qui, à bord de leur embarcation, serpentaient entre les îles. Et elles reprirent tout naturellement le fil de leurs confidences, comme si elles ne s'étaient jamais quittées.

— Raconte, Mathilde. J'ai tellement hâte de savoir ce qui s'passe au manoir. Xavier me dit des choses, mais tu le connais, il est pas très bavard !

Et Mathilde, volubile, partagea son quotidien avec cette cousine à qui elle ne cachait rien. Elle lui parla de son amitié naissante avec Adèle, des liens qui se créaient avec les enfants de Beauval, de l'attitude intransigeante de Julia, des difficultés qu'elle éprouvait dans l'apprentissage des us et coutumes des Anglais : tout était sujet de bavardage et de taquinerie en ce si bel après-midi d'été.

— Et aux îles, du nouveau ? s'informa Mathilde. Quand j'vois papa ou l'un de mes frères au village, ils ne me racontent rien d'important. Dis, quelles nouvelles ?

— Tu connais la sauvagesse qui habite une cabane à l'île aux Vaches ?

— L'Abénaquise ?

— Oui, celle qu'on appelle Sagawee. Je l'ai vue passer en canot la semaine dernière, un bébé suspendu dans son dos. Elle filait vers l'ouest.

— M'semblait qu'elle vivait toute seule. On sait qui serait le père ?

— Bien sûr que non ! Ça peut être n'importe quel homme de la région.

— Ça pourrait être l'Anglais, William Faye ?

— Jamais, il est fou de moi ! Il regarde pas les autres femmes, j'en suis certaine. Il dit qu'il m'attendra tout l'temps qu'il faudra. Et pour la sauvagesse, peu importe qui est le père, elle saura ben se débrouiller seule avec son petit.

— Elle fera comme toutes les femmes que la guerre a laissées seules avec leurs enfants, veuves et pauvres, comme Adèle et tant d'autres.

— Ouais, comme toutes celles qui trouveront pas de mari, car les Français sont retournés au pays, et les habitants qui restent sont mariés ou vivent dans les pays d'en haut avec des sauvagesses, dit Angélique, dépitée.

— Il y a que des Anglais qui s'installent chez nous, astheure.

— Et ni nos parents ni le curé ne nous permettront de les épouser. Faudra alors nous faire nonnes !

— Toi, nonne ? J'te soupçonne plutôt de voir ton William en cachette. Raconte-moi tout, cachottière !

— C'est vrai, j'le retrouve le plus souvent possible, même si j'sais que j'désobéis à mes parents. Mais il est si tendre, si aimant. Et je l'aime tant !

— Tu as déjà oublié Eloi ?

— Parle-moi pus de c'lui-là, qui a choisi de retourner seul en France malgré mes larmes ; moi, j'étais prête à le suivre au bout du monde. Il mérite pas que j'le pleure tout le reste de ma vie !

— Tu rencontres secrètement William contre la volonté de tes parents ? À ta place, j'compterais pas trop sur le consentement de ton père, qui n'a pas oublié la dureté des Anglais envers les habitants de Saurel. Il les porte pas dans son cœur ! Pis ton frère Xavier encore moins.

— On m'le rappelle assez souvent, je l'oublierai pas de sitôt, mais quand ces événements sont arrivés, William avait déjà déserté l'armée anglaise, voulant ainsi dénoncer l'oppression militaire de ses supérieurs. Il n'a rien eu à voir avec la destruction de notre maison et du commerce de père.

— Mais pour tes parents, les Anglais sont tous pareils et ils sont la cause de tous leurs malheurs. Faut qu'tu comprennes ça.

— Mais pourquoi faudrait-il que j'laisse partir l'homme que j'aime ?

— Ma pauvre Angélique, que deviendras-tu ?

— La mère de nombreux marmots mi-anglais mi-français, ajouta avec aplomb la jeune amoureuse, bien décidée à défendre sa part de bonheur avec toute la fougue de sa jeunesse.

À demi rassurée sur les intentions de sa cousine, Mathilde la serra bien fort contre elle, lui témoignant ainsi son soutien et son inaltérable affection.

— Faut y aller, maintenant. J'dois rentrer au manoir avant la tombée du jour.

* * *

Tandis que Jean-Baptiste s'approchait de la rive nord du Saint-Laurent, Mathilde ramait machinalement, se laissant envoûter par la beauté du ciel flamboyant, incendié par les mille feux du soleil couchant. Le spectacle était grandiose et unique.

— Que c'est beau, tu trouves pas, Jean-Baptiste ?

— Ouais, mais pour moi, les couchers de soleil, c'est du pareil au même !

— Faut croire que j'vois pas les mêmes couleurs que toi, pis en plus, j'peux te prédire qu'il fera beau demain.

— Si tu l'dis ! On est arrivés. Tiens, y a quelqu'un là-bas.

— Sans doute des gens du village, lâcha Mathilde qui devinait, dans ces ombres imprécises et lointaines, Esther et Henry qui marchaient le long de la rive, tendrement enlacés sous le regard moqueur de la lune, qui levait sa tête dorée dans le ciel qui s'endeuillait.

Impatiente et contrariée, Julia attendait Mathilde sur la galerie ; les bras croisés, le regard dur, elle rageait de savoir Esther, le regard enamouré posé sur Henry, se passionnant pour l'étude de la position des constellations, patiemment guidée par le capitaine. Elle les imaginait s'attendrissant, tout en écoutant le clapotis des vagues qui venaient s'échouer sur la rive. Devant son impuissance, une rage froide s'était lentement infiltrée dans son esprit tourmenté, et elle se défoula en humiliant la Canadienne.

— Mathilde, vous n'aviez pas bien nettoyé la salle à manger samedi soir. *Mrs* Catherine n'a pas apprécié cette négligence, mentit Julia avec insolence.

— Pourtant, tout me semblait propre et bien rangé.

— Vous mettez ma parole en doute ?

— J'dis seulement que tout m'semblait en ordre.

— Mais pas impeccable ! riposta Julia. Vous devrez, à l'avenir, vous montrer plus rigoureuse dans votre travail.

— J'y verrai, reprit Mathilde, exaspérée et troublée par la malveillance de l'Anglaise.

La jeune fille courut se réfugier auprès d'Adèle, affairée à mettre ses enfants au lit.

— Mon Dieu, Mathilde, as-tu vu le diable ?

— On peut dire ça. Julia m'asticote sans cesse. Elle cherche à m'humilier, à me faire douter de moi. Elle m'cherche querelle, c'est sûr !

— T'en occupe pas, elle est jalouse.

— Jalouse de moi ? Pourquoi ? Parmi les serviteurs, elle occupe la meilleure place, les maîtres lui accordent une confiance absolue, elle a le gîte et le couvert. Bonté divine, que demander de plus ?

— Il lui manque ce qui importe le plus dans la vie : une famille.

— Elle n'a plus de parents ?

— Il semble bien que non : elle aurait grandi dans un orphelinat à Boston. *Mr* James l'aurait engagée sur la recommandation des religieuses qui l'ont élevée. On dit même qu'il n'est pas certain que Scott soit son vrai nom, qui lui a peut-être été donné à l'institution où elle a grandi. Tu t'imagines vivre sans racines, sans souvenirs, sans enfance bercée par les contes de fées ? C'est ça que Julia doit accepter, chaque matin, quand elle se présente devant nous, et chaque soir, quand elle s'enferme dans sa solitude. Elle envie ton bonheur évident quand tu parles de tes parents, de tes frères et de ta sœur, de ton île. Va ! J'ai bien vu son regard noir et envieux après ton départ, ce matin.

— La pauvre fille ! Je comprends maintenant.

— Mais te laisse pas malmener par elle. Apprends bien tout ce qu'elle t'enseignera, mais pour le reste, méfie-toi !

10

$\mathcal{M}$athilde se réveilla à l'aube frissonnante de cette fin d'été, à l'heure où se dissipaient les illusions de la nuit. Elle sortit par la porte de service et descendit le sentier jusqu'au fleuve, d'où montait une vapeur opaline et diaphane qui s'évanouissait lentement, au fur et à mesure qu'apparaissaient les premiers rayons du soleil encore prodigue. La jeune fille aimait se lever avec le jour et humer les odeurs du fleuve encore endormi ; elle aurait aimé s'y attarder, s'y baigner, mais elle remarqua une animation inhabituelle à l'extérieur et revint au manoir.

En voyant les chevaux sellés, elle saisit rapidement que le seigneur se préparait à partir, sans doute pour un long voyage. Henry attendait, déjà en selle sur sa magnifique monture alezane ; les chevaux harnachés s'agitaient, hennissaient et piaffaient d'impatience. Mathilde remarqua l'absence de *Miss* Esther, tandis que Julia s'affairait autour de la monture du capitaine Cairns. « Étrange », se dit Mathilde. Se tenant à l'écart, *Lady* Catherine retenait son mari encore un moment ; elle rejoindrait James par voie fluviale dans les prochains jours.

Aux conversations qu'elle entendit, Mathilde déduisit que les deux hommes se rendaient à Québec. Un changement de gouverneur était annoncé dans *The Gazette*, répétaient les habitants. James Murray, accusé de favoritisme en faveur des Canadiens par les marchands anglais de Montréal, devait retourner en Angleterre pour défendre son point de vue à la cour de Londres. Ce départ ne semblait pas le chagriner, disait-on, car il s'ennuyait de sa chère épouse qui avait toujours craint de traverser les mers pour le rejoindre au Canada. Les années de solitude de James Murray dans ce pays récemment conquis prenaient ainsi fin, avant que les glaces figent le fleuve dans l'immobilité absolue et impitoyable de l'hiver canadien.

Avant son départ pour l'Angleterre, Murray comptait bien accorder quelques faveurs politiques à ses fidèles amis ; James Cuthbert, se trouvant parmi ses protégés, reçut le privilège de siéger au Conseil exécutif, et on lui attribua les responsabilités de juge de paix dans le district de Berthier.

Vêtu de son costume de voyageur, sa longue chevelure brune retenue par un ruban discret, le seigneur, de sa voix puissante, donna le signal du départ. Les chevaux, fébriles et agités, partirent au galop en direction de l'est, guidés par leurs maîtres, habiles cavaliers, rompus aux nombreuses embûches de la longue route qui les mènerait à Québec. Bêtes et hommes faisaient corps et mariaient leurs mouvements dans une même envolée, gracieuse et séduisante. La troupe attirait les regards et faisait des envieux.

— Y ont fière allure, ces Anglais montés sur ces belles bêtes ! dit le garçon d'écurie en ronchonnant, revêche aux ordres des conquérants.

— Mais au moins le manoir est habité et la seigneurie revit, lança le palefrenier Jean Malouin pour conclure.

Le retentissement des sabots sur le chemin de gravier s'amenuisa, et Catherine, les larmes plein les yeux, s'attarda à regarder les hommes s'éloigner, alors que Julia marcha jusqu'à la Bayonne. Elle rentra la dernière au manoir. Deux jours plus tard, la seigneuresse, Julia et Esther embarquèrent à bord d'un voilier en partance pour Québec.

***

La maison désertée exigeait moins de travail ; aussi Mathilde et les autres domestiques disposaient-ils de plus de temps pour entreprendre diverses activités. Avec le retour de l'automne, Adèle soumettait ses deux fils à un horaire chargé ; ils devaient s'astreindre à des exigences académiques rigoureuses, répondant à la formation scolaire offerte au vieux pays de France. Quelques livres trouvés à Québec avant leur départ suffiraient cette année encore, puis elle verrait à s'approvisionner à Québec ou à Montréal. Elle osait même espérer que le nouveau seigneur favoriserait bientôt l'arrivée d'un maître d'école pour instruire les nombreux enfants, trop souvent laissés à eux-mêmes, indisciplinés et sans instruction.

Pendant que Pierre et Baptiste, appliqués et attentifs, sous l'œil sévère de leur mère, peinaient sur les mathématiques, l'histoire et la géographie, la petite Geneviève, imitant ses aînés, balbutiait les premières syllabes qui donnent naissance aux mots.

Les trois enfants, sagement assis près de la grande table de la cuisine, calculant, lisant, récitant leurs leçons, captivaient Mathilde ; elle était fascinée par les mots nouveaux jaillissant des sons assemblés par Geneviève, qui décodait assez habilement ses premières phrases.

Assise devant l'âtre, un tricot à la main, curieuse et attentive, Mathilde écoutait la fillette réciter l'alphabet. Intérieurement, elle répétait les lettres, dans l'ordre, elle associait les formes et les sons, imaginait les mots dans les pages d'un livre. Elle ferma les yeux, perdue dans ses rêves, imaginant les plus belles histoires écrites avec des mots magiques, des histoires racontant la vie idyllique des princesses et des reines ; elle rêvait de voyager dans des pays lointains et de rencontrer des princes charmants. Elle réalisait que, sans l'apprentissage de la lecture, jamais elle n'assouvirait cette soif qui l'habitait, et pour ce faire, il lui fallait démystifier ces caractères incompréhensibles et pénétrer le cœur des mots qui la hantaient depuis si longtemps.

— Adèle, est-ce que je peux écouter la leçon avec Geneviève ?

— Bien sûr, approche. Geneviève n'en sera que plus intéressée. Julia n'est pas au manoir pour t'enquiquiner, profites-en.

— Celle-là, si elle s'trouvait un amoureux à Québec et s'y mariait, on serait t'y ben ! souhaita Mathilde.

— J'ai dans l'idée que son cœur est déjà pris.

— Dis, qui donc peut ben s'embéguiner de cette chipie ?

— Je te laisse deviner. En attendant, viens, je vais t'apprendre les premières lettres de notre alphabet.

Les premières leçons furent quelque peu laborieuses à apprendre, mais devant la détermination de Mathilde, Adèle accéléra le rythme, et bientôt la jeune servante savait lire plusieurs mots qu'écrivait la cuisinière, des mots qui rappelaient à celle-ci des histoires venues de son lointain pays. Ces souvenirs ravivèrent aussitôt en elle les lieux aimés de la lointaine Normandie qu'elle avait quittée depuis plusieurs années, et des larmes trop longtemps réprimées glissèrent discrètement sur le beau visage d'Adèle, au grand désarroi de Geneviève, habituée à la sérénité et à la joie de vivre de sa mère.

— Vous pleurez, mère ? s'inquiéta l'enfant, déjà toute triste.

— C'est rien… Il me vient en mémoire une vieille chanson que fredonnait ma mère…

Tra la la la la laire
Un jour dans un village
Une fille s'embarrassit
On la croyait fort sage
On s'trompa, je m'trompis…

Éclatant en sanglots, Adèle ne put continuer sa triste histoire, celle de son départ précipité pour le Canada avec son amant, soldat dans l'armée française. Mathilde n'insista pas, elle finirait un jour par connaître tous les détails, si Adèle voulait bien ouvrir, pour elle, ces pages de sa vie.

* * *

La fin de septembre approchait, les jours se faisaient moins luminescents, et le soleil, plus frileux. Il fallait attiser le feu, engranger les récoltes, finir de préparer les conserves et entreposer soigneusement, dans les greniers et les bâtiments, toutes les marchandises et tous les articles nécessaires pour affronter l'hiver.

Pendant l'absence de la seigneuresse, la couturière Marie-Archange Dizis et ses artisanes, chargées de remplir les coffres de *Mrs* Catherine de vêtements appropriés au climat canadien, mesuraient, coupaient et cousaient les verges de tissus importés d'Europe et les peaux de fourrures canadiennes. James Cuthbert et son épouse tenaient à acheter des fabricants et des ouvriers de la place tout ce qu'ils pouvaient acquérir dans la région, alors les couturières se mirent à l'œuvre pour confectionner robes, manteaux et chapeaux dignes du rang qu'occupaient désormais les nouveaux seigneurs.

Dès qu'ils purent se libérer de leurs obligations sociales et politiques, les Cuthbert et leur suite ne tardèrent pas à rentrer ; d'abord un bateau ramena la seigneuresse et sa dame de compagnie, enchantées de leur agréable et divertissant séjour à Québec. Devant l'absence d'Esther, les serviteurs conclurent qu'elle avait préféré rester dans la capitale, où la vie mondaine lui seyait davantage que la tranquillité qui caractérisait la seigneurie.

Les festivités entourant le départ de Murray, et, la semaine suivante, celles, plus grandioses encore, marquant l'arrivée de Guy Carleton, nouveau gouverneur de la colonie, avaient ouvert les portes de la noblesse à la jeune *Mrs* Cuthbert. Catherine revint à la seigneurie, mieux informée sur le rôle important que jouerait son mari au sein du nouveau gouvernement ; elle comprenait qu'elle devait le seconder dans ses fonctions et l'appuyer dans ses décisions. Son titre de seigneuresse lui conférait autant d'obligations que de privilèges.

***

Le galop des chevaux n'échappa pas à la vigilance de Julia qui, depuis son retour, attendait avec une impatience non dissimulée l'arrivée de *Mr* James, et surtout, celle d'Henry. Elle faisait les cent pas entre les pièces du manoir, donnait des ordres équivoques, tournoyait comme une poule sans tête, au grand plaisir des garçons qui, cachés sous l'escalier, se moquaient d'elle, à l'insu de leur mère.

James et Henry, accompagnés de quelques militaires anglais, entrèrent dans la cour au petit trot, dessellèrent leurs chevaux écumants et s'attardèrent à l'écurie. *Mr* James discuta avec Guillaume Piet, son homme de confiance, et prit note des événements survenus à la seigneurie pendant sa longue absence.

Les voyageurs rentrèrent enfin au manoir, accueillis par *Lady* Catherine, tandis que Groggy, assis sur son gros derrière, les regardait de ses yeux suppliants, en quête d'une caresse.

— T'es une bête fidèle, dit James, posant sa main sur la tête de Groggy. Tiens, c'est pour toi, ajouta-t-il en lui lançant une friandise.

— Et pour moi ? dit Catherine.

— Tu l'auras pour toi toute seule, ma sœur chérie, dit Henry, pour plaisanter, en enlaçant la jeune femme. J'ai faim, après toutes ces heures de chevauchée.

— La table sera bientôt servie ; allez vous rafraîchir et venez me rejoindre pour l'apéritif, proposa Catherine.

Adèle s'était surpassée, les mets préparés rivalisaient sans peine avec les meilleures tables de Québec : poisson fumé et soupe aux légumes du potager, ragoût, saucisses, boudin français, pain tout chaud au fumet qui savait aiguiser les papilles gourmandes des personnes attablées. Et, pour terminer ce copieux repas, l'habile cuisinière leur avait préparé une délicieuse tarte aux pommes et aux noix, autres produits du verger de la seigneurie.

— Votre amie Esther est restée à Québec pour toute la saison d'hiver, susurra Julia à l'oreille d'Henry, curieuse comme une vieille chipie.

— *Miss* Mc Connell voyage beaucoup, chuchota Henry, lui souriant avec bonhomie.

Mathilde n'avait rien oublié des exigences de Julia et servit le repas avec diligence, mais en l'absence de ses maîtres anglais, elle avait toujours communiqué en français avec son entourage, oubliant les quelques mots anglais récemment appris. Toutefois, elle avait saisi l'essentiel des propos échangés, et nota avec fierté la satisfaction des seigneurs.

Le repas terminé, la servante s'affaira à desservir la table, nettoya consciencieusement les coupes et l'argenterie, rangea les meubles et quitta la salle à manger, après s'être bien assurée que tout était propre, satisfaisant ainsi l'intransigeante Julia. Absorbée dans son travail, elle n'avait pas entendu les pas alertes et vifs d'Henry qui s'arrêta près d'elle, *La Gazette de Québec* sous le bras.

— Vous avez bonne mine, Mathilde. Notre longue absence vous a permis de vous reposer…

— Et de prendre du temps pour apprendre à lire avec l'aide d'Adèle.

Baissant la voix, la jeune fille, remuée par la présence inattendue du jeune homme, ajouta :

— Mais ça, faudrait pas le dire à votre amie, *Miss* Julia, elle n'est pas très commode et pourrait en prendre ombrage.

Avec un sourire affable, Henry corrigea :

— *Miss* Julia n'est pas « mon amie », mais la dame de compagnie de ma sœur Catherine. Si je comprends bien, vous commencez à lire ?

— Depuis peu. Adèle m'apprend en même temps qu'à Geneviève. Mais j'me demande ce que j'pourrai lire quand je connaîtrai toutes les lettres de l'alphabet… Il est interdit de lire la Bible, et le missel est en latin !

— *La Gazette de Québec* est publiée en anglais et en français. Je vous laisserai cet exemplaire quand nous l'aurons lu ; dame Adèle vous aidera à lire les textes écrits dans votre langue. Votre curé Kerberio est un homme très cultivé, il pourrait vous prêter quelques livres venus de France. Vous pourriez lui en demander.

— Des histoires venues de France ! Je rêve de pouvoir lire et écrire comme savent le faire Adèle, Julia, le curé… vous !

— Vous apprendrez, Mathilde. Ensuite, vous apprendrez notre langue.

— Henry, votre sœur vous demande, laissa entendre une voix aiguë.

— Vous êtes demandé. Julia vous appelle.

— À demain, Mathilde. Je dois y aller ! Comme vous le dites en français : « Ce que femme veut, Dieu le veut ! »

***

Une forte pluie poussée par des vents violents tambourinait sur le toit de tôle et tira Mathilde d'un sommeil agité. La jeune fille se leva, pieds nus, et se rendit à la fenêtre. Elle avait toujours été émue par la force des éléments, qui rendaient parfois la vie douce, mais parfois angoissante. Cette nuit, elle écoutait les plaintes du vent, et la violence de l'orage la consternait. Elle scruta la nuit et son regard s'attarda sur la cime des arbres qui se balançaient, ondulant comme des bateaux en détresse sur une mer orageuse. Les branches impuissantes se tordaient et craquaient sous l'assaut du vent, les feuilles arrachées s'entremêlaient dans les bocages, et dans une course folle se réfugiaient sous les galeries. Des ombres se dessinaient sur les murs de sa chambre, fantômes d'automne projetés sans pitié à travers les carreaux ruisselants de pluie. « Sainte Mère, Marie, veillez sur les marins qui affrontent cette tempête par gros vents. Notre-Dame du Bon Secours, protégez-les ! » Elle fit le signe de la croix, referma le rideau de dentelle et retourna entre ses draps déjà refroidis. Elle se tapit sous ses couvertures pour ne plus entendre le gémissement du vent et ferma les yeux.

Un autre trouble la tenait éveillée, un sentiment diffus la faisait rêver. Elle réalisa, sans pouvoir l'expliquer, que quelque chose venait soudainement de changer dans son corps, dans son âme et dans son cœur. Serait-elle envoûtée, comme Angélique, par un inconnu, un conquérant, un ennemi ? Incapable d'oublier le regard sympathique d'Henry posé sur elle, elle se demanda, partagée entre divers sentiments : « Est-ce qu'il dort, prisonnier de ses rêves, ou écoute-t-il, comme moi, la colère du Dieu du ciel ? »

Mathilde trouva le sommeil seulement après que la pluie froide et le vent fatigué eurent abdiqué et enfin quitté les rives du fleuve.

11

Le mois d'octobre fut exceptionnellement ensoleillé, laissant deviner le ciel d'azur qui devenait de plus en plus visible, au fur et à mesure que la plupart des arbres se dépouillaient de leurs feuilles multicolores. Seuls les bouleaux hésitaient encore à se départir de leur parure, brillant de tout leur or sous les reflets mordorés du couchant, tandis que les chênes s'entêtaient à garder précieusement leurs feuilles ocre, qui s'agitaient en tremblant de froid. Les potagers et les jardins étaient vidés de leurs fleurs, de leurs fruits et de leurs légumes ; les provisions étaient rangées bien au frais dans les caves froides.

Les bêtes mécontentes, confinées dans les étables, beuglaient et hennissaient leur ennui dès que la porte des bâtiments s'ouvrait. Attachées dans leur stalle, elles devraient patienter jusqu'à la fin de l'hiver avant de retrouver la liberté des pâturages. Les chats des granges sortaient de moins en moins se chauffer au soleil et dormaient, pelotonnés les uns contre les autres, sur les bottes de foin. Dans tout l'hémisphère Nord, la nature entière s'endormait petit à petit.

En cette saison, les oiseaux migrateurs s'arrêtaient nombreux dans les îles accueillantes ; ils s'interpelaient et leurs cris familiers résonnaient dans le ciel habité. Après une halte bien méritée, ils repartaient, gavés et rassasiés, vers les pays du sud, laissant un grand vide dans l'immensité déserte et silencieuse.

Mathilde aimait se promener sur les rives du fleuve, où elle se rendait parfois seule, mais plus souvent avec Geneviève, fillette vive et joyeuse. Elles bavardaient, s'amusaient, humaient les odeurs de feuilles mortes et enviaient la course du fleuve argenté qui ne s'arrêtait jamais. La jeune fille affectionnait particulièrement la fébrilité de la saison de la chasse où les clans des chefs de famille partaient, regroupés et silencieux comme des pèlerins, accomplir le rituel du sacrifice. Elle s'attendrissait en pensant à ces hommes qui reviendraient chargés d'oiseaux, fatigués, fiers d'appartenir à cette terre qui donnait si généreusement à qui savait besogner.

* * *

Octobre était presque terminé et le temps s'était gâté. Après une journée fort chargée, Mathilde avait besoin de sortir, mais avec ce temps maussade qui durait depuis le matin elle doutait qu'Adèle permette à Geneviève de l'accompagner. Elle adressa tout de même une requête à la mère, qui refusa tout net :

— Geneviève ne sortira pas par ce temps de chien, elle tousse un peu, ce serait trop risqué qu'elle prenne froid. Tu devrais rester au chaud, toi aussi, lui conseilla Adèle.

— Bien habillée, j'aurai pas froid. Pis j'resterai pas longtemps, promis, maman poule !

Mathilde s'habilla chaudement et sortit seule dans le vent qui soufflait du Nord, frigorifiant le corridor qui longeait la rive du Saint-Laurent. La promenade près du fleuve, en fin de journée, était une habitude quotidienne qui remontait à son enfance, alors qu'elle accompagnait son père ou sa mère dans leur quête de silence, récompense du labeur partagé. Ensemble, ils interrogeaient la course des nuages, établissaient les pronostics du temps, étudiaient la voûte céleste et la position des constellations.

Ces moments de grâce, de petits bonheurs gratuits de fin du jour, lui étaient maintenant aussi nécessaires que l'air qu'elle respirait. Et depuis son arrivée à la seigneurie, sitôt son service terminé, elle se hâtait de retourner à ses rêves, sur les rives du même fleuve qui coulait devant son île. Souvent, elle marchait seule, mais, par beau temps, elle croisait parfois des amoureux qui se courtisaient à l'abri des regards indiscrets.

La pluie incessante des derniers jours avait fait monter le niveau du fleuve et la crue des flots submergeait totalement la rive, inondant le quai et le sentier qui menait au manoir. Les eaux du Saint-Laurent grondaient comme une bête traquée et menaçaient d'envahir les maisons des riverains. La nuit obscure, sans lune et masquée de sombres nuages qui ressemblaient à des fantômes qui se poursuivaient, ne décourageait pas la promenade nocturne de Mathilde. Cependant, le mauvais temps la pressait, et elle marchait rapidement, ombre dans l'ombre, une longue cape brune la protégeant du froid. Obsédée par les plaintes lancinantes du sifflement sinistre du vent qui couvrait tout autre bruit de la nuit, elle ne réalisa pas que quelqu'un la surveillait, caché dans l'obscurité.

Quittant la rive, elle contourna l'église, traversa le cimetière et se dirigea prestement vers la cuisine du manoir. Une main ferme la retint :

— Enfin, te v'là, ma belle ! T'es nouvelle, icitte ?

Mathilde, sidérée, ne bougea pas.

— T'es muette ?

— Qu'est-ce que vous m'voulez ?

— Ce qu'une belle fille comme toé peut donner à un homme.

— Laissez-moi, vous êtes qu'un sale type.

— La ferme ! Et viens avec moi dans la grange, là !

— Jamais ! Allez-vous-en ! rugit-elle en vain, ses cris se perdant dans les plaintes du vent.

Elle chercha du secours, mais comprit rapidement qu'elle ne pouvait compter sur l'aide de personne ; elle était seule avec l'homme malfaisant. Son cœur s'emballa, mais elle tenta, malgré la menace, de garder tous ses esprits. Avec aplomb, elle feignit de le suivre, espérant que le palefrenier soit encore à l'écurie et puisse lui venir en aide ou que Groggy traîne encore dehors et fasse déguerpir l'homme en le menaçant de ses crocs redoutables.

Mais, pas de chance, pas âme qui vive aux alentours. Elle décida alors de jouer de ruse et, docilement, elle obéit à l'homme qui la tenait solidement, l'œil torve, l'air redoutable. Un sourire lubrique se dessinait sur ses lèvres frémissantes de désir, et, sans un mot, il tenta d'ouvrir la porte de l'étable, qui lui résista. Il dut lâcher Mathilde afin d'utiliser ses deux mains pour entrer dans le bâtiment, et la servante, profitant de cet avantage, prit ses jambes à son cou.

Elle se précipita vers la porte de la cuisine, qui s'ouvrit brusquement devant Henry, qui s'apprêtait à sortir, inquiété par le va-et-vient de Groggy qui s'agitait en grognant. Essoufflée, le cœur battant, elle se heurta au capitaine et éclata en sanglots. Quand elle ouvrit les yeux, Henry la pressait contre lui, essuyant ses larmes et cherchant les mots pour la calmer.

Soupçonnant qu'elle venait d'être victime d'une agression, il la rassura doucement :

— Mathilde, mais qu'est-ce qui vous arrive ? Qui vous a mise dans cet état ? Dites-le-moi, c'est important.

— Un hom… me… que j'connais pas… sanglotait Mathilde.

— Si quelqu'un s'en est pris à vous, il doit être puni. On dirait que vous avez vu le diable en personne. On vous a fait du mal ?

— Un homme… répéta Mathilde en hoquetant, aux prises avec de violents tremblements.

— Pouvez-vous le décrire ?

— Un homme trapu, au regard méchant ; il avait des dents gâtées… j'sais pus ! gémit-elle, s'éloignant brusquement d'Henry, affolée.

— Calmez-vous, Mathilde, je ne vous veux pas de mal.

Lentement et prudemment, afin de ne pas l'effrayer davantage, d'un geste il l'invita à s'asseoir.

— Venez ! Racontez-moi… Où était-il quand il s'en est pris à vous ?

— Tout près d'icitte… il m'amenait dans l'étable… quand j'lui ai échappé, soupira-t-elle d'une voix saccadée.

Sortant sa dague de sa botte, il lui ordonna :

— Attendez-moi ici, je vais à sa recherche et lui apprendrai comment on traite les jeunes filles à la seigneurie de James Cuthbert, qui verra à ce que justice soit faite !

— Vous portez une arme ?

— Toujours. Comme tout Écossais, je ne me sépare jamais de ce couteau. Si vous en aviez eu un avec vous, vous auriez pu vous défendre toute seule. Je vous en offrirai un…

— Non, merci ! J'voudrais jamais porter d'arme, ni tuer ni blesser quelqu'un.

— Alors ne sortez plus seule dans la nuit. Promettez-le-moi. Regardez-moi, Mathilde, et promettez-moi de ne plus jamais vous promener sans être accompagnée.

— D'accord, pour ici, mais à l'Île Du Pas, personne m'en empêchera ! protesta la Canadienne, fière et indépendante.

— Tant que cet homme ne sera pas retrouvé, il vaudrait mieux rester prudente, ajouta Henry en prenant son paletot, son arme et le fanal allumé.

Il saisit Groggy par son collier et lui intima l'ordre de le suivre au pas.

— Attention à vous, dit Mathilde, implorante. Il est dangereux.

— Si je le rattrape, je le ramène ficelé comme un saucisson, promit le militaire, bien décidé à faire payer le criminel pour l'ignoble agression commise envers la jeune fille.

Les quelques traces de pas laissées autour de l'écurie par l'infâme individu s'étaient perdues dans l'opacité qui enserrait les bâtiments dans l'étau de la nuit. Henry, le chien sur les talons, fit soigneusement le tour des bâtiments, entra dans l'écurie, fouilla le fenil et finit par rentrer bredouille, retrouvant Mathilde, recroquevillée sur elle-même comme un animal blessé dans la pièce sombre où vacillait la seule bougie allumée.

Dans la cuisine, tout était silence, seule la respiration haletante de la jeune fille était perceptible ; il semblait que personne dans le manoir n'avait eu vent du malheureux incident. Henry se rapprocha d'elle et, n'osant la toucher, lui murmura à l'oreille, le sens originel de son prénom : « *Mighty in battle* : forte dans la bataille, Mathilde. Reprenez-vous ; ici, vous ne craignez rien. Et dès demain, les recherches reprendront ; ce mécréant n'est sûrement pas allé bien loin. »

— Merci, Henry. Qu'aurais-je fait sans vous ? gémit-elle, encore effrayée.

— Ne me remerciez pas ; sans l'agitation de Groggy qui m'a alerté, je n'aurais pu éviter le drame qui se préparait si près de nous. Je vais maintenant demander à Adèle de vous préparer une bonne infusion de camomille, ça vous calmera.

— Non, laissez, n'alarmez pas Adèle inutilement. Elle a refusé à Geneviève de m'accompagner et m'avait conseillé de pas sortir ce soir ; si elle apprend ce qui s'est passé, elle se sentira responsable de pas avoir insisté davantage pour me garder au manoir.

— Personne ne pouvait prévoir ce qui vous est arrivé ; seul ce sale type est coupable. Il sera puni, croyez-moi. Vous voulez que je vous prépare l'infusion ?

— Laissez, j'la prépare moi-même tout de suite. Merci pour tout, et passez une bonne nuit.

— Je serais plus rassuré de vous savoir dans votre chambre. Qui sait si votre agresseur ne vous guette pas, derrière la porte de la cuisine, n'attendant que le moment favorable pour entrer furtivement dans la maison.

— Vous savez bien qu'il est parti, vous ne l'avez vu nulle part. Il sait sans doute qu'on surveille les lieux. J'ai pas peur ; les portes sont barrées. Groggy est aux aguets, et vous êtes là, dit Mathilde en souriant, maintenant plus calme.

— Bonne nuit, Mathilde.

Et retenant la jeune fille, il ajouta :

— Détendez-vous, vous êtes si belle quand un sourire illumine votre doux visage.

Oubliant presque l'agression dont elle venait d'être victime, la servante prépara la camomille dans un gobelet, y versa l'eau chaude et se dirigea vers sa chambre.

— Faites de beaux rêves et ne pensez plus à ce triste personnage ; vous êtes en sécurité à l'intérieur de la maison. J'informe James de cet incident sur-le-champ et, dès demain, nous partirons à la recherche de cet homme ; mon beau-frère ne tolérera pas la présence de ce genre d'individu autour de son manoir. Vous voulez que je vous accompagne jusqu'à votre chambre ?

— Non, merci ! Bonne nuit, Henry.

Tapie dans l'ombre derrière la porte du salon, une forme invisible, toujours à l'affût, n'avait rien perdu de la scène.

— Idiote ! Tu me paieras ça ! grinça l'Anglaise, jalouse comme un tigre.

Dès le lendemain, une recherche intensive autour de la seigneurie permit l'arrestation de l'homme reconnu par

Mathilde comme étant son agresseur : un vagabond, jusque-là inoffensif, qui rôdait de temps à autre dans la région. Le seigneur ordonna aussitôt qu'on le soumette à la justice et qu'il soit conduit le jour même à Montréal pour y être jugé selon les lois criminelles anglaises. Le capitaine de milice, David Ashley, et Henry furent désignés pour l'escorter, menotté et les fers aux pieds, jusqu'à la prison de la colonie. Personne ne le revit jamais à Berthier.

12

*M*algré quelques actes criminels perpétrés ici et là dans la colonie, une ère nouvelle débutait ; pour une part de la population, c'était une époque parsemée d'incertitudes, de doutes, d'inquiétudes, mais pour d'autres, ces années de paix annonçaient plutôt la prospérité.

Les plus ambitieux, Anglais, Écossais ou Canadiens, tiraient parti des nouvelles politiques coloniales. Ainsi, James Cuthbert, qui ne manquait ni d'ambition ni de fortune, améliorait sa seigneurie de Berthier et faisait d'importantes acquisitions de territoires entourant ses terres. La paix et la prospérité permettaient aux seigneuries qui bordaient les rives du Saint-Laurent de se peupler et de se développer.

Cuthbert savait concilier ses devoirs et ses responsabilités avec ses aspirations légitimes. On le disait autoritaire, mais pour lui la religion, la politique et la famille formaient les trois piliers de la société, et il croyait nécessaire de maintenir ces valeurs fondamentales en imposant la discipline et l'ordre au sein de la seigneurie.

Par ailleurs, dans l'intimité du manoir, autour de la table ou au salon avec Catherine et Henry, il discutait avec courtoisie et humour, habituellement en anglais, et parfois, dans des conversations plus intimes, il s'exprimait en dialecte gaélique.

Sa jeune femme bénéficiait d'une entière liberté dans l'aménagement et la décoration des lieux. Si elle ne trouvait pas chez les artisans de Berthier les tableaux, les tapisseries, les tapis, les meubles luxueux dont elle avait besoin pour décorer ses appartements, Henry, la bourse bien garnie, l'accompagnait alors à Montréal où ils séjournaient quelques jours.

Catherine y faisait ses emplettes, souvent conseillée par sa dame de compagnie, tandis qu'Henry profitait de la présence d'Esther pour fréquenter les salons de *tea*, se promener dans les parcs ou assister à une pièce de théâtre. Ils faisaient le plein de culture anglaise, cultivaient les amitiés et les amours, s'enracinaient dans le pays conquis. Et après quelques jours passés dans la métropole trop bruyante, Catherine revenait au manoir de Berthier, tout heureuse d'y retrouver le calme et le charme de la campagne, prête à seconder son époux dans son rôle de seigneur.

En homme d'honneur, James Cuthbert reconnaissait comme étant son devoir de seigneur de Berthier d'aider la paroisse catholique. Il avait appris, par les confidences du curé Kerberio, que la paroisse était pauvre ; le clergé ne possédait que deux beaux vêtements servant au culte, et les vases sacrés utilisés pendant les offices appartenaient au curé et non à la fabrique. Les coffres avaient été vidés lors d'un vol perpétré à la fin du Régime français, et la réserve paroissiale était constituée de quelque deux cents livres seulement. Les maigres revenus des quêtes dominicales ne suffisaient pas à acquitter toutes les dépenses liées à la bonne marche de la paroisse, qui se voyait privée, depuis la signature du traité de Paris, des paiements de la dîme. Le curé devait donc compter sur la générosité des paroissiens, maintenant un peu mieux nantis, et accepter de vivre sans confort et sans luxe.

Touché par la sobriété des lieux, James fit des dons substantiels à la petite église, dons qui permirent l'ajout de cinq nouveaux bancs aux quarante-quatre déjà installés dans la nef. La paroisse étant en meilleure situation financière, le curé commanda une cloche à Londres, au coût de neuf cents livres.

Le curé Kerberio, reconnaissant envers le nouveau seigneur, insista auprès de monseigneur Briand, nouvel évêque de Québec, afin que le généreux donateur puisse être le parrain de cette cloche. Mais le refus de l'épiscopat fut catégorique : *« On ne doit pas admettre un parrain protestant à la cérémonie de la bénédiction de la cloche…»* Cette objection n'empêcha pas l'inauguration de la première cloche de l'église Sainte-Geneviève de Berthier, dont le carillon donnait la note *la*. Elle fut nommée Marie-Louise, le 6 octobre, en présence de quelques prêtres de La Norraye, de Saurel, et de tous les notables de la place. Et le parrain ? Le curé lui-même, Louis Balthazar de Kerberio, accompagné de la marraine Marie Lamy Desfond, dame de la Coulonnerie. Le seigneur James Cuthbert et sa femme assistèrent à la cérémonie religieuse et invitèrent ensuite les dignitaires à leur table.

* * *

L'automne, bien installé au cœur du pays, ramenait les pluies qui gonflaient les eaux du fleuve indiscipliné, une fois de plus sorti de son lit, pour vagabonder ici et là, noyant les terres en laissant les champs détrempés. Revenant de l'Île Du Pas, Mathilde devait ramer avec énergie dans les forts courants qui la faisaient constamment dériver de sa route.

Elle venait de rendre visite à sa famille ; elle était songeuse et inquiète de la santé de sa mère, qui semblait au bout de ses forces. Cette septième grossesse était pénible ; Jean-Baptiste avait récemment confié à sa sœur que leur cousine Angélique venait souvent aider leur mère. À sept ans, Marguerite ne pouvait assumer toutes les tâches domestiques qu'Anne n'était plus en mesure d'accomplir. De sombres pensées occupaient Mathilde et, pour ajouter à ses appréhensions, elle entendait toutes sortes de rumeurs colportées par des voyageurs qui s'arrêtaient à la seigneurie les jours de marché. Certains affirmaient que des agitateurs tentaient de détourner les habitants des colonies du Sud de la Couronne britannique et menaçaient même de former une armée capable de déclarer la guerre à la puissante armée anglaise. Mathilde craignait qu'un conflit armé n'entraîne ses frères dans une guerre dont personne ne voulait. Elle souhaitait que ce ne soit là que des racontars, nés de l'imagination des hommes, trop portés sur la bouteille. « Balivernes de tavernes ! » disait Adèle. Plaise à Dieu qu'il en soit ainsi !

On s'inquiétait pourtant dans la colonie. Le diocèse de Québec, orphelin depuis la mort de monseigneur Pontbriand, à l'été 1760, venait tout juste de recevoir de Rome la nomination officielle de Jean-Olivier Briand, maintenant nouvel évêque de Québec. Cette même année, le départ de James Murray, généralement apprécié par les Canadiens, suscitait un certain émoi dans la population. Qui était ce nouveau gouverneur général, Guy Carleton ? Les seigneurs, les marchands et les nobles envisageaient l'avenir avec une certaine crainte. «Ces deux hommes vont-ils s'affronter dans des luttes de pouvoir ou plutôt user de diplomatie pour aplanir les obstacles et tenter de concilier les aspirations légitimes des deux peuples qui se partagent le continent ? Les vainqueurs devront apprendre à travailler ensemble ou ils anéantiront toutes les avancées tangibles qui ont marqué le retour à la paix», écrivaient les observateurs dans *The Gazette.*

* * *

Pendant que des intrigues politiques se jouaient en haut lieu pour le partage des pouvoirs, Mathilde consacrait ses temps libres à l'apprentissage de la lecture et de l'écriture, mais voulant éviter tout conflit avec Julia, elle devait constamment rester sur ses gardes et ne pas empiéter sur ses heures de service.

— M'est avis que tu devrais braver cette mégère, Mathilde, et lui dire la vérité.

— Je crains sa colère et, encore pis, ses moqueries.

— Laisse-moi faire, alors. Julia n'est pas la patronne icitte, je vais donc demander moi-même à *Mrs* Catherine la permission de prendre du temps pour vous apprendre à lire à Geneviève et à toi. Ta volonté et ton courage ne peuvent que lui plaire.

— Merci, Adèle, mais mets-toi pas dans l'pétrin pour moi !

— T'en fais pas, la seigneuresse comprendra, j'en suis certaine !

Catherine, femme distinguée et instruite, approuva immédiatement la requête d'Adèle et lui proposa même d'occuper les moments libres des longs après-midi d'hiver à enseigner à ses enfants, ainsi qu'à Mathilde.

— Notre seigneurie compte sur des personnes comme vous pour progresser. Mon mari et moi, nous vous sommes reconnaissants d'apprendre à lire à cette jeune fille débrouillarde et vaillante. *God bless you !*

Encouragée par la seigneuresse, Adèle redoubla d'efforts et, rapidement, les progrès de Mathilde furent manifestes ; elle ne devait plus se soucier des attaques sarcastiques de Julia, laquelle ne tarda tout de même pas à se manifester.

Un soir, alors que la cuisine était soigneusement rangée, Mathilde s'appliquait à écrire les mots appris au cours des derniers jours ; Julia s'approcha et lut par-dessus l'épaule de la servante.

— *Lady* Catherine vient de m'informer que tu commençais à apprendre l'alphabet. Est-ce bien nécessaire de gaspiller du temps pour t'apprendre à lire ? Après tout, tu n'es qu'une servante !

— Qui a dit que je devrais rester servante toute ma vie ?

— C'est la condition des Canadiennes de ton rang. Regarde la vie de ton amie Adèle ; elle devra rester au service des autres pour gagner son pain et celui de ses enfants.

— Mais Adèle sait lire et écrire ; elle connaît l'histoire, la géographie et les mathématiques. Qui te dit qu'elle s'mariera pas de nouveau avec un bon parti ? Elle est encore jeune et belle.

— C'est à voir ! Et toi, prends bien garde de ne perdre aucune minute pendant la journée pour apprendre à lire. Compris ?

— Compris, riposta Mathilde, gratifiant l'Anglaise d'un geste moqueur, comme un valet de comédie devant son auditoire.

Julia, hautaine comme une riche douairière, quitta la cuisine, jetant un regard dédaigneux à Mathilde qui, dans son dos, lui tira la langue en riant.

* * *

Se remettant au travail avec entrain, éclairée par une lampe qui diffusait un faible halo de lumière, Mathilde, absorbée par ses efforts, fut surprise par une voix familière.

— Mathilde, que faites-vous ainsi, tapie dans la pénombre? demanda Henry.

— J'écris des mots que j'connais, et demain, Adèle corrigera les erreurs: tomate, salade, café… les accents, c'est plus difficile…

— Vos accents sont encore un mystère pour moi! Tenez, pour vous aider, je vous offre ce petit livre. Vous aurez sans doute grand plaisir à le lire. Vous pouvez d'abord relever les mots que vous connaissez et, peu à peu, vous lirez plus rapidement.

— Fa-bles de Jean de La Fon-tai-ne, décoda Mathilde, étonnée de la facilité avec laquelle les mots lui avaient révélé leur mystère. Mais ce livre est trop précieux pour que j'accepte de vous en priver, Henry.

— Je vous l'offre avec plaisir. Je l'ai lu tant de fois que je le connais par cœur.

— Ah oui! Faites voir, plaisanta Mathilde. Je l'ouvre au hasard… « La ci-ga-le et la four-mi… » Continuez…

— *La cigale ayant chanté tout l'été*
   Se trouva fort dépourvue
   Quand la bise fut venue…

Et Henry, amusé, récita en mimant et en gesticulant toute cette fable de Jean de La Fontaine. Médusée, Mathilde suivait mot à mot ce texte qu'elle entendait pour la première fois. Elle n'en croyait pas ses oreilles, elle riait et pleurait à la fois ! Ces mots faisaient naître dans son esprit, qui s'éveillait à un monde nouveau, tant de sentiments divers qu'elle eut peur. Un bref instant, fugace comme un éclair, elle douta d'elle-même et de tout ce qu'elle découvrirait ; devant le vide de son ignorance, elle craignait qu'une fois la porte de la connaissance ouverte elle ne soit plus jamais la même Mathilde. Elle tremblait à la fois de bonheur et de crainte. Transportée dans l'inconnu, elle ne savait plus où elle était ni qui elle devenait.

— Mathilde, mais vous pleurez ?

— Je... je... ne pensais pas que c'était si beau !

— Ce livre est à vous, gardez-le ! Vous pourrez ensuite, à votre tour, apprendre toutes ces fables et les lire à votre petite sœur ou à Geneviève, ajouta-t-il, ému devant la candeur de la jeune fille.

— D'où vous vient ce livre français ?

— Je l'ai acheté pendant ma captivité à Brest, en Bretagne ; il m'a été bien utile pour apprendre votre langue.

— Vous avez été fait prisonnier ?

— Quelques années. J'ai été capturé sur la Manche et conduit au chantier maritime de Brest, où les prisonniers travaillaient à remettre en service les bateaux de la marine française, durement malmenée par notre armée pendant la guerre. Tous les prisonniers ont été libérés quand la France a dû capituler. Et l'Angleterre nous a récompensés en nous demandant de servir dans la colonie conquise. Un heureux hasard qui m'a fait venir jusqu'ici.

— Je vous prie, Henry, de ne jamais révéler à Julia que vous m'avez offert ce précieux livre. Elle m'aime pas beaucoup.

— Promis, ce sera notre premier secret.

La porte de la cuisine s'ouvrit à grand fracas et Geneviève, excitée comme une gazelle, appelait à l'aide.

— Mathilde ! Mathilde ! Viens vite. Regarde ce que j'ai trouvé dans le poulailler.

Geneviève, encore essoufflée de sa course, tenait bien au chaud, sous sa cape, une petite boule de poil fauve, apeurée et gémissante.

— Ce petiot doit chercher sa maman, il faut le retourner là où tu l'as trouvé, dit doucement Mathilde afin de ne pas bousculer la fillette intimidée par la présence d'Henry. Mais que faisais-tu seule dehors à cette heure tardive ?

— Mes frères sont avec moi. Nous avons trouvé ce chaton qui miaulait tout seul. Il était perdu, sa maman n'était pas là.

— Viens avec moi, reprit le capitaine Cairns, nous allons chercher ensemble. Je prends le fanal. Viens !

Par la fenêtre embuée, Mathilde les regarda s'éloigner vers le poulailler d'où ils revinrent rapidement, le chaton toujours blotti sous le chaud vêtement de l'enfant.

— Il semble bien que les renards soient venus prendre leur repas, c'est le carnage dans le bâtiment, dit Henry en entrant. Les garçons n'ont pas retrouvé la chatte.

— Je peux le garder, Mathilde ?

— C'est pas à moi qu'il faut demander la permission. Si ta mère veut, j'lui donnerai du bon lait chaud. Il a faim, ce petit ! La chance a épargné ce chaton des renards, ta maman te permettra sans doute de l'adopter, mais faudra d'abord lui demander. Fais vite, c'est maintenant l'heure d'aller au lit, dit Mathilde, posant ses lèvres sur le front de la fillette.

— Bonne nuit, petite, et à vous aussi, Mathilde, ajouta Henry, fixant intensément la jeune fille.

— À demain, Henry.

Adèle ne sut refuser à sa fille d'adopter ce chaton orphelin qu'on appela Peluche. Il passa la nuit sous les couvertures, bien au chaud, lové contre l'enfant.

— Ma mie et Peluche, deux autres mots que je saurai écrire, se répéta Mathilde, rêvant d'un avenir lumineux où tous les secrets des livres lui seraient enfin révélés.

13

*N*ovembre était déjà là avec ses jours sombres, ses pluies froides, ses giboulées et ses surprenantes journées ensoleillées. Mois de contradictions, d'ombres et de lumières. Les habitants de ce pays de froidure profitèrent donc de ces jours de grâce pour terminer les dernières corvées avant que l'hiver les enserre dans ses griffes d'acier.

En ce mercredi du début de novembre, Guillaume Piet avait réquisitionné tout le personnel pour faire boucherie, préparer les boudins, saler les viandes et fumer les jambons. Dès l'aube, ce fut le branle-bas de combat, chacun arrivait au manoir avec ses couteaux, ses chaudrons, ses plats et ses chiffons.

Après que les bêtes furent abattues, les longs chapelets de boudins bien remplis, les viandes salées et mises en conserve dans les caves et les puits, tous retournèrent à leur logis, non sans s'être donné rendez-vous au manoir à la Saint-Martin. Depuis le début de la colonie, la coutume voulait que les censitaires préparent la fête des redevances seigneuriales, prévue pour le 11 novembre. Ce jour-là, les seigneurs et leur dame, en tenue d'apparat, recevaient les habitants qui cultivaient les lots de leur seigneurie. Les uns après les autres, ils se rendaient au manoir seigneurial afin de présenter aux maîtres une partie de leur dur labeur ; c'était une occasion commerciale autant qu'un prétexte pour festoyer, un point culminant des activités sociales dans tous les villages.

Pour célébrer la Saint-Martin en 1766, le cochon, sacrifié la veille, rôtissait sur les braises pendant qu'Adèle remplissait les marmites et garnissait le gros poêle de fonte. Toute la domesticité, menée de main de maître par l'impitoyable Julia, s'affairait à dresser les tables, à déposer des gerbes de fleurs au salon et à décorer les lieux afin que tous les invités soient reçus avec raffinement et cordialité.

Miss Julia jeta un dernier regard sur les préparatifs, ce qui la satisfit : les fines porcelaines anglaises artistiquement peintes reposaient sur les nappes richement brodées où chatoyaient les ustensiles en argent et les coupes de verre finement ciselées. Les meubles, nouvellement acquis, témoignaient de la richesse du nouveau seigneur qui ouvrait alors les portes de son manoir à la population de Berthier.

Henry, accompagné par l'élégante Esther, arrivée la veille de Québec, accueillait les invités ; les deux jeunes gens, qui formaient un couple charmant et bien assorti, étaient inconnus de la plupart des censitaires.

— Braves habitants, je me nomme Henry Cairns, et voici *Miss* Esther Mc Connell. Je vous présente officiellement *Mr* James Cuthbert et sa dame, *Mrs* Catherine, seigneur et seigneuresse de Berthier. Afin de perpétuer les coutumes anciennes pratiquées sous le Régime français, ils vous invitent à leur offrir vos hommages et votre respect. *God bless you !*

Les nouveaux propriétaires, secondés par un personnel dévoué et efficace, s'affairèrent alors à recevoir avec grâce et dignité tous les représentants de la seigneurie, nobles comme censitaires. Tant pour les nouveaux seigneurs que pour les habitants, cette fête était l'occasion de faire connaissance, de se rencontrer, de célébrer le retour à la prospérité. Et, à toute volée, le carillon de Marie-Louise, cloche de l'église dédiée à sainte Geneviève, se joignit à celui de la seigneurie pour souligner, dans l'allégresse, l'abondance des récoltes de la saison.

Tout le long de cette journée, la joie était manifeste. Les moissons avaient été bonnes, les rendements agricoles de la seigneurie satisfaisaient le nouveau propriétaire, les commerces des artisans et des marchands s'avéraient lucratifs. Bonne occasion d'affaires où chacun profitait de cette grande assemblée populaire pour conclure des ententes, proposer des marchés et effectuer de fructueux échanges. Des chevaux changeaient même trois fois de propriétaires au cours de la journée, au profit du redoutable maquillon, Jos Marchand.

La fête se prolongea en soirée où un délicieux banquet, préparé par Adèle avec des produits de la ferme, ravit tous les invités. Le service, dirigé par l'efficace Julia, fut impeccable. Le curé Kerberio, les marguilliers, le nouveau capitaine de milice, David Ashley, nommé à Berthier par le gouverneur Carleton en remplacement du sieur Pierre Casabon-Dostaler, les familles anglaises et canadiennes se partagèrent cette bonne table, agrémentée de mets recherchés que la seigneuresse avait achetés plus tôt à Montréal : le thé de l'Inde, les sucres d'orge, le brandy, les vins de Bordeaux et le whisky écossais servi par le seigneur lui-même firent l'orgueil de cette première fête offerte par les Cuthbert à la population de la seigneurie.

* * *

— C'est-tu pas dommage de voir le manoir habité maintenant par nos ennemis, déclara l'ébéniste Filiaud dit Dubois, s'adressant au meunier Casaubon, qui vida d'un trait son verre de whisky.

— Chus de ton avis. Le départ de Courthiau a mis fin au règne des rois français en pays de Nouvelle-France, approuva le meunier. Mais faut dire que le whisky de James est pas mal bon ! ajouta-t-il dans un grand éclat de rire.

— Y a du bon pis du moins bon dans ce changement de régime : le vin et le whisky, le menuet et la gigue ! J'espère que nos femmes resteront à nous ; si tu veux mon avis, plusieurs donzelles tournent comme des mouches autour des Anglais ! lança, dépité, Joachim Filiaud.

— Pour ça, faudra surveiller nos filles ! commenta Jos Marchand, admirant les jeunes femmes de la noblesse, sans oublier de décocher des œillades éloquentes aux servantes qui déambulaient dans les pièces du manoir.

Des musiciens, retirés tout au fond de la grande salle à manger, interprétaient discrètement des concertos, pendant que les invités badinaient, plaisantaient et discutaient tantôt en anglais, tantôt en français.

Le repas terminé, les musiciens furent priés de divertir les convives en les invitant à danser sur des rythmes plus endiablés. Des couples se formèrent et prirent place sur le parquet bien ciré, à la suite de James et de sa jeune femme, élégamment vêtue d'une robe de soie bleu ciel qui accentuait la pâleur de son teint. Henry et Esther leur firent concurrence dans une danse folklorique écossaise qui entraînait les danseurs dans une gigue comique, inconnue des Canadiens, plutôt habitués aux menuets venus de la mère patrie. Les quelques Anglais nouvellement installés à la seigneurie s'en donnèrent à cœur joie, invitant les habitants à se joindre à eux dans ce bal improvisé.

Miss Julia, cherchant à attirer l'attention d'Henry, ne le quittait pas des yeux, implorant le ciel qu'il veuille bien l'inviter à danser. Depuis le soir de juin où ils avaient marché ensemble près du fleuve, elle rêvait de ses bras vigoureux, de son odeur d'homme, de son regard de braise posé sur elle. Elle tournait autour de lui, remplissait son verre et lui souriait dès qu'il s'approchait d'elle. En galant homme, il ne pouvait se soustraire aux règles de la bienséance et se devait de demander à une jeune dame anglaise, élégante et bien éduquée, fut-elle domestique, de rejoindre les couples déjà en compétition sur la piste de danse.

— Julia, vous m'accorderiez cette danse ?

Le couple se distingua rapidement par la grâce et l'harmonie de leurs gestes. Oubliant tout, ils se laissèrent emporter par la musique envoûtante et dansèrent en symbiose, en communion des corps et des âmes. Les cheveux bouclés de Julia volaient comme des papillons de nuit cherchant la lumière, tandis que ses yeux brillaient de joie, fixés sur ceux de son cavalier qui la tenait solidement enlacée. Sa longue jupe plissée lui permettait une certaine liberté de mouvement. Les pas se succédaient avec grâce, malgré quelques variations de rythme et de figures.

Épuisés, ils s'arrêtèrent pour reprendre leur souffle. Médusée et ravie, la jeune femme n'avait jamais été aussi heureuse. Pour un instant, elle en oublia Esther et Mathilde.

— Merci, Julia, vous dansez à ravir ! lui confia Henry en la reconduisant près de Catherine, qui se reposait en buvant un sherry.

— Vous me voyez fort heureuse de votre invitation, Henry, dit la domestique, gratifiant son cavalier de son plus beau sourire.

— La dame de compagnie de votre sœur vous fait les yeux doux, mon ami, dit Esther en taquinant le capitaine, l'entraînant dans une danse endiablée.

— Vous croyez ? Je n'avais pas remarqué, répondit le jeune homme en souriant.

— Vous me semblez bien naïf, *my love*, ajouta Esther, mordant le bout de l'oreille de son cavalier.

— Seriez-vous un brin jalouse ?

— D'une dame de compagnie ?

— Sait-on jamais, répliqua-t-il, en faisant tourner Esther dans une époustouflante chorégraphie.

***

Les spiritueux et le bon vin aidant, le grand salon était rempli de musique et de pas de danse, de rires et d'intrigues amoureuses. La galanterie française rivalisait avec la courtoisie anglaise, au plaisir des uns comme des autres, sous le regard sévère du curé Kerberio qui craignait la proximité des protestants dans sa paroisse. « Des loups dans la bergerie », pensa-t-il en remarquant Henry qui, en retrait, posait un regard insistant et sans gêne sur la joyeuse Mathilde, courtisée par Jacques Foucault, un soldat français resté en colonie.

— Vous voulez bien me faire l'honneur de cette danse, belle Mathilde ? proposa Jacques.

— Vous voulez bien m'apprendre ? Je ne connais pas cette danse si rapide, répliqua la jeune fille, quelque peu embarrassée.

— Ne répétez à personne que je ne connais pas cette danse non plus, lui confia le jeune homme, mais venez quand même. À nous deux, on arrivera peut-être à damer le pion aux Anglais !

Bras dessus, bras dessous, les deux jeunes gens sautillèrent, se trémoussèrent, s'agitèrent, giguèrent en riant comme des bossus, se moquant de leurs faux pas tout en cherchant la cadence. Après plusieurs danses, fatigués, les jambes flageolantes, Mathilde et Jacques cherchèrent un endroit discret pour se reposer et faire connaissance.

— J'aime bien quand c'est vous qui venez à la boulangerie, belle Mathilde. Madame Adèle n'est pas mal, mais j'attends avec impatience les jours où c'est votre tour, avoua le jeune homme, sous le charme de la servante.

— Chaque vendredi, pendant qu'Adèle prépare les charcuteries, je suis chargée des emplettes au village. Cette sortie me fait connaître les commerçants, le marché, les villageois.

— Et la boulangerie où j'apprends mon métier chez le maître boulanger Chaviot. J'y suis depuis la fin de la guerre, précisa le prétendant.

— Vous avez été blessé gravement, mon ami, semble-t-il ? demanda Mathilde, posant le regard sur les yeux étranges de Jacques.

— Oui, les guerres font toujours des victimes. J'étais soldat sur l'*Atalante*, bateau venu au secours de la colonie occupée au printemps 1760. Les frégates anglaises nous ont interceptés et, se voyant piégé, notre commandant ordonna au capitaine de s'échouer dans l'entrée de la rivière Cap-Rouge. De là, les Anglais ont fait couler le navire, tirant sur nous plus de huit cent cinquante boulets de canon. Pendant le combat, un éclat s'est logé dans mon œil droit et, malgré les bons soins des Sœurs hospitalières de Québec, je resterai borgne comme un pirate le restant de mes jours. Ce qui ne m'empêche pas de voir les jolies filles de la colonie !

— Coquin ! Vous avez décidé d'rester au Canada après la guerre ?

— Qu'irais-je faire à Paris ? Je n'y ai plus de famille et la longue traversée en bateau m'a rendu si malade que jamais je n'entreprendrai un si périlleux voyage.

— Paris… C'est grand ? s'informa Mathilde, avide de connaître davantage le pays de ses ancêtres, dont sa grand-mère parlait si souvent avec émotion.

— Paris est une ville trop grande, trop sale, trop pauvre pour y vivre heureux maintenant que je connais l'espace, la liberté et la possibilité d'y apprendre un métier et d'en vivre. Ici, on voit peu de mendiants et je n'ai jamais rencontré de groupes de truands qui font la loi comme dans certains quartiers de Paris. Et la colonie ayant besoin de bras pour construire le pays et de familles pour le peupler, j'ai décidé de rester. Je n'ai jamais regretté mon choix.

— Même l'hiver quand il fait très froid ?

— Les habitants m'ont vite appris comment survivre à l'hiver canadien et voyez, je m'en porte fort bien.

* * *

Une arrivée impromptue attira l'attention du couple. C'était Jean-Baptiste qui entrait en trombe, cherchant sa sœur parmi l'assistance encore nombreuse à cette heure tardive. Mathilde, inquiète devant la mine défaite de son frère, mit fin à la conversation et courut vers lui, le pressant de questions.

— Qu'y a-t-il, Jean-Baptiste ? Quelqu'un est malade ?

— Oui, c'est mère. Elle saigne depuis le matin, père m'envoie te chercher.

— Le médecin est pas allé ?

— Le docteur Généreux est parti à la Rivière-du-Loup et sa femme ne l'attend pas avant demain. Angélique est à la maison depuis la mi-journée.

— Allons vite ! Perdons pas plus de temps. Pardon, Jacques, j'vais demander à *Mrs* Catherine la permission de partir. J'dois vous quitter, astheure…

— Je prendrai des nouvelles de votre mère auprès d'Adèle. Allez ! Que Dieu vous garde !

Comprenant la gravité de la situation, la seigneuresse n'hésita pas un instant à laisser partir Mathilde qui rassembla rapidement ses bagages et courut, précédée de son frère, vers le canot qui les attendait dans la nuit froide et obscure.

La scène n'avait pas échappé à Henry qui, intrigué, interrogea aussitôt sa sœur ; en quelques mots, Catherine l'informa de l'état de santé de la mère de Mathilde. Malheureux devant l'angoisse des Guillot, il endossa rapidement son manteau et se précipita vers le fleuve aux couleurs d'encre, espérant rattraper Mathilde et lui offrir son soutien. Il était trop tard : elle était déjà sur le fleuve. Il entendait nettement le clapotis provoqué par les avirons qui perçaient les eaux comme des glaives acérés. Seul ce bruit troublait le silence quasi monacal de cette nuit de novembre.

Le départ précipité d'Henry n'échappa pas à la vigilance d'Esther, et encore moins à celle de Julia, qui rageait intérieurement ; elle se doutait, depuis l'agression dont Mathilde avait été victime, quelques semaines plus tôt, que le capitaine Cairns était attiré par la Canadienne. Maintenant, elle en avait la certitude ; sa clairvoyance ne la trompait pas. Menée sur un autre front, la lutte serait différente : Esther ne semblait plus la seule menace à son bonheur ; désormais, elle devrait affronter cette *bastard* illettrée. Julia, blessée, hors d'elle-même et le visage inondé de larmes, resta longtemps à la fenêtre de sa chambre, guettant vainement le retour d'Henry. Elle aurait tant aimé pouvoir effacer la dernière heure de cette soirée inoubliable qui l'avait, jusque-là, rendue si heureuse.

— Tu perds rien pour attendre, *dummy* !

Trop perturbée pour se confier à son journal ou à Françoise, et sans attendre le capitaine Cairns, elle ferma les rideaux de la fenêtre et s'effondra sur son lit, tout habillée, sans dénouer ses cheveux. Son beau rêve, son impossible rêve, semblait mourir trop tôt, noyé dans les larmes de sa rage et de son désespoir.

* * *

Jean-Baptiste ramait habilement avec énergie ; contournant les îlots, il se laissait guider par les étoiles qui lui signalaient la route à suivre. Le frère et la sœur, drapés dans un silence oppressant, filaient sous un ciel sans lune, poussés par l'angoisse de la mort qui planait comme un vautour au-dessus de leur île. Une lumière vacillait au loin. Jean-Baptiste savait qu'il approchait du quai où il avait accroché une lanterne avant de quitter le ponton. Mathilde n'attendit pas qu'il eût accosté, elle sauta hors de l'embarcation encore instable et courut vers sa mère, priant le ciel pour qu'il ne soit pas trop tard.

Un long moment, Henry avait attendu. Une tristesse insaisissable l'avait envahi, embrouillant tous ses repères ; il n'était plus sûr de rien. Qu'est-ce qui lui arrivait, à lui, capitaine stoïque qui ne reculait jamais devant le danger, mais qui, ce soir, se voyait incapable de dompter l'ardeur de ses sentiments envers cette Canadienne ?

Il marcha sur la rive sombre, il avait besoin de solitude et n'avait aucune envie de retourner à la fête. De loin, il entendait à peine la musique, les rires et les éclats de voix des invités qui quittaient peu à peu le domaine. Il attendit que le calme soit tout à fait revenu, et les bougies éteintes, avant de regagner sans bruit ses appartements. Il s'arrêta devant la chambre d'Esther, où il se heurta au silence, et, doucement, il redescendit l'escalier et s'installa devant l'âtre rougeoyant.

Longtemps, il contempla le feu qui s'assoupissait, et en raison de l'insomnie qui le guettait, le militaire sortit ses crayons et dessina lentement les traits de Mathilde, formant avec finesse les lignes de son nez légèrement retroussé et de ses lèvres pleines, s'attardant à rendre justice à ses magnifiques yeux couleur de ruisseau. Il médita longtemps devant la fidèle reproduction de la jeune fille qui ne quittait plus ses pensées. Voyant l'aube poindre au loin, il rangea soigneusement son aquarelle loin des regards indiscrets et regagna sa couche, le cœur chaviré comme une embarcation à la dérive.

14

—$\mathcal{T}$a mère vient de s'endormir. Tu peux v'nir la voir.

— Comme elle est pâle! Qu'est-ce qui lui est arrivé? chuchota Mathilde, enlevant sa bougrine.

— Elle a mal dormi la nuit dernière, murmura Antoine, et dès qu'elle s'est levée, elle a ressenti des crampes au ventre, pis presque tout de suite, elle a commencé à perdre du sang.

— Et vous avez fait quoi, ensuite?

— Elle est allée se coucher, j'ai relevé ses jambes et demandé à Jean-Baptiste d'aller quérir le docteur, et à Louis de se rendre tout de suite chez Angélique pour lui demander de venir.

— Elle s'est occupée des petits?

— Et de ta mère surtout. Ta tante Marie aussi est venue aujourd'hui, pour changer ta mère et laver tous les vêtements tachés de sang.

— Est-ce qu'elle a mangé?

— Un peu, une bonne soupe chaude et une tranche de pain bis que ta tante Marie avait fricotés, mais elle avait pas faim. Là, elle dort depuis que Jean-Baptiste est parti t'chercher.

— Il aurait dû venir ben plus tôt.

— Ta mère voulait pas. Elle savait qu'il y avait une fête au manoir aujourd'hui et que t'avais ben d'la besogne. Mais quand j'ai vu qu'elle prenait pas de mieux, j'ai décidé de t'envoyer quérir.

— Vous avez ben fait ; on s'passera ben de moi pendant quelques jours.

— Ce sera peut-être pas nécessaire, ta mère se repose, elle ira mieux demain.

— Je prie le ciel qu'il en soit ainsi !

* * *

Toute la nuit, Mathilde veilla sa mère qui dormit malgré les douleurs persistantes qui agitaient son sommeil. De temps à autre, Anne ouvrait ses yeux fiévreux et souriait à sa fille qui tentait de la soulager en l'aidant délicatement à prendre une position plus confortable. Mathilde lui donna à boire et, à l'aube, elle lui prépara un bol de soupane qu'elle lui fit manger, par petites cuillerées, comme à une enfant. Soutenue par ses oreillers de plumes, la femme, grosse depuis cinq mois, craignait de perdre cet enfant attendu. Des douleurs aiguës comme des coups d'éperon labouraient les flancs de son ventre dur et proéminent, la laissant sans force au petit matin. Elle ne perdait plus de sang, mais elle luttait contre la souffrance qui ne cessait de la tourmenter et ne lui laissait aucun repos.

Au petit jour, après avoir réveillé les deux aînés, Antoine prit des nouvelles de sa femme et se prépara pour aller nourrir les bêtes et nettoyer l'étable.

— Faut ben aller faire le train, les animaux attendront pas ; on va faire ça vite ! Allons, les gars !

Le pauvre homme qui, ce matin, portait un poids lourd comme une cloche de cathédrale, n'avait pas vraiment le cœur à la tâche, mais précédant Jean-Baptiste et Louis, il se dirigea vers les bâtiments, la tête basse et l'âme chagrine. Ils travaillèrent rapidement et en silence, pressés de retourner auprès d'Anne.

Un pressentiment trouble gagnait l'esprit d'Antoine, invasif comme une gangrène, et ébranlait sa force tranquille ; des larmes remplirent ses beaux yeux marron qu'il essuya du revers de la main, car un homme, un père, ne pouvait pas pleurer devant ses fils, et, pour dissimuler sa faiblesse, il toussota.

— C'est rien qu'un brin de foin qui m'est tombé dans l'œil, avoua-t-il à Louis qui tassait le foin dans les mangeoires.

— Mère ira mieux, elle a juste besoin de prendre un peu soin d'elle, reprit Louis, qui n'était pas dupe. Faites-vous en pas tant, père !

— Ça, mon gars, c'est pas nous qui allons décider, lança Antoine, pour conclure, en déposant sa fourche.

*　*　*

Mathilde, qui n'avait pas fermé l'œil de la nuit, préparait la soupane et le pain, pendant que sa mère sommeillait en ce matin pluvieux et triste. La pluie de novembre, glaciale et tenace, crépitait dans la fenêtre embuée de la cuisine où trônait le poêle ronronnant. Mathilde avait entretenu le feu toute la nuit, car Anne tremblait de froid. Maintenant, bien emmaillotée dans de chaudes couvertures, la femme reposait, ses cheveux châtains auréolant son visage émacié.

Mathilde allait de la chambre à la cuisine, alerte et efficace. Les deux plus jeunes, Marguerite et Nicolas, se mirent à table et dévorèrent leur déjeuner en se taquinant.

— Faites pas tant de tapage, mère a besoin d'repos, semonça la grande sœur.

— Tu resteras maintenant avec nous, Mathilde ? questionna Nicolas.

— Tant que notre mère ira pas mieux, j'serai avec vous, c'est sûr.

— Faut pas que mère guérisse, alors, reprit Marguerite. J'veux pas qu'tu repartes !

— Dieu du ciel, dis pas de telles sottises ! Mère doit prendre du mieux, elle est si jeune encore, et vous avez tellement besoin d'elle !

— Écoute, j'pense qu'elle t'appelle ! dit Marguerite, inquiète.

Prestement, Mathilde se rendit auprès de sa mère qui voulait se lever pour faire ses besoins.

— Aide-moi, ma fille. Mes jambes me portent plus.

Mathilde lui présenta le pot de chambre et l'aida à s'y asseoir. Anne, très faible, tenait avec peine sur le siège d'aisance, s'appuyant sur son aînée. Une douleur atroce lui vrilla le dos et un cri rauque, quasi bestial, retentit dans la petite maison. Antoine, qui entrait tout juste de l'étable, accourut et prit sa femme dans ses bras, la berça un moment et la reposa sur le lit défait. Une tache sombre maculait la chemise de l'homme qui réalisa aussitôt que le repos de la nuit n'avait pas jugulé l'hémorragie utérine qui risquait d'emporter sa femme.

Devant la gravité de la situation, et ne sachant comment intervenir auprès de sa mère, Mathilde prit l'initiative de suggérer à son père de demander l'aide de Sagawee, l'Abénaquise.

— Elle doit bien connaître des herbes qui arrêteront le sang. Ça vaut la peine d'essayer ; sinon je crains que mère s'en sorte pas.

— Fais c'que tu penses pour le mieux, ma fille. Moi, j'y peux rien, dit le pauvre homme, en proie au désespoir.

— Jean-Baptiste, tu sais où trouver la sauvagesse ? s'enquit Mathilde.

— Oui, elle reste dans une cabane sur l'île à l'Aigle. J'saurai où la trouver.

— Va vite la chercher et raconte-lui ce qui se passe ; elle apportera les herbes qu'il faut pour arrêter l'hémorragie. Perds pas de temps, va tout de suite.

Malgré toute sa bonne volonté et tout l'amour qu'elle vouait à sa mère, Mathilde ne pouvait faire davantage, n'ayant ni les connaissances ni l'expérience pour soulager Anne ; la situation était préoccupante, la mère ou l'enfant pouvait mourir, peut-être même les deux, se disait Mathilde. Inquiète, les traits tirés, elle prodiguait les meilleurs soins à sa mère, avec tendresse et dévouement, et refusa obstinément d'aller se reposer, tant que Sagawee ne serait pas auprès de la malade.

* * *

L'Abénaquise ne tarda pas à arriver avec sa petite fille aux yeux sombres comme la nuit, confortablement retenue au dos de sa mère dans un sac joliment tissé. Discrète, Sagawee marchait à pas de souris. Grande et mince, c'était une fille racée, au regard énigmatique. Ses longs cheveux nattés reposaient sur ses épaules couvertes d'une peau tannée, douce comme de la soie. Aussitôt son bébé posé par terre, elle s'adressa à Mathilde et, en peu de mots, demanda de l'eau chaude, un seau de toilette, des linges propres et un gobelet pour l'infusion.

— Laisse ta petite à Marguerite, lui proposa Mathilde, elles joueront avec Nicolas. Angélique les surveillera.

La jeune Marguerite, tout heureuse de se rendre utile et de pouvoir jouer avec un bébé, s'approcha tout doucement de l'enfant et lui parla à voix basse pour ne pas l'effrayer.

— Viens aussi, Nicolas, chuchota Marguerite, en prenant la main de son petit frère.

Les trois petits s'éloignèrent de la chambre et allèrent s'amuser près du feu qui crépitait dans le poêle rempli de bûches d'érable ; Nicolas courait à quatre pattes autour de la fillette, tandis que Marguerite essayait de l'apprivoiser en jouant du flûtiau. L'enfant regardait ces inconnus qui faisaient des galipettes pour la faire rire ; craintive, elle restait en retrait, et ce n'est que lorsque Comète vint se lover contre elle qu'un sourire timide illumina sa frimousse basanée. Dans la candeur et la spontanéité de jeux enfantins, bien à leur insu, un premier lien venait de se tisser entre ces enfants qui, jusque-là, ne se connaissaient pas.

Les deux jeunes femmes s'affairaient en silence, leurs gestes étaient précis et efficaces. Rapidement, Anne fut lavée, changée et soignée. Sagawee prépara une infusion et des cataplasmes de framboisier et d'ortie pour tonifier l'utérus de la mère affaiblie par tout ce sang perdu. Avec délicatesse et dextérité, la jeune Indienne massa le ventre gonflé de la malade et appliqua une compresse tiède sur la peau distendue, pendant que Mathilde faisait boire la boisson chaude à sa mère.

— J'suis si fatiguée, confia Anne, épuisée, fermant les yeux comme si elle voulait cesser la lutte.

— Mère, tenez bon et reposez-vous, Sagawee restera près de vous. Faut dormir, astheure.

L'Abénaquise surveillait sa malade avec bienveillance et attention, confiante en l'efficacité des soins prodigués. Les saignements diminuèrent progressivement et Anne s'enlisa dans un sommeil bienfaisant. Maintenant que le danger semblait éloigné, Mathilde sortit de la chambre sans faire de bruit et rejoignit les enfants assis sur la première marche de l'escalier et qui, insouciants, s'amusaient avec Criquet, le gros chat gris, et Comète, contents de l'attention que leur portait la petite Indienne.

* * *

Antoine, inquiet, se demandait s'il devait aller chercher le prêtre pour bénir sa femme et entendre sa confession. Il arpentait nerveusement la modeste cuisine, s'arrêta un moment pour se verser une tasse de thé et pria en silence. Il s'en voulait, ils avaient déjà six enfants en santé. Pourquoi un de plus ? Mon Dieu, pourquoi ?

Tendu comme la corde d'un arc, il entendit la porte de la chambre s'ouvrir doucement. L'Abénaquise en sortit discrètement et informa l'homme, par signes, que la malade dormait.

— Venez, Sagawee, venez manger un bol de la bonne soupe que nous a préparée Angélique, dit Mathilde, lui indiquant une place à table.

Sans même prendre le temps de tirer une chaise à la sauvagesse, Antoine s'inquiéta de la santé d'Anne :

— Et ma femme ? demanda-t-il, mal à l'aise.

La fatigue et le chagrin le firent tanguer comme un voilier sur une mer démontée, comme s'il était porté par une vague de culpabilité. Machinalement, il s'accrocha au dossier de la chaise et, un bref instant, ferma les yeux.

— Elle se repose, vous pouvez y aller, mais ne la réveillez pas, conseilla sa grande fille.

Tout naturellement, le bébé grimpa sur les genoux de sa mère qui lui offrit le sein, tout en partageant son repas avec la famille Guillot. Les jeunes enfants, incapables d'évaluer le danger qui rôdait, badinaient et bavardaient, tentant de faire rire la petite de Sagawee, mais Firmin, sensible et très attaché à sa mère, refusait de manger et pleurait en silence.

— Elle va mieux, Firmin. Elle devra rester au lit quelques jours, mais avec le cataplasme d'herbe à dinde et la décoction de framboisier préparés par Sagawee, elle perdra pas l'bébé. Pleure pus et viens manger avec nous, lui dit tendrement Mathilde qui le serra dans ses bras, berçant sa douleur jusqu'à ce que ses sanglots se soient apaisés.

* * *

Au-dehors, la pluie s'intensifiait et assombrissait davantage la petite pièce percée d'une seule fenêtre déjà calfeutrée pour l'hiver. Il faisait sombre et triste. Mathilde était lasse ; ses paupières lourdes de sommeil s'appesantissaient, et, pour se garder éveillée, elle s'activait à nettoyer la cuisine en conversant avec Angélique.

143

Elle souhaitait prendre un peu de repos pendant que sa mère ne requérait aucune aide et c'est avec envie qu'elle regarda l'escalier qui menait à sa chambrette. Et tout juste comme elle s'engageait sur la première marche, elle fut surprise par des pas pressés qui se rapprochaient de leur maison. « Qui peut bien venir icitte par un temps pareil ? se demanda-t-elle. Peut-être oncle Olivier qui vient prendre des nouvelles de mère… »

Stupéfaite, elle vit entrer Guillaume Piet, l'intendant de la seigneurie, suivi de près par Henry, chargé de provisions.

— Pour l'amour de Dieu, que faites-vous par un tel déluge ? Entrez vite, vous êtes tout détrempés. Vous allez prendre froid. C'est pas Dieu possible ! s'exclama Mathilde, surprise et quelque peu intimidée de recevoir le riche Écossais dans leur pauvre logis.

— On est venus aux nouvelles, dit timidement l'intendant. Pis *Mr* Henry voulait vous apporter toute cette bonne nourriture préparée par m'dame Adèle, mais il savait pas où vous habitiez.

— Ma mère se repose grâce aux bons soins de Sagawee que voici. Elle est encore très faible, et nous prions pour qu'elle s'en sorte, ajouta la jeune fille, les yeux rougis par le chagrin et la fatigue.

— Adèle vous a préparé ces provisions : du pain, des pâtisseries, de la viande et des légumes. Elle a ajouté un peu de vin, elle dit que votre mère en prendrait profit, reprit Henry.

— J'vais demander à Sagawee ce qui est bon pour elle. Remerciez ma bonne amie pour cette amabilité. Demandez-lui aussi de prier pour la guérison de ma mère. Nous sommes si inquiets, confia Mathilde, la voix éteinte par l'émotion.

— Ma sœur, *Mrs* Catherine, vous permet de rester auprès de votre mère aussi longtemps qu'elle aura besoin de vous. Elle se passera de vos services pendant quelques semaines, si nécessaire.

— Dès que ma mère prendra du mieux, j'me rendrai à la seigneurie. Dame Catherine me dira elle-même ce qu'elle désire, précisa Mathilde, fixant sur Henry un regard franc et déterminé, lui laissant entendre qu'elle ne prendrait ses ordres que de la seigneuresse.

— Quelques jours ici vous feront le plus grand bien, Mathilde, vous semblez si fatiguée, insista Henry.

— Vous avez raison ; j'ai passé toute la nuit auprès de mère après une journée très chargée au manoir, j'ai grand besoin de dormir.

— C'est à votre tour maintenant d'aller vous reposer ; d'autres femmes semblent veiller sur votre mère.

Baissant la voix, Henry ajouta :

— Je vous ai aussi apporté *La Gazette de Québec*, plusieurs articles sont écrits en français, vous pourrez y lire les mots que vous connaissez quand vous en aurez le temps.

— J'ai pas vraiment le cœur à lire, vous savez.

— Quand votre mère se portera mieux, vous pourrez lui faire la lecture des événements qui se passent dans toute la colonie, cela la distraira.

— J'vous remercie de votre bonté. Vous en avez fait beaucoup pour nous en venant ici par un temps pareil. J'sais pas comment vous remercier ! Et de grâce, attendez que la pluie cesse avant d'partir.

— S'il en plaît ainsi à monsieur Piet, je veux bien laisser sécher mon manteau avant de reprendre la route du fleuve. Et allez dormir un peu, Mathilde.

— J'vous prie de dire à votre sœur que j'passerai lui parler avant son départ pour Québec.

— Ce sera fait ; vous seriez sage d'aller dormir maintenant.

Antoine, intrigué par les voix qui ne lui étaient pas familières, ouvrit la porte de la chambre et entendit les dernières paroles d'Henry. Le regard de tendresse de l'Écossais, posé sur sa fille, ne lui échappa pas non plus. « J'verrai à ça plus tard, c'est pas le moment », songea le père, trop préoccupé par le sort de sa femme.

***

L'Abénaquise signifia discrètement à Mathilde qu'elle veillerait sur sa mère et, à son tour, l'invita à aller dormir un peu. Mathilde monta l'escalier d'un pas lourd. Les trois hommes échangèrent quelques mots à mi-voix, évitant de faire du bruit, pendant que les jeunes enfants faisaient une sieste.

Tout était si tranquille dans la maison qu'Anne se demanda ce qui se passait quand elle se réveilla. Elle était plus calme, plus sereine aussi ; les douleurs étaient moins intenses et l'hémorragie s'était arrêtée pendant son sommeil. Sagawee, qui veillait, accourut aussitôt auprès de la malade.

— Vous, pus saigner, pas lever.

D'un geste de la main, elle signifia à Anne qu'elle devait boire une autre infusion et manger un peu.

Sans prononcer un mot, d'un mouvement doux et tendre, l'Abénaquise souleva adroitement la malade, l'installa confortablement sur ses oreillers et enveloppa ses jambes engourdies dans une couverture chaude.

Discrètement, Angélique cherchait à se rendre utile en préparant un repas léger pour la malade avec les provisions fournies par Adèle. Elle s'inquiétait et tournait en rond depuis la veille, lourde de son propre secret qui la tenaillait depuis quelques jours déjà. Elle travaillait avec adresse et efficacité. Elle s'occupait de la famille, le cœur rivé à son amour. Elle aimerait bien partager ses inquiétudes avec sa cousine, sa confidente fidèle et discrète, lui demander conseil aussi, mais « Mathilde a bien assez de ses misères, astheure, j'vais garder les miennes pour moi », avait-elle décidé, à regret. « Et ma cousine m'aurait-elle caché que ce bel Anglais qui vient lui rendre visite est son amoureux ? » s'interrogeait Angélique, curieuse d'en savoir davantage sur ce mystérieux jeune homme dont jamais Mathilde ne lui avait parlé, même lors de leurs plus intimes confidences.

Toutes ces questions lui trottaient dans la tête pendant que, silencieuse, elle observait l'étranger en préparant le repas pour la famille.

* * *

Après le départ des deux hommes, le silence retomba dans la maison assoupie, et Angélique profita de ce temps de répit pour entrer doucement dans la chambre où sa cousine dormait profondément, *La Gazette de Québec* enroulée et pressée contre sa poitrine. « J'me suis pas trompée, ma foi, elle est amoureuse ! Une autre qui versera des larmes à cause d'un Anglais ! »

La blonde jeune fille délia ses tresses, détacha quelques boutons de son corsage et s'étendit près de Mathilde qu'elle observa un moment : pas de doute, sa cousine dormait paisiblement. Angélique essayait de deviner les pensées qui avaient précédé le sommeil de Mathilde et elle avait une folle envie de la bombarder de questions au sujet du capitaine Cairns, qu'elle soupçonnait d'être épris de sa cousine. Mais elle n'osa la réveiller. Elle bâilla, s'étira et, fatiguée par la dure besogne de la journée, sombra à son tour dans un sommeil agité où des anges cornus ricanaient, l'accablaient et l'injuriaient. Ils se poursuivaient, faisaient cercle autour d'elle en liant ses chevilles avec une longue chevelure dorée. Elle se débattait, essayait de crier, mais les sons inarticulés se perdaient dans le vide où elle était brusquement précipitée. Les anges revinrent, vaporeux et translucides, l'un s'arrêta près d'elle et dénoua la chevelure qui la retenait prisonnière. Il sourit et lui tendit la main dans un rayon de lumière éblouissant.

Aveuglée, elle se réveilla, le cœur fou. Elle se sentait perdue, ébranlée par ce rêve étrange et insolite. Un trouble indéfinissable la bouleversa et la remua jusqu'au fond de son âme. « Que peut vouloir dire ce rêve bizarre ? Ce bel ange, au visage d'enfant, qui m'a délivrée de mes liens, apportait-il la réponse à mon problème ? » se demanda la jeune fille, interloquée.

Elle n'eut pas le temps de s'attarder à ses angoisses, le jour tombait et elle devait réveiller sa cousine afin qu'elle puisse prendre la relève de Sagawee.

— J'ai dormi longtemps ? demanda Mathilde, embarrassée de s'être abandonnée au sommeil au milieu du jour, pendant que sa mère luttait courageusement pour sa vie et celle du bébé.

— Quelques heures ; la nuit tombe déjà et j'me suis endormie à tes côtés juste assez longtemps pour faire un rêve bizarre.

— Raconte !

— Plus tard, le travail nous attend. Viens.

* * *

Anne prenait du mieux. Assise dans son lit bien propre, soutenue par des oreillers de plumes de canards, elle sourit aux deux jeunes filles qui venaient d'entrer dans sa chambre.

— Après un jour ou deux de repos, j'pourrai reprendre le collier, et Mathilde, tu pourras alors retourner à la seigneurie.

— On verra, mère, on verra. J'compte rester icitte aussi longtemps que nécessaire, dame Catherine peut se passer de mes services, alors que vous devez garder le lit encore un bout de temps. Pis loin de la maison, j'serais trop inquiète de vous.

— T'es ben bonne, ma fille. Dieu te protège ! ajouta Anne, plus sereine maintenant qu'elle sentait renaître la vie dans l'intimité de son ventre.

La femme avait encore besoin de repos, et les enfants attablés partagèrent leur repas en chuchotant ; même le bébé de Sagawee gazouillait discrètement. Le service se déroulait à pas feutrés, comme dans le réfectoire d'un monastère, et les rires qui animaient habituellement la tablée s'éteignaient dans un sourire retenu.

Antoine, qui semblait avoir vieilli de dix ans, était lourd de fatigue et ne trouva pas le courage de prendre la voie du fleuve pour reconduire l'Indienne à sa cabane. D'ailleurs, la prudence lui dictait d'inviter l'Abénaquise à rester auprès de sa femme encore un moment.

— Sagawee, il est trop tard pour partir, reste avec nous pour la nuit. Mathilde verra à préparer une paillasse où tu pourras dormir avec ton enfant. Moi, j'vais rester auprès d'Anne et veiller sur elle. J'vous réveillerai, au besoin.

* * *

La maison rangée et les enfants endormis, la curieuse Angélique demanda à Mathilde si elle avait le temps de la raccompagner jusqu'au bout de l'île ; elle voyait là l'occasion idéale pour arracher quelques confidences à sa cousine. Mais son frère Xavier déjoua ses plans. Il venait à sa rencontre tout en apportant deux douzaines de biscuits au beurre que sa mère avait cuisinés pour la famille Guillot.

— J'ai à te parler, souffla Angélique en embrassant Mathilde. Faut pas qu'tu retournes au manoir avant que j'te voie.

— Promis ; toi aussi, tu me dois des confidences, chuchota Mathilde en souriant.

Maintenant seule, Mathilde prit son long manteau, chaussa ses souliers de peau et sortit dans la nuit d'automne. C'était l'heure où les esprits se riaient des humains en laissant planer des ombres inquiétantes au-dessus des eaux sombres des chenaux qui serpentaient entre les îles. La jeune fille marcha longtemps sur la rive du fleuve, écoutant le balbutiement incertain des vagues qui se frôlaient et s'affrontaient dans une course vagabonde qui les mènerait vers le large. Ici, dans son île, elle ne craignait rien ni personne.

Le vent s'était calmé, la pluie avait cessé de tomber, et depuis un moment les étoiles scintillaient comme de riches diamants dans la voûte de cette nuit de novembre. Pas de lune, pas d'ombres projetées sur la rive du fleuve, seules les constellations habitaient le ciel, suggérant des légendes qui prétendaient expliquer, depuis la nuit des temps, la vie des humains qui s'agitaient sur terre.

Ce monde mystérieux semblait infini aux yeux de Mathilde qui cherchait à repérer des formes connues dans le dôme céleste. C'est son grand-père Huguenin, marin breton, qui lui avait appris à lire le ciel et la route sinueuse des îles. Chargée d'une tendre émotion, Mathilde se souvint de la large main de son aïeul qui retenait la sienne, toute menue, quand ils se promenaient ensemble jusqu'à la pointe de l'Île Du Pas. Elle se laissait alors guider par cet homme à la fois rude et tendre qui ne se lassait jamais de répondre aux questions de sa petite-fille.

— C'est vaste, le monde… disait-il alors, songeur.

Mathilde n'oublierait jamais la profondeur du regard de son grand-père, attiré par les dieux de la mer, quand il scrutait, méditatif, la vastitude de l'horizon. Elle était fascinée par son savoir et lui vouait une confiance aveugle quand ils partaient seuls tous les deux, dans un canot, et naviguaient parmi les îles ; elle se plaisait à l'entendre nommer de sa voix calme et rassurante chacune d'entre elles, long chapelet égrené dans le lit du fleuve. Parfois, ils s'arrêtaient à l'île Madame ou à l'île de Grâce, elle se croyait alors au bout du monde. Il avait fait d'elle une fille des îles, une fille-fleur, une fille racée.

Pénétrée du souvenir du vieil homme, la jeune fille contempla longtemps cette route d'étoiles qui la conduisit jusqu'au bout de la terre familiale, là où le fleuve rétrécissait pour laisser place au chenal du Castor.

Mathilde ne pouvait préciser quels sentiments l'habitaient ; elle était partagée, d'une part, entre une immense tristesse, une tristesse qu'elle ne pouvait apprivoiser ni contrôler, impression qui la laissait meurtrie, et, d'autre part, par la certitude que sa mère, forte et courageuse, mettrait au monde un enfant vigoureux. «Oh Marie, mère de toutes les mères, protégez-nous et veillez sur notre famille. Je vous en prie, écoutez ma prière», répétait-elle, suppliante.

Tout était paix et beauté en cette nuit froide, où la glace commençait déjà à former une dentelle cristalline sur les rives immobiles. Mathilde frissonna et, apaisée par la sérénité de son île, d'un pas déterminé, elle remonta le sentier des vaches jusqu'aux bâtiments de leur modeste ferme, posa un dernier regard sur la nuit constellée de points d'or et ouvrit sans bruit la porte de la maison endormie.

15

$\mathcal{L}$e temps s'était remis au beau, faisant oublier les trombes d'eau qui s'étaient récemment abattues sur les rives du Saint-Laurent ; les feuilles des arbres ne faisant plus obstacle à la voûte céleste, le ciel semblait plus azuré, plus net qu'en saison estivale. Le soleil du midi réchauffait le sol dont l'eau s'évaporait en volutes diaphanes, les chats se prélassaient sur les galeries, les oiseaux filaient sur la route migratoire. Les habitants profitaient de ces jours de grâce pour rechausser les fondations de leur maison ou pour terminer les travaux en cours, tandis que d'autres visitaient leurs voisins avant la venue des grands froids qui ne sauraient tarder.

Fidèle à sa promesse, par jour de beau temps, Henry apportait aux Guillot un panier rempli de victuailles préparées par Adèle. Souvent, la cuisinière prenait le temps d'adresser une courte lettre à son amie Mathilde, brève missive qu'elle glissait parmi les pains, les gâteaux et les charcuteries. Lors d'une de ces visites, le capitaine Cairns offrit à Marguerite une magnifique aquarelle de Peluche.

— Tiens, prends ce présent, fait tout spécialement pour toi, petite. Je me suis souvenu que tu aimais les chats, j'ai donc dessiné Peluche, le chat de ton amie Geneviève. Penses-tu qu'il est plus poilu que Criquet ?

— Oui, m'sieur. Merci ! répondit l'enfant, embarrassée devant l'étranger, tenant bien fermement son précieux cadeau contre elle, tandis que Mathilde, qui s'était retirée près de la fenêtre, après avoir salué et remercié Henry, peinait à lire la lettre de son amie

« Ma fidèle amie,

Les enfants s'ennuient de toi, de tes rires, de ta présence. Geneviève demande sans cesse quand tu vas revenir. Mais ne te presse pas, prends bien soin de ta mère, de tes frères et de ta sœur, sans doute ravis que tu sois avec eux. Mr Henry, avec la permission des maîtres, continuera de vous livrer quelques provisions.

Avec toute notre tendresse,
Adèle »

Émue de pouvoir lire cette brève missive, Mathilde pleurait de bonheur et s'empressa de rassurer Marguerite qui s'inquiétait devant les larmes de son aînée.

— Quand j'saurai lire tous les mots, je t'apprendrai aussi, et, à ton tour, tu comprendras tous ces signes mystérieux, promit Mathilde en caressant les cheveux bouclés de Marguerite.

Henry, qui observait cette scène avec attendrissement, se surprit à rêver d'une vie simple et modeste avec cette Canadienne. Décidément, cette jeune fille l'attirait comme un aimant. Jusqu'à maintenant, il avait toujours su charmer les femmes qu'il désirait, mais Mathilde, totalement dévouée à sa famille, restait hors d'atteinte. Elle ne ressemblait à aucune des femmes qu'il avait courtisées auparavant. Il lui était facile de batifoler avec des filles faisant partie de la riche société anglaise, mais avec cette Canadienne, il se voyait privé de tous ses moyens de séduction.

Était-ce la peine et l'inquiétude qui rendaient Mathilde aveugle aux regards caressants qui s'accrochaient au sien dès qu'il la retrouvait ou la sagesse tranquille qui émanait d'elle et lui signalait le danger ? Ou était-il plutôt amoureux d'un fantasme, caprice d'un jeune homme à qui l'existence n'avait jusque-là jamais rien refusé ? Était-il épris d'une jeune fille prude, trop pudique pour exposer ses sentiments devant un inconnu ? Tant de questions et d'incertitudes semaient le trouble dans son esprit et le laissaient désemparé.

C'était tout un défi qui se présentait à lui ; il devrait dompter sa nature intense et passionnée pour ne pas briser les liens ténus qu'il tentait de tisser entre cette désirable jeune fille et lui. « Elle m'attire parce qu'elle ne le sait pas encore, songeait-il. Elle est si naturelle, si franche que, redoutant un amour mal assorti, je crains qu'elle ne préfère celui de l'apprenti boulanger qui tourne autour d'elle depuis son arrivée au manoir. Avant qu'elle s'amourache d'un autre, je dois lui faire comprendre la profondeur et la sincérité de mes sentiments, mais comment ? »

Les émotions qu'il ressentait en présence de Mathilde le surprenaient, le confondaient, le désarçonnaient même. Il était attiré par la bonhomie de la jeune fille, sa jovialité et sa bienveillance. Il ne pouvait la quitter des yeux ; il était presque envoûté...

Et il y avait Esther, cette exubérante jeune femme qui faisait partie de sa vie depuis si longtemps, qui occupait le même rang social que lui et qui attendait impatiemment une demande formelle en mariage. La quitter pour un amour impossible serait pure folie... Et Julia qui tournait autour de lui comme un vautour... « Que faire ? Je dois en glisser un mot à Catherine, qui comprend si bien le langage du cœur. »

Sa réflexion silencieuse fut interrompue par l'arrivée d'Anne, accompagnée et soutenue par Sagawee. Affaiblie et pâle, elle marchait à pas lents et peu assurés. Avec courtoisie et délicatesse, Henry se porta aussitôt au-devant de la malade, avança une chaise et l'aida à s'y asseoir.

— Mère, êtes-vous certaine que vous pouvez sortir de votre chambre ? intervint Mathilde.

— Mon ange gardien me le permet, pas vrai, Sagawee ? dit Anne pour la rassurer, un brin souriante.

L'Abénaquise, discrète et silencieuse, hocha la tête en guise d'assentiment. Mathilde lui sourit en lui apportant un bol de lait chaud.

— Tiens, Sagawee, bois. Ta petite a aussi besoin de toi. Elle est bien sage, pis Nicolas a trouvé une amie.

L'Indienne les remercia d'un sourire timide et se retira au fond de la pièce exiguë avec l'enfant qui cherchait avec avidité le sein maternel. Henry, rompu à la rude vie militaire, à la vie des camps, à la présence masculine des soldats, était embarrassé en présence de ces femmes ; il ne se sentait pas à sa place et craignait que son trouble ne le trahisse. Il aurait voulu s'effacer, partir au loin, n'être jamais venu en ce pays, ne plus jamais y revenir.

Il se savait perdu, éperdu d'amour, piégé comme le lièvre qu'avaient ramené Pierre et Baptiste à leur mère ce matin. Il caressa machinalement sa barbe naissante et sourit gauchement aux enfants qui jouaient à cache-cache sous la table de la cuisine. Reprenant peu à peu la maîtrise de ses sentiments, il s'adressa à Mathilde :

— Aurez-vous le temps de préparer une lettre pour Geneviève et Adèle qui ont très hâte de recevoir un billet de vous ?

— Ce sera fait quand vous reviendrez ; ce message sera bref, car j'suis encore très lente pour écrire, pis j'ai pas beaucoup de temps. En attendant, saluez mon amie et les enfants de ma part.

— Je n'y manquerai pas : elles attendent impatiemment des nouvelles de votre famille.

— C'est sûrement pas le cas de vos amies *Miss* Esther et *Miss* Julia, ajouta Mathilde, essayant d'analyser l'expression du jeune homme.

— Vous avez vu juste, elles ne s'informent pas de vous, répondit Henry, soutenant son regard. Quand souhaitez-vous revenir à Berthier ?

— Puisque mère semble se remettre sur pied, je r'tournerai au manoir dans les prochains jours. J'ai ben hâte de revoir

Adèle, pis les mioches. Est-ce que les Cuthbert partiront prochainement pour Québec?

— Oui, dans quelques jours. J'y accompagnerai ma sœur et James; les deux *Misses* aussi, précisa-t-il, en mettant l'accent sur le pluriel. Je souhaite vous revoir avant mon départ, je viendrai…

— Jean-Baptiste me conduira, comme d'habitude. Merci, dit Mathilde, devinant le trouble d'Henry.

— Comme vous voudrez. Je dois partir, mon beau-frère m'attend pour faire une dernière visite sur ses terres avant notre départ. Mes hommages, dame Anne, Mathilde, Sagawee et…

— Ma cousine Angélique.

— Mes hommages, mademoiselle.

Dès qu'Henry fut hors de portée de voix, Angélique glissa à l'oreille de sa cousine :

— Un autre Anglais qui tourne autour d'une Canadienne! S'il savait que j'ai dormi avec mon amoureux anglais!

— Quoi? s'exclama Mathilde.

— J't'en parlerai plus tard, quand nous serons seules, chuchota Angélique.

* * *

Pendant que les deux cousines s'activaient à faire la lessive, à frotter les vêtements souillés et à les faire bouillir dans la grande marmite avant de les étendre sur les cordes tendues autour du gros poêle ronronnant, Anne, confortablement installée près de la table familiale, veillait sur les siens avec tendresse. Elle était fière de sa nichée : les plus petits comme les plus grands étaient polis, dociles, affectueux et respectueux. Ils participaient à la vie familiale, selon leur capacité et leur âge. Elle rêvait pour chacun d'eux d'une vie plus facile, moins laborieuse que la sienne. D'une vie moins rude aussi. Mais était-ce possible en ce pays ?

Anne se comptait tout de même chanceuse et remerciait le ciel chaque jour pour tout ce qu'elle avait : un mari attentif et responsable, une maison, une famille. Elle se plaisait à regarder les enfants qui écoutaient Sagawee chanter, d'une voix douce et monocorde, un refrain dans sa langue maternelle.

L'agitation des derniers jours s'estompait au fil du temps qui passait, et la sérénité, la joie même, succédaient à l'inquiétude venue menacer la tranquillité et le bonheur de la famille Guillot. Les nuages s'étaient dispersés, laissant place à l'aube lumineuse de l'espérance.

La petite famille fut surprise par la visite inattendue du curé de la paroisse de l'Île Du Pas, informé des problèmes de santé de dame Guillot. En bon prêtre, le père Levasseur venait offrir les secours de l'Église à cette fervente mère catholique. Le missionnaire était un homme austère qui portait la soutane aussi naturellement qu'un oiseau portait son plumage. S'appuyant sur l'autorité séculaire de l'Église, il parlait avec l'assurance de transmettre l'unique vérité. Il était grand et mince ; son visage était strié de petits plis, comme des ridules qui trahissaient le passage du temps. Ses yeux d'ardoise semblaient pénétrer jusqu'au fond des âmes de ses paroissiens qui, rarement, osaient affronter son regard. Il s'exprimait d'une voix sombre ; il ne souriait jamais.

— Bonjour, Anne. J'ai appris par le sacristain que vous aviez été malade.

— Un malaise, rien de plus. Ma grande fille, ma nièce Angélique, et surtout l'Abénaquise, s'occupent bien de moi. Rassurez-vous, je vais bien.

Après quelques paroles de circonstance, le curé invita Anne à passer dans sa chambre pour l'entendre en confession et lui donner ensuite la sainte communion.

— J'suis pas à l'article de la mort, mon père, pis j'peux pas communier, j'viens d'manger.

— La sainte Église nous recommande de garder nos âmes pures afin d'être toujours prêts pour le grand départ.

— Mon père, reprit Mathilde sur un ton qui commandait le respect, mère avait tout simplement besoin de repos, et insister pour qu'elle reçoive les sacrements l'inquiéterait inutilement. Voulez-vous une tasse de thé ?

— Non, merci ! Le bébé, là-bas, c'est l'enfant de l'Indienne ?

— De Sagawee, en effet.

— Est-il baptisé ?

— J'en sais rien.

— Et sa mère ?

— J'sais pas non plus, répliqua Mathilde, agacée par le zèle excessif du prêtre.

— Ce n'est pas dans les lois de l'Église de fréquenter des païens. Et… en arrivant ici, j'ai croisé un Anglais. Il rôde souvent par ici ?

— Cet homme est pas Anglais, mais Écossais, comme mes maîtres, les Cuthbert, et il habite à la seigneurie où j'gagne une bonne solde, rétorqua Mathilde. Le capitaine Cairns nous apportait des provisions d'la part des seigneurs.

— Un geste bien charitable.

— En effet.

Coupant court à la discussion, Mathilde se dirigea vers Anne et ajouta :

— Ma mère doit se reposer maintenant ; veuillez la bénir et prier pour elle.

Faute de l'entendre en confession, à regret, le prêtre traça le signe de la croix sur le front d'Anne qui gardait la tête baissée, par respect pour le geste sacré.

— Je vais attendre Antoine, je dois lui parler, ajouta le père Levasseur, se tirant une chaise près de la table.

— Faites comme chez vous, mon père ! répondit sèchement Mathilde, se rapprochant d'Anne. Venez, mère.

Sans un mot de plus, Mathilde aida Anne à se lever, et Sagawee, qui n'attendait que ce signal pour échapper à l'inquisition du prêtre, s'empressa aussitôt au chevet de la malade. Les deux femmes, silencieuses et disciplinées comme des nonnes, prodiguaient leurs soins à la patiente avec dextérité et compétence ; la précision et l'harmonie de leurs gestes rassuraient Anne qui se laissait soigner, docile comme une brebis.

Le curé attendit Antoine pendant un bon moment en bavardant avec Angélique, qui pliait des vêtements tout en veillant sur les enfants, et comme Antoine s'attardait aux bâtiments, le prêtre quitta à regret le foyer des Guillot.

— Dites à Antoine que je veux lui parler, je l'attendrai au presbytère. Que Dieu vous bénisse, au nom du Père, du Fils et du Saint-Esprit, ajouta-t-il, signant chacun des enfants sagement agenouillés devant lui.

***

— Quand mon frère Xavier aura terminé son travail au moulin à Berthier, il me ramènera chez nous, mais il faut que j'te parle avant de partir, murmura Angélique à sa cousine, sa confidente.

— Allons nous promener le long du chenal, Sagawee s'occupera des enfants.

Chaudement vêtues, les deux cousines se dirigèrent en silence vers le quai où l'eau commençait déjà à figer sous l'emprise du gel. Le temps était beau, mais froid pour la fin de novembre, et les champs, recouverts d'une mince couche de neige, laissaient deviner les sillons creusés par les laboureurs. La nature s'endormait, soumise aux règles immuables des saisons qui se succédaient. Les arbres nus laissaient voir les nids désertés sur les branches squelettiques ; les grandes herbes ambre hochaient leur tête chevelue comme un homme qui roupille au coin du feu, et les cris des oiseaux faisaient penser à des chants d'adieu, autant de signes avant-coureurs, pour les habitants de cette rude contrée, de l'arrivée imminente de l'hiver.

Les deux jeunes filles, héritières d'une longue tradition de solidarité et de partage, aimaient s'échanger des confidences, sachant qu'elles pourraient toujours compter l'une sur l'autre.

— Tu as un secret à me confier ? demanda Mathilde, ralentissant le pas.

— Je t'ai dit que j'avais fait un rêve étrange au cours de la semaine, et depuis, j'y pense tout le temps, comme si ce rêve voulait me révéler un message, me donner une sorte de réponse à…

— À quoi ?

— Ne m'interromps pas, Mathilde, sinon j'pourrai pas terminer mon histoire ; j'vais tout t'raconter.

— Vas-y. J't'écoute, mais tu m'fais peur !

— Bon, commençons par le début de cette histoire. À la fin de l'été, sachant que mes parents étaient partis à Saurel pour quelques jours, William m'avait donné rendez-vous à l'île aux Foins. Cette nuit-là, sous les étoiles, seules témoins de notre amour, et devant notre Dieu tout-puissant, nous nous sommes promis fidélité jusqu'à notre mort ; nous sommes devenus mari et femme et nous avons dormi ensemble. Nous nous sommes aimés jusqu'à l'aube, sans gêne, sans pudeur. J'l'aime parce qu'il est bon, généreux et qu'il est le père de mon enfant.

— Tu attends un bébé de William ? s'exclama Mathilde, surprise et inquiète pour sa cousine. Il le sait ?

— Pas encore ; mes parents, pis surtout Xavier, baissent pas la garde. J'lui ai pas parlé depuis ce jour-là. Des fois, j'le vois voguer en canot, il me salue, mais il passe son chemin ; il sait ben qu'il est pas le bienvenu icitte.

— Et pis, qu'est-ce que tu penses faire ?

— Je peux compter sur toi ?

— Sur mon amitié, mon silence, ben sûr, mais à part ça, j'sais pas c'que j'pourrais faire pour t'aider.

— En voyant ton Anglais…

— Écossais, précisa Mathilde pour corriger sa cousine. Pis Henry n'est pas « mon » Écossais !

— Ça change rien pour moi ! J'ai pensé qu'il pourrait porter un message à William…

— Il faudrait d'abord qu'ils se connaissent, tu penses pas ?

— *Mr* Henry le reconnaîtra aisément : William boite légèrement, il a les cheveux châtain clair et les yeux bleus. Il travaille à la meunerie d'Alexis Casaubon, à Berthier. Le capitaine Cairns pourrait facilement le trouver et lui remettre une lettre que tu lui écrirais pour lui expliquer c'qui se passe ; il parle français, maintenant.

— Il me faudrait d'abord parler de tout cela à Henry quand j'retournerai à la seigneurie ; s'il accepte de porter le message à ton ami, il devra faire vite, car il partira betôt à Québec avec les Cuthbert.

— Merci, Mathilde. Tu sais, j'avais d'abord pensé me débarrasser du petit.

— Dis plus jamais ça, Angélique ! s'indigna Mathilde en se signant.

— Mais avant de faire des bêtises, il fallait que j'partage mon lourd secret avec toi, ma cousine. J'ai eu envie d'en glisser un mot à la sauvagesse, elle a peut-être des herbes… Et pis non, j'aime trop mon homme pour lui faire ça ! Et là, le rêve que j'ai fait, dans lequel un ange est venu me délivrer d'une mauvaise posture, m'a confortée dans ma décision de garder le petit. J'peux pas tuer cet ange qui m'a souri…

— Ma pauvre cousine, que vas-tu devenir ?

— La femme aimée de William, malgré la colère et peut-être le rejet de mes parents. J'ai pourtant rien fait de mal, seulement l'aimer. J'pense à lui chaque instant. Que va-t-il faire en apprenant que je vais lui donner un enfant ? Oh, mon Dieu, pitié !

— Garde confiance, j'parlerai à Henry. Rentrons en bavardant joyeusement, bras dessus, bras dessous, comme nous le faisons si souvent ; faut pas faire naître de soupçons.

— Merci, Mathilde. Qu'est-ce que je ferais sans toi ? Dis, tu voudrais être la marraine de ce petit ?

— Qui d'autre que moi pourrait avoir cet honneur ? répliqua Mathilde en caressant le ventre à peine arrondi de sa cousine.

Angélique était presque rassurée, maintenant ; elle n'était plus seule à porter le poids de son secret. Elle faisait confiance à William, et la certitude de l'amour partagé dissipa peu à peu le gros nuage noir qui assombrissait sa joie d'être mère. Ils étaient jeunes et amoureux, capables, lui semblait-il, d'affronter les pires obstacles. Tout redevenait possible. « Mais si mes parents refusent cette alliance… Quel sera alors notre destin ? » songeait-elle.

Angélique n'avait su résister devant les promesses de l'amour ; elle avait brisé le serment fait quelques mois plus tôt, mais Mathilde ne lui en parla jamais. Les cousines se réchauffèrent auprès du feu, tout en échangeant des regards complices, bavardant et profitant du temps passé ensemble avant l'arrivée de Xavier.

* * *

Mais ce n'est pas lui qui entra en coup de vent, mais Antoine, que le curé venait de semoncer.

— C'est pas vrai qu'un prêtre va me dire qui j'peux recevoir dans ma maison !

— Vous venez de parler avec le curé ? devina Mathilde, sensible à la colère de son père.

— Ouais ! Il m'a rappelé qu'un bon chrétien ne devait pas garder des païens sous son toit.

— Et Sagawee devra partir ? demanda Mathilde, qui comptait sur l'aide de l'Abénaquise pour veiller sur leur mère.

— Pas maintenant, que j'lui ai dit. Sagawee a sauvé la vie de ma femme, qui a encore besoin d'elle. Elle restera icitte tant qu'y faudra. Il m'a demandé où elle dormait. « Avec mes filles, c'est pas une dévergondée ! » que j'lui ai répondu. J'suis parti sans attendre sa réponse, mais j'ai idée qu'il était très contrarié.

La timide Sagawee, comprenant qu'elle était la cause des différends entre Antoine et le curé, fit signe qu'elle voulait partir.

— Non, Sagawee ! ordonna Antoine d'un geste ferme et net. Mathilde retournera à la seigneurie demain, tandis que vous veillerez sur Anne et les enfants. Nous avons tous besoin de vous icitte… ben sûr, si vous voulez rester encore un peu, proposa-t-il, plus affable avec l'Abénaquise qu'avec le sauveur des âmes.

Soumise à cet homme qui mettait en elle tout son espoir, Sagawee inclina la tête et sourit à Mathilde, qui était rassurée de savoir sa mère sous la protection de cette femme, dont la science venue de la nuit des temps savait dispenser les soins requis avec compétence et discrétion.

— Merci, Sagawee. J'partirai dès demain matin pour Berthier, mais j'reviendrai si t'as besoin. J'serai pas ben loin, pis tu pourras aussi compter sur Angélique, qui viendra chaque jour.

— Anne s'est endormie, chuchota Antoine, refermant doucement la porte de la chambre. Remercions l'bon Dieu pour ses bienfaits, lança-t-il, s'agenouillant, avec ses enfants, devant la croix bénite qui dominait au-dessus de la porte de la cuisine.

Comme tout bon chrétien, Antoine croyait fermement qu'il devait tout au Dieu de ses pères : la vie, la santé, sa femme et ses enfants.

16

Au retour de Mathilde à la seigneurie, l'agitation était manifeste au manoir de Berthier : une dépêche officielle, remise par un messager personnel du gouverneur à *Mr* James, invitait le seigneur Cuthbert à occuper son siège au Conseil exécutif.

Cet appel était attendu, car depuis son retrait des forces militaires, rêvant d'accéder au pouvoir, le seigneur multipliait, avec assiduité et efficacité, ses tentatives de séduction auprès de la classe dirigeante anglaise. Ses aspirations seraient enfin satisfaites, et c'était avec une fierté non dissimulée qu'il se préparait à partir pour Québec, où le gouverneur Guy Carleton l'avait convié, avec *Lady* Catherine, ainsi que toute la noblesse de la colonie, tant anglaise que canadienne, à la cérémonie officielle. Le temps pressait, car l'assermentation des conseillers exécutifs était prévue pour le 28 novembre.

Impatiente et tendue, Julia s'appliquait avec minutie et rigueur à combler les besoins vestimentaires de la seigneuresse. Quelques semaines plus tôt, elle avait convoqué l'artisane Marie-Archange Dizis afin qu'elle remplisse les malles de Catherine de robes élégantes, coupées dans de luxueux tissus importés de Chine ou d'Italie. Julia s'occupa des rendez-vous de sa maîtresse et courut d'un lieu à l'autre afin que tout soit prêt le jour du départ.

Avant de se rendre à la forge de Jos Matton, Jean-Baptiste s'arrêta au manoir pour laisser quelques vêtements chauds à sa sœur Mathilde. Julia surprit la conversation enjouée qui s'était engagée entre eux et saisit l'occasion pour donner cavalièrement congé à la servante, le temps de leur absence.

— Mathilde, tu pourras retourner chez toi avec ton frère en fin de journée. Dans les prochaines semaines, tes services ne seront pas nécessaires.

— Ce que dame Catherine m'a demandé ne regarde que moi, *dear* Julia. Mais j'vais t'faire plaisir, j'partirai avec Jean-Baptiste aussitôt sa journée terminée.

— Tu resteras chez vous tout le temps que nous serons partis ? demanda l'Anglaise.

— J't'en garde la surprise ! riposta Mathilde, faisant un clin d'œil coquin à Adèle, amusée.

Julia, offensée par l'aplomb de la Canadienne, détala comme une poule effarouchée. Mais une idée perfide jaillit aussitôt dans son esprit ; patiente comme un fauve qui guette sa proie, elle attendrait son heure…

* * *

Comme novembre avançait, le temps froid ne se prêtait plus aux voyages sur le fleuve ; les femmes devraient emprunter la route cahoteuse menant à Québec, en voiture tirée par quatre chevaux. Les hommes en armes les accompagneraient, montés sur de fringantes montures.

— Bon voyage ! clamèrent les serviteurs.

Le moment du départ était arrivé, et c'est avec fébrilité et une fierté manifeste que le seigneur s'engagea sur la route par ce matin automnal, brumeux et glacial. Catherine et Esther, confortablement installées sur la banquette arrière du carrosse, enveloppées dans de chaudes couvertures de peaux d'ours, redoutaient ce long voyage sur des routes à demi gelées. Julia leur faisait face, elle aussi habillée de vêtements convenant à la saison ; elle maugréait intérieurement, maudissant ce pays austère et froid. Adèle leur avait préparé quelques provisions pour tromper leur faim entre les arrêts prévus pour le repos et les repas : des pains beurrés, du fromage, des *cakes* et quelques fruits séchés remplissaient le panier d'osier recouvert d'une nappe de coton.

De nombreux obstacles naturels retardaient tous ceux qui s'aventuraient sur la seule route carrossable entre Québec et Montréal : des cours d'eau qu'il fallait traverser sur des chalands, des bouts de route mal entretenus par les cantonniers... Toutes ces difficultés inquiétaient Catherine qui n'appréciait guère les longues journées passées sur les routes. Pour occuper le temps, Julia, attentive et complaisante, lui faisait la lecture et entretenait la conversation avec sa maîtresse, tout en surveillant le capitaine Cairns, qui chevauchait à leur côté.

* * *

Les serviteurs des Cuthbert, libérés de la vigilance soutenue de Julia, s'attablèrent autour de la table de la cuisine et devisèrent tranquillement de choses et d'autres, bien au chaud, une pinte de bon vin devant eux.

— Levons nos verres à mam'zelle Mathilde, qui sait lire maintenant, proposa l'intendant Guillaume Piet.

— Pis elle a ben d'la jarnigoine. Elle ira loin, celle-là, précisa Adèle, fière de son élève.

— J'suis comme un papillon, j'ai maintenant des ailes, confia Mathilde avec candeur.

Les conversations s'animaient, chacun y allait de ses projets, partageant les mêmes rêves d'un avenir meilleur pour tous.

Après sa journée de travail, comme convenu, Jean-Baptiste s'arrêta au manoir pour y rejoindre Mathilde qui jouait aux dés avec Geneviève.

— Dégreye-toé don. Viens t'asseoir quelques minutes, la partie achève, proposa Mathilde.

— Reste avec nous, Mathilde, supplia Geneviève, retenant la main de la jeune fille.

— J'partirai pas longtemps, j'reviendrai vous voir une ou deux fois par semaine, si mère a pas besoin de moi. Promis ! Mais j'y pense, pourquoi tu viendrais pas dormir chez nous ? Tu lui donnerais la permission, Adèle ?

— D'où vient l'idée d'amener Geneviève avec toi, aujourd'hui, alors que l'hiver est à nos portes !

— Jean-Baptiste la ramènera demain. Une seule nuit, elle en mourra pas. J'vais même dormir avec elle, si elle le souhaite. Tu aimerais ça, Geneviève ?

— Tu lui mets des chimères dans la tête, protesta Adèle qui, après une longue hésitation, accepta de laisser partir sa fillette, à la condition qu'on la lui ramène dès le lendemain matin.

Et s'adressant à sa benjamine :

— Tu vas être gentille et polie, tu promets ?

— Oui, mère !

— N'aie crainte, Adèle, ta fille est un modèle d'obéissance et d'sagesse. Et elle reviendra demain matin, promis ! Ma petite sœur Marguerite sera si contente !

La petite fille, qui n'avait jamais quitté sa mère, serrait très fort la main de Mathilde. Elle s'avança lentement vers le quai et monta dans l'embarcation qui ondulait au rythme du bercement de la houle.

— Crains rien, petite, dit Jean-Baptiste, la traversée se fait rapidement, et l'eau est calme aujourd'hui. On y va, Mathilde ?

Il faisait déjà nuit, les eaux noires effrayaient l'enfant qui grelottait, partagée entre la peur de l'inconnu et la joie de rester avec Mathilde. Quelques larmes, qu'elle tentait de dissimuler aux deux jeunes gens, mouillaient ses joues rosies de froid. Jean-Baptiste et Mathilde ramaient avec aise et assurance, nullement gênés par l'obscurité croissante ; ils bavardaient joyeusement, oubliant presque la présence discrète de Geneviève, silhouette silencieuse tapie au fond de la chaloupe.

Nicolas et Marguerite étaient tout excités de la visite inattendue de Geneviève qui, intimidée et craintive, ne desserrait pas les lèvres et se blottissait contre Mathilde pendant le repas, tandis que Marguerite tentait de l'apprivoiser en lui souriant. Mais c'est Nicolas, petit blondinet à l'air taquin, qui réussit à l'amadouer en lui adressant ses grimaces les plus loufoques.

Ainsi, peu à peu, la timidité s'estompait, les liens se nouaient, les rires éclataient et les jeux enfantins s'organisaient autour de la table. L'heure du coucher venue, Geneviève insista pour dormir avec Mathilde qui « sent un peu ma maman ! » déclara candidement la fillette, suscitant des éclats de rire dans toute la maisonnée.

* * *

Le temps changea rapidement pendant la nuit, et au lever Mathilde douta que l'enfant puisse retourner auprès de sa mère le jour même, car une pluie mêlée de grésil fouettait les vitres de la maison engourdie sous le gel. De grosses granules de glace frappaient bruyamment le toit et s'effondraient sur le sol gelé en un bruit saccadé et cristallin.

— Geneviève, ce serait pas prudent d'partir ce matin, même Jean-Baptiste, habitué aux eaux du fleuve, ne prendrait pas ce risque, pas vrai, mon frère ?

— Impossible d'aller sur le fleuve, ma petite. Peut-être plus tard, si la pluie cesse.

— Je veux voir ma maman, confia Geneviève, retenant les larmes qui assombrissaient ses yeux couleur de ciel d'été.

— Viens avec moi, nous verrons plus tard, répondit calmement Mathilde pour la rassurer. Tu aimerais aller voir les poules avec Marguerite et rapporter des œufs ?

— Veux y aller aussi, proposa Nicolas, offusqué d'avoir été oublié.

— D'accord, mais faut vous habiller chaudement et ne pas traîner dehors, sinon vous allez prendre froid avec cette pluie glaciale. C'est presque d'la neige qui tombe.

Geneviève, pour un moment apaisée, prit la main minuscule du petit garçon et s'en alla vers le poulailler, tenant, de l'autre main, un panier tressé par Sagawee.

* * *

Adèle n'avait pas bien dormi ; souvent éveillée, elle écoutait le sifflement du vent qui faisait gémir la cime des arbres, et le grésil qui ne cessait de fouetter les vitres comme de mauvais génies obstinés. Elle s'était levée à l'aube, marchant dans la cuisine, incapable de s'occuper à quelque tâche, aussi anodine soit-elle. Elle regrettait amèrement la permission accordée à sa fillette. « J'aurais pas dû la laisser partir en cette saison. C'était trop risqué. Je n'aurais pas dû ! » se désolait-elle.

Elle allait d'une fenêtre à l'autre, interrogeant le ciel et priant la mère des mères de lui ramener son enfant. Au mitan du jour, n'y tenant plus, elle s'adressa à l'intendant, monsieur Piet.

— Vous connaissez le chenal pour vous rendre chez les Guillot ?

— Oui, m'dame Adèle !

— Faudrait y aller tout d'suite pour ramener Geneviève et porter des provisions à la famille de Mathilde.

— Mais vous avez vu le temps qu'il fait ? Sur le fleuve, on doit pas y voir ben loin.

— Mais si le fleuve commence à geler cette nuit, la petite ne pourra revenir que lorsque le pont de glace sera formé, autant dire dans quelques semaines. Ça n'a pas de bon sens !

— Ce serait pas prudent d'partir par un temps semblable ; demain, le temps s'adoucira peut-être...

— J'comprends ! Mais dès qu'il y aura une embellie, vous partirez ?

— J'verrai, m'dame Adèle !

Vers midi, monsieur Piet jugea qu'il était possible de se rendre à l'Île Du Pas et passa à la cuisine prendre le panier préparé par Adèle pour les Guillot.

— Merci, m'sieur ! Soyez prudent, mais ramenez-moi ma fille, dit Adèle sur un ton suppliant.

***

L'intendant, un homme trapu doté d'une force herculéenne, usa de prudence et d'habileté tout le long du trajet qui le conduisait à la maison des Guillot. Chaudement vêtu, fouetté par la giboulée qui l'assaillait violemment, il luttait courageusement pour parvenir à destination. Il fut soulagé quand il aperçut enfin la cheminée de la maison qui crachait sa fumée opaque dans le ciel gris. Il courut jusqu'à la porte qui s'ouvrit avec vigueur, tandis que deux bras saisirent le panier de provisions.

— Que fais-tu icitte, par ce temps de chien ? demanda Antoine, estomaqué de recevoir un visiteur par un temps pareil. Entre, reste pas dehors !

— C'est dame Adèle qui m'a demandé de venir vous porter ça et, surtout, elle m'a ordonné de ramener la petite.

— Tu vas attendre que le temps s'calme un peu avant de repartir. Tiens, viens t'chauffer et boire un bon thé chaud.

— Merci ben ; c'est ben réconfortant, mon Antoine ! Et pis, comment va ta femme ?

— Mieux, elle est pas ben forte, mais elle a de l'aide. Il faudra qu'elle se repose jusqu'à la naissance du petit, le docteur est formel là-dessus. Pis faudrait pas qu'elle en ait d'autres, qu'il a dit.

— Ouais, faudrait en parler avec le curé.

— On verra à ça dans le temps comme dans le temps !

Pendant que les deux hommes devisaient à mi-voix, la pluie diminuait d'intensité, laissant présager la fin de cette tempête automnale. Il pleuvait encore, mais il semblait faire moins froid, car le grésil avait cessé de tomber et la girouette qui s'agitait sur le toit de la grange indiquait que le vent tournait au sud.

— J'cré ben que je peux partir tout de suite avant qu'la nuit arrive. Merci ben, mon Antoine, pour la tasse de thé. Tu viens, ma p'tite ?

— Tenez, prenez cette couverture pour qu'elle ne prenne pas froid, dit Mathilde, retenant un moment l'enfant dans ses bras, caressant avec tendresse son visage inquiet. Crains pas, m'sieur Piet est prudent, il te ramènera au manoir. Faudra lui obéir. Va maintenant !

La petite, anxieuse et affolée par l'intendant qui l'intimidait, se pelotonna tout au fond de la barque qui s'éloignait, recouverte de la bâche qui la protégeait de la pluie glaciale. Elle osait parfois soulever cette épaisse couverture et jetait un œil inquiet sur cet homme costaud qui fendait le fleuve de coups de rames vigoureux en faisant jaillir des trombes d'eau tout autour de lui. La petite avait froid et peur ; elle retenait ses sanglots de crainte de déplaire à monsieur Piet.

Un violent coup de vent fit tanguer la chaloupe, et l'eau glacée s'infiltra sous les bancs, inondant abondamment la cache de l'enfant. L'homme peinait à contrôler l'embarcation et n'avait pas le temps de rassurer la petite qu'il entendait gémir. Un moment, il jongla avec l'idée de s'arrêter à l'île aux Castors, le temps de vider la chaloupe, mais la nuit venant vite en novembre, il décida de poursuivre sa route.

— Quelques minutes et nous serons arrivés au manoir, cria-t-il dans le vent, s'adressant à Geneviève, toujours cachée au fond de la chaloupe.

Il manœuvra si habilement entre les joncs et les îlots qu'il accosta sans avarie au quai de la seigneurie, tout juste avant que le ciel vire son manteau de bord. Sans perdre un instant, de ses bras robustes, il prit Geneviève, trempée jusqu'aux os, et courut à la cuisine la remettre à sa mère.

— V'là votre p'tite fille, Adèle. J'pense qu'est ben contente de revenir à la maison.

— Mon doux Jésus ! Ma pauvre enfant ! Viens vite te chauffer, et merci, monsieur Piet. Vous êtes ben bon ! Vous prendriez un bol de soupe pour vous réchauffer ?

— C'est trop de bonté, m'dame Adèle, mais j'dis pas non. Par le temps qu'il fait, j'ai ben besoin de casser la croûte.

— Tenez. Et vous avez ben mérité un quignon de pain aussi ! Enlevez votre accoutrement, je vais mettre tout ça à sécher près du poêle pendant que vous viderez votre bol.

— C'est pas d'refus, ma bonne Adèle, j'suis pas mal gelé.

— Vous avez affronté le gros temps pour ramener ma petite. Je vous revaudrai ben ça un jour.

Pendant que l'homme se restaurait, Adèle dévêtit sa fillette, la réchauffa, l'enveloppa dans une couverture et l'installa près du poêle qui pétillait. Malgré les soins rapidement dispensés, l'enfant grelottait, et une forte fièvre ne tarda pas à s'emparer de ce petit corps sans défense qui gémissait dans les bras de sa mère. Dès que la fillette fut endormie, Adèle se rendit à l'étable pour y traire une vache et rapporta le lait encore tout chaud ; elle croyait que ce riche liquide contenait des vertus miraculeuses, en cas de maladie pulmonaire.

Pierre et Baptiste, inquiets de voir leur mère si agitée, ne savaient comment se rendre utiles ; ils marchaient sur la pointe des pieds et chuchotaient afin de ne pas la troubler davantage ; ils restaient aux aguets, prêts à la seconder dès qu'elle exprimerait un quelconque besoin.

— Trouvez de la résine de pin, leur demanda leur mère. J'préparerai un cataplasme, ça devrait faire tomber la fièvre.

Les garçons se débrouillèrent pour apporter rapidement la gomme de pin qu'Adèle savait utiliser ; elle fit chauffer la potion calmante et l'appliqua sur la poitrine oppressée de l'enfant.

Toute la nuit, Adèle veilla sur sa fille, guettant le moindre soupir, écoutant le rythme de sa respiration ; elle sombrait parfois dans un sommeil agité et s'éveillait ensuite, inquiète et troublée. Geneviève luttait toujours contre une forte fièvre ; pendant plusieurs jours, elle resta prostrée, refusant d'avaler tout aliment, et même ses plats préférés ne réussissaient pas à éveiller son appétit.

* * *

Préoccupé, monsieur Piet s'arrêtait chaque jour à la cuisine pour prendre des nouvelles de l'enfant.

— Est-ce que le docteur Généreux est venu la voir ? demanda-t-il à Adèle.

— Pas encore, je pensais pouvoir la guérir avec les infusions de sapin, de la chaleur et du bouillon de poulet. Mais la fièvre baisse pas. Geneviève a même eu des moments de délire, la nuit dernière. Chus très inquiète.

— Faudrait peut-être vous résigner à quérir le docteur ; j'peux y aller, si vous voulez…

— Faites donc, mon ami, mes remèdes semblent sans effet.

Le docteur Généreux arriva rapidement et ne tarda pas à diagnostiquer une maladie du poumon, sans doute contractée lorsque Geneviève s'était retrouvée dans l'eau froide, au fond de la chaloupe. Il laissa quelques remèdes à Adèle, notamment du

sirop de pin et un peu d'échinacée, et lui fit des recommanda-
tions pour faciliter la guérison de l'enfant. Adèle suivit fidèlement les conseils du médecin, se consacrant totalement aux
soins de sa fillette, tandis que les garçons et les serviteurs, privés
des services attentifs d'Adèle et de Mathilde, durent se débrouiller pour la préparation des repas et l'entretien de la maison.

Pierre, qui était un garçon sérieux et responsable, cherchait
un moyen de venir rapidement en aide à sa mère. Il réfléchit et
conclut que seule Mathilde serait capable de soutenir Adèle
dans cette épreuve.

— Si on demandait à Mathilde de revenir, proposa Pierre à
Baptiste, elle pourrait aider mère.

— Bonne idée ! Ses deux grands frères travaillent chez le
forgeron ces jours-ci, je les vois souvent passer. J'irai les voir
avec toi. En apprenant que Geneviève est très malade, Mathilde
viendra, c'est sûr !

Sans prévenir leur mère, les deux garçons, complices, se
glissèrent hors du manoir et traversèrent les rues boueuses du
village en direction de la forge. Rapidement, ils repérèrent
Louis, en bras de chemise, dégoulinant de sueur devant le feu
vif, attentif à plier le fer qu'il tenait au bout d'une tige. Le
garçon s'arrêta un moment et reconnut les fils d'Adèle qui,
gesticulant pour se faire entendre dans le bruit assourdissant de
l'atelier, l'informèrent de la situation. Il acquiesça d'un signe de
tête et reprit méthodiquement son pénible labeur.

Les fils de Beauval s'attardèrent un moment à regarder de
vieilles meules cerclées de fer. Remarquant les outils mystérieux
auxquels les hommes donnaient des formes diverses, ils
écoutaient le tintement des marteaux sur l'enclume, ils étaient
fascinés par le gros soufflet qui ranimait la flamme rougie dans
laquelle le forgeron, Jos Matton, pliait les fers avant de les clouer
sous le sabot du cheval, le vieil hongre pansu et tranquille de
l'intendant du manoir. Stoïque, les crins dans les yeux, la bête

laissait l'homme achever sa besogne sans broncher, impassible aux odeurs de corne brûlée qui empestaient la forge.

Les deux garçons auraient pu y rester des heures, tellement ce travail les envoûtait, un vrai travail d'homme, mais leur mission accomplie ils s'empressèrent de retourner auprès de leur mère ; ils ne voulaient pas l'inquiéter, elle qui avait bien assez de soucis comme ça.

* * *

Dès que Mathilde apprit ce qui se passait au manoir, elle décida de s'y rendre, après s'être assurée que Sagawee resterait encore quelques jours auprès de sa mère.

— Elle est au chaud icitte avec son bébé et me rend de grands services. Pars sans crainte, ma fille, acquiesça Anne. Adèle a bien besoin de toi. Tu resteras tout l'temps qu'il faudra.

— Sagawee, tu pourrais préparer quelques herbes et décoctions pour Geneviève ?

L'Abénaquise gardait toujours dans sa besace les plantes utiles à la guérison des maladies les plus courantes qui emportaient tant de victimes dans la tombe. Rapidement, elle trouva des bourgeons de sapin, de la bourrache, des racines de violettes et des graines de lin pour les cataplasmes. Elle enseigna à Mathilde comment utiliser ces plantes, confiante que la nature généreuse, avec ses secrets, saurait guérir la petite fille d'Adèle.

— Attends, Mathilde, proposa Marguerite, apporte ma poupée de chiffon à mon amie Geneviève, elle l'a bien aimée l'autre jour.

— Merci, Marguerite. Elle sera très contente de ce cadeau, j'vais la lui donner tout de suite en arrivant.

Le jour à peine levé, Mathilde réveilla Louis et Jean-Baptiste, pressée de secourir et de seconder son amie. Rapidement, elle ramassa son sac, y ajouta quelques vêtements, salua sa famille et rejoignit ses frères qui l'attendaient sur le quai. Le jour était invitant, encore sombre, mais nul vent ne refroidissait la température ni ne retardait la traversée jusqu'au manoir. La chaloupe accostée, Mathilde laissa à ses frères le soin d'attacher les cordages de retenue et courut jusqu'à la cuisine encore silencieuse.

Malgré les soins attentifs et constants qu'on lui prodiguait, Geneviève lutta encore plusieurs jours contre la maladie, veillée par sa mère ou par Mathilde qui prenait la relève, le temps de permettre à la maman épuisée de se reposer. La fièvre tenace gardait la petite frissonnante, apathique, prisonnière de son corps tout emmailloté. Adèle, désespérée, implorait le Ciel de ne pas lui ravir sa fille adorée qui lui rappelait tant son Jeannot si tendrement aimé.

Comme la nature qui s'endormait en cette fin de novembre triste et glaciale, tout s'était arrêté dans la grande maison. Le manoir tout entier se faisait silence et recueillement, on aurait dit un monastère en prière. Groggy montait jusqu'à la chambre de l'enfant, flairait l'odeur prononcée des chauds cataplasmes de lin et des infusions de plantes guérisseuses et, piteux, il redescendait l'escalier, la queue entre les jambes, puis se terrait ensuite derrière le poêle. Même Peluche traduisait son inquiétude par des miaulements plaintifs, alerte au moindre bruit. Il n'osait plus se cacher sous les draps, comme il le faisait chaque nuit, mais restait prostré sous le lit, les yeux mi-clos, écoutant la respiration rauque de la malade.

Dans toute la paroisse, on priait pour la guérison de l'enfant ; le curé Kerberio l'avait même recommandée aux prières des paroissiens à la messe du dimanche. Tous connaissaient la cuisinière du manoir des Cuthbert et compatissaient à sa peine. Mais la force de la vie n'avait pas encore dit son dernier mot ; peu à peu, Geneviève s'arracha à sa somnolence, et la fièvre tomba. Le miracle tant espéré s'était enfin produit. Très affaiblie et amaigrie par des jours de jeûne, l'enfant dut rester alitée encore un bon moment en compagnie de la poupée de chiffon offerte par Marguerite et de Peluche, tout heureux de retrouver sa place, bien lové contre la petite fille. Groggy, à son tour, venait tourner autour du lit de l'enfant et s'en retournait, satisfait. Mathilde passait beaucoup de temps à divertir Geneviève ; elle inventait des histoires de fées et de sorcières, d'anges et de chasse-galerie, pendant qu'Adèle, rassurée, reprenait le contrôle de sa cuisine.

Des prières d'action de grâces furent récitées après la messe dominicale et, fidèle à la promesse faite à sainte Geneviève, à la fois patronne de la paroisse et de sa fillette, Adèle offrit une aumône généreuse pour que la Marie-Louise sonne à toute volée, annonçant la guérison de sa fille à tous les paroissiens charitables.

Sur le parvis de l'église, après la messe, il était de coutume de s'attarder pour commenter les événements récents, échanger des nouvelles, entendre la criée de l'encanteur, et reluquer les belles dames et les jeunes filles de la paroisse ; mais ce dimanche, chacun interprétait, à sa façon, la guérison de l'enfant. Certains croyaient même au miracle.

17

*G*roggy, le gros chien, était tout excité ; son flair ne le trompait pas. Sentinelle attentive et vigilante, il veillait sur la maisonnée comme un vaillant soldat. Il savait que les maîtres approchaient du manoir. Il s'agitait avec frénésie, comme un poisson accroché au bout d'une ligne ; il secouait sa queue aux longs poils roux, tournait en rond, s'assoyait un bref moment sur la grande galerie, le regard fixé vers l'est.

De très loin, il avait perçu les vibrations engendrées par la course des chevaux pressés de rentrer à l'écurie et il attendait impatiemment leur arrivée sur son territoire ; il voulait être le premier à accueillir les voyageurs et il courut vers eux en aboyant de contentement. Les hommes arrivèrent d'abord et conduisirent immédiatement les chevaux à l'écurie, les laissant ensuite aux bons soins des palefreniers. Henry et James entrèrent au manoir pour y attendre les femmes qui suivaient dans le carrosse.

Julia descendit la première de la voiture et tendit la main pour soutenir sa maîtresse ; elles étaient seules. Esther avait préféré rester à Québec pendant la saison hivernale, comme elle le faisait habituellement. La fatigue engendrée par l'éprouvant voyage de retour sur les routes cahoteuses de la colonie se lisait sur les traits des voyageuses ; *Lady* Catherine, qui peinait à suivre sa dame de compagnie, tentait de dissimuler sa lassitude devant les serviteurs réunis pour les accueillir. Elle leur sourit, laissa Julia prendre ses lourds vêtements et se dirigea vers sa chambre, où le seigneur l'attendait devant l'âtre rougeoyant. Julia lui apporta une théière remplie de *tea* chaud et une assiettée de pâtisseries, et sortit discrètement.

Après s'être acquittée de ses devoirs de dame de compagnie de la seigneuresse, Julia se retira dans sa chambre, profondément déçue de son voyage à Québec. Elle luttait de toutes ses forces pour ne pas pleurer de rage. Le cœur toujours accroché à son rêve impossible, elle avait espéré un séjour idyllique, nourri d'échanges de regards troublants et complices avec le beau capitaine Cairns. Mais Esther avait toujours été là, belle, richement vêtue, exubérante et attirante. Les deux jeunes gens avaient passé presque tout leur temps ensemble, invités dans les salons de la noblesse anglaise de la capitale.

Chaque fois que Julia était en présence d'Henry, celui-ci était poli et courtois avec elle, mais son cœur semblait appartenir à une autre. À qui? Qui avait séduit le capitaine? Esther ou Mathilde? Julia ne pouvait s'en assurer, mais son intuition lui révélait clairement que la place était prise. Le beau château de cartes, élevé avec tant d'espérance, s'effondrait: «Cette chipie d'Esther colle à lui comme une sangsue, mais il l'oubliera, je le jure sur la tête de ma mère; je mettrai toute la force de mon amour à le conquérir, chaque jour. Je le sais, je serai à lui, il sera à moi, c'est notre destinée. Je lui jetterai des sorts, s'il le faut, mais jamais je ne céderai devant une autre femme, jamais! Ni Esther ni cette sotte Canadienne», nota Julia dans son journal.

Elle frissonna et descendit se réchauffer devant l'âtre en attendant que le repas fût servi. Face au foyer nourri de bûches de pin, elle tournait le dos à la cuisine et ne put ainsi remarquer le regard insistant qu'Henry posait sur Mathilde qui rougissait, troublée par le retour de cet homme qui éveillait en elle des sentiments déroutants. Gênée, elle voulut s'éloigner de lui et s'adressa à Adèle:

— J'vais voir si Geneviève est réveillée.

— Voudrais-tu lui apporter une infusion de gomme de pin? Ça lui fera grand bien.

Faisant montre d'ingénuité, Henry questionna les serviteurs sur les événements qui les avaient occupés pendant le séjour des

Cuthbert à Québec et, apprenant que Geneviève avait causé tout un émoi au manoir, il s'empressa de se rendre au chevet de l'enfant, encore convalescente.

— On m'a dit que tu avais fait une peur bleue à ta mère, petite. *Look*, je t'ai apporté un conte de Charles Perrault, *Le chat botté*. J'ai pensé te faire plaisir avec cette histoire de chat, car je me suis rappelé combien tu aimais Peluche. Ton amie Mathilde pourra te lire ce récit fantastique en te tenant compagnie.

— Je sais lire moi aussi, rappela la fillette, quelque peu offusquée.

— J'oubliais, mademoiselle de Beauval, reprit Henry en riant.

Posant sur Mathilde un regard empreint de tendresse, il ajouta :

— Et pour vous, Mathilde, j'ai trouvé ce récit publié en France l'année dernière. Il raconte les fabuleuses aventures d'une jeune fille dans une île des Antilles françaises. Vous aurez certainement beaucoup de plaisir à lire ce livre.

— Vous n'auriez pas dû, Henry, je n'ai rien à vous offrir.

— Vous vous trompez. Votre…

Julia monta l'escalier et appela Henry, interrompant brusquement cette conversation. Dès qu'elle aperçut Mathilde, ses joues s'empourprèrent, et elle fixa sur la servante des yeux vengeurs où couvait une flamme de colère et de haine. Mathilde soutint ce regard de mépris sans broncher.

— Capitaine Cairns, votre sœur vous demande, dit l'Anglaise avec dureté.

Elle tourna les talons et redescendit.

— Pardonnez-lui cette indélicatesse ; elle est fatiguée de ce très long voyage, justifia Henry.

— Son absence n'a été regrettée par personne, capitaine. Excusez-moi, j'dois rejoindre Adèle à la cuisine.

***

— Quel plaisir de rentrer chez nous ! confia Catherine, tout heureuse de reprendre sa place à table, entre son époux et son grand frère.

— Tiens, tiens, ma petite sœur est maintenant bien dans son *home*, où elle ne s'ennuie plus ? lança Henry pour se moquer, en chipant un biscuit dans l'assiette de Catherine.

— *Yes, brother !* La seigneurie de James est maintenant *my home*.

— Que tu peupleras de petits Écossais aux cheveux bruns ?

— Henry, je t'en prie ! riposta la jeune femme offusquée, rougissant devant Julia qui ne put s'empêcher de sourire devant la désinvolture du jeune homme.

Tout le long du repas servi par Mathilde, Henry cherchait à comprendre ce qui se cachait derrière l'expression impénétrable de la servante, alors qu'elle présentait les plats, discrètement, sans dire un mot. De l'indifférence, de la contrariété, de l'amertume ? Il tenta d'attirer son attention en lui souriant, mais elle détourna le regard et continua son service. « Elle est fière, Julia l'a sans doute blessée ; il faut que je lui parle », songeait Henry, fasciné par cette jeune fille, si séduisante dans sa simplicité.

Toute la soirée, il guetta vainement le moment favorable pour revoir Mathilde, qui monta très tôt dans sa chambrette. James et Catherine lisaient devant le foyer ; il vint leur tenir compagnie et trompa le trouble qui l'habitait en dessinant la silhouette et le visage ovale de celle qui occupait maintenant ses pensées. Recueilli et attentif, il faisait alterner les ombres et les lumières, accentuant le bleu des yeux, la clarté du regard et la courbe des longs cils. De temps à autre, la seigneuresse jetait un regard sur la feuille que son frère tentait vainement de dissimuler ; par respect, elle se garda d'émettre des commentaires, bien qu'elle ait, depuis un moment, deviné ce qui tourmentait son frère bien-aimé.

* * *

Dans la colonie, le début de décembre était une période de recueillement ; la nature s'endormait, les jours et les nuits s'amalgamaient, confondant ombre et lumière dans des nuances d'or et de gris, entre l'aube tardive et le crépuscule hâtif. Il neigea tôt cette année-là, et si le dicton « L'avent qui commence en lion finit en mouton » s'avérait significatif, Noël serait doux.

Alors qu'une bonne bordée de neige gardait les habitants à l'intérieur des maisons engourdies et que la poudrerie s'amusait à amonceler de gros bancs de neige entre les bâtiments et les maisons, les enfants d'Adèle, confinés à la cuisine, inventaient des jeux et faisaient pester leur mère, occupée à préparer la fête soulignant l'entrée du seigneur au Conseil exécutif de la gouvernance de la colonie.

Fier de faire partie de la noblesse anglaise, *Mr* James souhaitait partager l'honneur de sa nomination récente à un poste de prestige avec quelques nobles de la seigneurie de Berthier-en-Haut. Il en discuta avec sa femme et son beau-frère, et tous trois convinrent de fixer cette fête au premier dimanche de décembre.

— Pourquoi ne pas recevoir un samedi soir et terminer cette fête par un grand bal ? Il faudrait célébrer cet heureux événement avec tout le faste qu'exigent les nouvelles responsabilités de votre noble époux, suggéra Julia à la seigneuresse.

— Dans la colonie, en décembre, il est d'usage de respecter l'abstinence et le jeûne prescrits par l'Église catholique ; James m'a appris qu'aucune fête n'est permise pendant toute la durée de l'avent ; seuls les dimanches échappent à cette obligation.

— Ces papistes nous imposent leurs habitudes religieuses et nous empêchent de fêter un samedi soir, de danser et de nous amuser. Je ne comprends pas ces paysans naïfs qui se laissent mener par leur clergé comme une bande de moutons, pesta l'Anglaise, déçue.

— Vous êtes trop sévère envers les Canadiens, Julia. Tout comme nous, ils ont des lois à respecter, des valeurs qui les lient à leur culture et à leur histoire. C'est bien peu de choses pour nous que de nous adapter à leurs coutumes, pourvu qu'ils restent pacifiques et obéissent au roi George, semonça *Lady* Catherine.

— La plupart de ceux que je connais me semblent ignorants et paresseux.

— Vous dites cela parce que vous n'aimez pas Mathilde, je crois.

— Ni Mathilde ni les autres de sa race.

— Je n'aime pas que vous parliez ainsi des gens à notre service, Julia. Souvenez-vous que la guerre est finie entre nos deux peuples.

— Si vous le dites, *Mrs* Catherine.

***

Comme convenu entre les époux, le premier dimanche de décembre, après la messe solennelle, le seigneur de Berthier reçut à sa table les personnes les plus influentes du village.

Le nouveau conseiller exécutif et *Lady* Catherine attendaient leurs invités devant la porte centrale du manoir. James Cuthbert, solennel, avait revêtu ses habits les plus somptueux, pantalon et veston noirs de fin lainage, chemise de soie d'un blanc immaculé agrémentée d'un collet rouge, empesé et raide comme son caractère ombrageux. Ses longs cheveux noués conféraient au seigneur de Berthier une certaine originalité et appuyaient son autorité naturelle.

Il faisait les cent pas en attendant l'arrivée du curé Kerberio, reçu par Julia qui le conduisit aussitôt à la salle à manger, parée pour la circonstance. Elle assigna à chacun une place selon sa fonction et son rang : le curé s'assit à la droite de *Lady* Catherine, tandis que le docteur Généreux et sa femme, Marie-Françoise, leur faisaient face. L'intendant, le notaire et leur épouse étaient assis de chaque côté de la table. Julia avait réservé au capitaine de milice, David Ashley, un couvert en face de *Mr* James, à l'autre bout de la table ; Ashley, célibataire, était accompagné d'une demoiselle Lacorne de La Valtrie, assise à sa droite. Henry, portant la tenue militaire, faisait face à cette dernière ; Julia, qui ne connaissait pas cette beauté canadienne, avait été prise au dépourvu. Cette mauvaise décision la mit de mauvaise humeur.

Ne pouvant empêcher Henry de converser aimablement avec cette charmante jeune femme, elle cachait mal son dépit, et afin de ne pas perdre de vue les convives qui partageaient un repas copieux, elle laissa à Mathilde, aidée de Thérèse Valois, le soin des allées et venues entre la cuisine et la salle à manger.

* * *

La jeune Thérèse venait occasionnellement travailler au manoir où elle savait faire preuve de débrouillardise. Silencieuse et timide, elle tentait de dissimuler, par une longue mèche de cheveux, la cicatrice laissée par les brûlures profondes causées par l'incendie de leur demeure, l'été précédent.

Les soins experts de Cunégonde lui avaient alors sauvé la vie sans toutefois réussir à faire disparaître, de son visage d'enfant, les traces de cette tragédie ; elle porterait à jamais, dans sa chair meurtrie, le souvenir de ce drame où elle avait perdu son grand frère et sa sœur cadette. Une profonde tristesse se lisait dans ses yeux doux, peine que seules les pitreries des garçons réussissaient à égayer, ce qu'ils ne manquaient pas de faire ! Thérèse leur plaisait bien, elle était plus jeune que Mathilde, et quand elle oubliait sa douleur, elle devenait rieuse et enjouée. Souvent, elle leur faisait plaisir en jouant aux cartes ou aux dés, jeux où elle se montrait invincible.

* * *

Autour de la table, les conversations allaient bon train ; James Cuthbert, parlant avec aisance, racontait les cérémonies qui avaient entouré la nomination des membres du Conseil exécutif, décrivait la ville de Québec, les bâtiments et les palissades endommagés pendant la guerre. Les femmes retenaient l'attention par la qualité de leurs tenues : vêtues de robes à volants et garnies de dentelle, elles étaient coiffées de chignons tressés, piqués de rubans assortis à l'ensemble de leurs vêtements. De luxueux bijoux, témoignant de l'aisance des invités, paraient les poitrines généreuses de ces femmes élégamment habillées. Manifestement, la disette semblait maintenant bien terminée sur les rives du Saint-Laurent.

Le repas terminé, les invités trinquèrent à la réussite de James et poursuivirent leurs conversations animées devant l'âtre rempli de bûches qui brûlaient en crépitant ; des flammes vives se formaient et se déformaient, se tordaient, se léchaient et finissaient par triompher dans les braises ardentes et rougeoyantes. Mathilde et Julia, attentives, allaient de l'un à l'autre et remplissaient les verres de porto, de cognac, de brandy ou de whisky écossais.

Julia épiait les regards, les gestes, les sourires d'Henry qui, énigmatique, le dos appuyé sur le chambranle de la cheminée, un verre de whisky à la main, contait fleurette aux gracieuses invitées. Elle était amère.

— La fin du jour vient vite et je dois partir pour célébrer les vêpres à la tombée de la nuit, prévint le curé Kerberio, félicitant une fois de plus le seigneur pour sa nomination à un poste si prestigieux.

— Votre présence chez des protestants, un dimanche de l'avent, est fort appréciée, monsieur le curé, ajouta Cuthbert, sincère et reconnaissant du présent offert par Kerberio : une magnifique carafe de cristal de Bohême. Vous serez toujours le bienvenu sous notre toit. *God bless you !*

— Que Dieu vous bénisse aussi !

Les invités, se joignant à leur curé, félicitèrent et remercièrent les Cuthbert. Les uns après les autres, chaudement habillés de longs manteaux de fourrure, ils longèrent la rue étroite et sombre en cette fin d'après-midi et, répondant à l'appel de la Marie-Louise qui invitait les fidèles à l'office, ils s'arrêtèrent pour prier avec les autres paroissiens réunis autour de leur curé pour le dernier office du jour.

***

Le lendemain matin, avant que les eaux du fleuve commencent à se figer, Mathilde demanda la permission à *Mrs* Cathe-rine de se rendre à l'Île Du Pas. Elle s'inquiétait pour sa mère et voulait s'assurer que cette dernière recevait toute l'assistance nécessaire avant que les glaces les emprisonnent chacune sur leur rive.

— Je reviendrai avant la nuit, assura Mathilde. J'emprunte-rai le canot de mes frères qui travaillent à la forge ; le voyage sera vite fait, je m'attardcrai pas.

— Allez et soyez prudente, l'eau est glaciale, précisa *Mrs* Cuthbert.

— N'ayez crainte, j'ai l'habitude ! Merci, madame.

— Présentez mes hommages à votre mère et remettez-lui ce présent acheté à Québec, ajouta Catherine ; c'est pour le bébé.

— Merci, et Dieu vous protège !

Julia vit, dans ce départ fortuit de Mathilde, l'occasion rêvée pour enfin assouvir la vengeance qu'elle mijotait depuis un bon moment déjà. Son plan était prêt, et le moment, idéal. Elle se glissa furtivement dans la réserve et en ressortit, dissimulant sous son tablier blanc, un colis enveloppé. Elle s'habilla chaudement, fit le tour de la maison et se dirigea vers le fleuve immobile, feignant d'y faire une promenade. Elle marcha rapidement vers l'est, longeant la bordure d'arbres dénudés jusqu'à la rivière Bayonne. Elle s'arrêta lorsqu'elle entendit des voix d'enfants ; elle reconnut Pierre et Baptiste qui s'amusaient avec d'autres gamins à casser la glace sur la rivière.

— *Hello, Miss Julia !* s'écrièrent les garçons.

Surprise, elle les ignora et prit la direction de l'embouchure de la rivière, là où ses eaux se mariaient avec celle du fleuve.

Intrigués, jouant aux espions, les enfants la suivirent, la virent se pencher vers l'eau glacée, et ne trouvant rien de bien intéressant aux gestes de l'Anglaise, retournèrent bien vite à leur jeu innocent.

Sa tâche terminée, Julia revint au manoir sans se faire remarquer. Aussitôt débarrassée de son encombrant manteau, elle réchauffa ses mains engourdies, jeta un rapide coup d'œil autour d'elle, prit le cahier dans lequel elle recueillait les données concernant les provisions et entra dans la chambre froide où étaient remisées les réserves pour l'hiver. Elle enregistra avec minutie les quelques pièces de viande et les variétés de légumes qui restaient dans le caveau, ainsi que le baril de pommes encore à demi rempli. Elle revint ensuite à la cuisine, le carnet de notes à la main.

Dépourvue de tact, elle s'adressa à la cuisinière sur un ton vindicatif.

— Où est passé le jambon conservé près du baril de lard salé ?

— Dans la remise, avec les autres viandes salées ou séchées.

— Vous mentez, il n'est plus là !

— Tout doux, *Miss* ! Vous en êtes certaine ?

— J'ai bien regardé partout, il n'est plus là !

— Ecoutez, Julia, j'ai d'autres chats à fouetter aujourd'hui, je le chercherai une autre fois.

— C'est curieux, cette disparition arrive le jour même où Mathilde rend une visite imprévue à sa pauvre famille, insinua Julia. Je ne serais pas étonnée qu'elle l'ait apporté…

— Vous portez de graves accusations sans aucune preuve, protesta Adèle.

— Vous défendez votre amie…

— Ça suffit, Julia ! Sortez d'ici ! La cuisine, c'est chez moi !

James, occupé à rédiger un contrat, entendit la fin de cette discussion disgracieuse et, intrigué, s'adressa à la dame de compagnie de sa femme :

— Que se passe-t-il à la cuisine avec dame Adèle ?

— Il manque un gros jambon dans les réserves, et j'ai demandé à la cuisinière si elle l'avait pris.

— *And?*

— Elle ne l'a pas vu.

— Où serait-il alors passé ?

— Je ne sais pas… Peut-être que Mathilde l'a apporté dans sa famille…

— Adèle le lui aurait donné sans ma permission ?

— Je ne sais pas, *Mr* James.

— Demandez à Adèle de venir.

— Tout de suite, *Mr* Cuthbert.

Julia tendit l'oreille derrière la porte fermée, essayant d'entendre la conversation entre Adèle et le maître, qui semblait très en

191

colère : il n'était pas homme à se laisser déposséder de son bien sans protester. Les voix s'élevaient comme une tempête, et après un long silence, Adèle sortit de la pièce, en pleurs.

Fort satisfaite de la tournure des événements, Julia sourit à la vie qui, parfois, faisait si bien les choses. Dans une longue lettre adressée à Françoise, elle décrivit, avec moult détails, les circonstances qui l'avaient amenée à poser ce geste vengeur. Elle concluait ainsi : «*Il suffisait tout juste de savoir jouer mes cartes habilement. À nous deux* now, bastard Canadian*!*»

18

*P*endant ce temps, ignorant les sombres soupçons qui pesaient sur elle, Mathilde parcourait rapidement la distance qui la séparait des siens ; elle connaissait cette route empruntée depuis des lunes par les habitants des îles et de la côte. Le temps était frisquet, bien que le soleil dardât maladroitement ses rayons entre les arbres dénudés qui bordaient les rives ; elle resserra sa cape autour d'elle et pressa le pas. Comète, qui faisait le guet sur le bout du quai, commença à s'agiter dès qu'il vit l'embarcation s'approcher de l'Île Du Pas.

— Bonne bête ! dit Mathilde, caressant le chien de berger. Viens.

Surprise du silence qui habitait la maison comme un dimanche pendant l'heure de la grand-messe, Mathilde retint son souffle. Craignant que la santé chancelante de sa mère ne se soit détériorée, elle entra et ferma doucement la porte derrière elle, laissant Comète sur la galerie pour éviter qu'il ne réveille la maisonnée qu'elle croyait assoupie. Avant même d'avoir retiré son lourd manteau tissé, elle aperçut sa tante Marie, assise au bout de la table, secouée de sanglots qui se perdaient dans un flot de paroles insaisissables.

— Est-il arrivé un malheur à mère ? s'enquit aussitôt Mathilde, cherchant Anne d'un regard inquiet, en jetant son vêtement de lainage rugueux sur une chaise.

— C'est pas moi. Angélique est partie, répondit Anne à voix basse, debout près de la fenêtre.

Et comme pour conjurer la malédiction qui s'abattait sur la famille de son frère Olivier, déjà bien éprouvée depuis quelques années, elle fit le signe de la croix.

— Partie ? Où ?

— Raconte-lui, toi, Marie.

— Angélique n'a pu m'cacher plus longtemps qu'elle attendait un petit de l'Anglais. Un bâtard dans la famille ! Dieu nous pardonne ! gémit Marie.

D'un geste tendre, Mathilde entoura les épaules voûtées de sa tante, démolie par la souffrance. Des larmes amères ruisselaient entre les rides naissantes de ce beau visage de femme ravagée par la honte qui accablait sa famille.

— Vous êtes certaine qu'elle s'est enfuie ?

— Personne ne la trouve nulle part depuis le matin.

— Qui l'a recherchée ?

— Xavier, son frère. Hier soir, quand Olivier s'est rendu compte que sa fille attendait un enfant de… tu sais qui, il est entré dans une grande colère et a voulu la frapper, mais c'est Xavier qui l'en a empêché. Elle s'est alors enfermée dans sa chambre, en pleurant, et n'a pas voulu que j'aille lui parler. J'me doutais qu'elle partirait, et j'ai veillé toute la nuit ; mais faut croire que j'me suis endormie vers le matin, parce que j'ai pas eu connaissance qu'elle soit sortie. Mais à l'aube, elle était pus dans sa chambre, ajouta Marie, pleurant la perte de son unique fille.

Essuyant ses yeux baignés de larmes, elle reprit :

— Xavier est aussitôt parti à l'île aux Foins, à la maison de William. Personne. Ils venaient juste de partir, les pistes étaient encore fraîches et des braises se mouraient dans le poêle tout chaud. Il a suivi leurs traces un bout de temps, mais il n'a pu les rattraper. Mon doux Jésus ! Qu'est-ce qu'on va devenir ?

— Maintenant qu'elle est partie, j'ai l'impression qu'elle reviendra pas, du moins, tant que le petit sera pas né. William est un bon travaillant, il saura ben nourrir sa famille, laissa entendre Mathilde, tentant de se faire rassurante.

— Mais ils ne sont pas mariés, ils vivent dans le péché ! Que vont dire les voisins, le curé ?

— Ils vont peut-être se marier chez les protestants, ajouta Anne, qui suivait la conversation, toute malheureuse de la tristesse de sa belle-sœur.

— Ma pauvre fille, ma pauvre enfant !

— Elle est forte et amoureuse de William ; elle se tirera d'affaire, j'la connais bien, ma cousine !

— Et tu savais, toi, qu'elle était partie pour la famille ?

— Angélique m'avait fait promettre de garder l'secret, répondit Mathilde, incapable de mentir à sa tante.

— S'il lui arrive malheur, j'te pardonnerai pas ton silence.

— Je comprends votre peine, tante Marie, mais la promesse de taire un secret reste sacrée. Xavier continuera à les chercher ?

— À l'heure qu'il est, j'pense pas qu'il arriverait à les retrouver ; ils doivent déjà être loin. Et pis, s'ils se cachent encore dans les îles, quelqu'un va ben finir par les remarquer et nous avertir.

— Ils peuvent aussi avoir pris une autre direction, justement pour ne pas être vus, ajouta Anne.

— Probablement, mais avec le froid et la neige, Xavier pourra pas continuer, il devra attendre le printemps pour entreprendre un long voyage. Quelle folle elle est... partir en décembre, dans un pays si dur, avec un Anglais par-dessus l'marché !

— Ce sont deux jeunes amoureux, braves et vaillants, faites-leur confiance, tante Marie.

— Et nous prierons pour elle, ajouta Anne pour réconforter sa belle-sœur éplorée. Mathilde, veux-tu préparer une bonne tasse de thé à ta tante ? Elle doit reprendre ses sens avant de retourner chez elle.

— J'vous accompagnerai jusqu'au bout de l'île et prendrai ensuite la route du retour.

— Faudra faire vite, la nuit vient tôt en décembre. Le temps de boire mon thé et j'serai prête.

Se rapprochant de sa mère, Mathilde s'informa :

— Avec tout le branle-bas du départ de ma cousine, j'ai pas encore demandé des nouvelles de vous. Vous me paraissez plus forte qu'à ma dernière visite.

— T'inquiète pas pour moi, ta tante Marie vit un drame ben plus grand que le mien. Maintenant qu'Angélique est partie, c'est Sagawee qui viendra m'aider. Les enfants l'aiment bien et jouent avec son bébé. Pars, maintenant, si tu veux être de retour à la seigneurie avant la nuit.

— J'espère que cet enfant-là sera pas une fille de malheur ! lança Marie, aigrie et amèrement déçue de la conduite immorale de sa fille, à ses yeux, un peu trop libertine.

— Soyez pas si dure envers elle, tante Marie. Elle est juste amoureuse d'un homme généreux ; William l'aime vraiment.

— Prononce plus ce nom de malheur devant moi ! Quelle honte… un Anglais, pis pas catholique en plusse !

— Allons, tante Marie. J'dois partir maintenant. Hé ! les enfants, soyez sages ! ajouta Mathilde, embrassant la marmaille pendue à ses jupes.

* * *

Connaissant la route empruntée par Mathilde, Henry l'attendait à l'embouchure de la Bayonne.

— Votre cousine et William sont en sécurité, je leur ai trouvé une bonne cache pour quelques jours.

— Vous savez donc ?

— Ils sont venus tôt ce matin, bien avant votre départ, mais je ne pouvais rien vous dire, j'avais promis de garder le secret.

— J'dois voir ma cousine tout de suite, j'vous en prie, Henry.

— Rendez-vous ce soir derrière le presbytère, je vous y attendrai. Séparons-nous maintenant, je vais longer la Bayonne un moment et rentrerai plus tard au manoir.

Un silence gênant enveloppait la cuisine où Mathilde entra, ragaillardie, rassurée sur la santé de sa mère et heureuse à la perspective de revoir Angélique le soir même. Adèle besognait, le dos tourné à la porte, et salua son amie d'un signe embarrassé, sans dire un mot.

— Mère se porte mieux, lança Mathilde, pleine d'entrain, en retirant son manteau bleu de nuit et ses mitaines qu'elle venait tout juste de tricoter.

Mais devant le silence gêné d'Adèle, elle ne sut que penser et ne tarda pas à se faire du souci.

— Qu'est-ce qui t'arrive, mon amie ? Tu es… étrange…

— La vérité, c'est que le maître m'a fait appeler dans son bureau après ton départ, ce matin, expliqua la cuisinière, de plus en plus mal à l'aise.

— Parle, ça semble grave !

— Il manque un jambon dans les réserves et il veut savoir où il est passé…

— Il pense à des voleurs autour du manoir ?

— À l'intérieur du manoir, précisa Adèle.

— Parmi les serviteurs ?

— Des rumeurs circulent que tu pourrais avoir profité de ta visite chez tes parents pour leur apporter ce jambon. Je t'ai défendue avec toute mon énergie, mais il t'interrogera, c'est sûr! C'est un bon maître, mais il n'aime pas qu'on abuse de sa bonté.

— Mais j'y suis pour rien dans ce vol! s'indigna Mathilde. J'le jure! Jamais j'oserais prendre ce qui m'appartient pas.

— J'te crois! Moi, je le sais, mais faudra en convaincre *Mr* James qui est parti pour quelques heures; ça te donnera le temps de voir ce qui se passe.

Bouleversée et distraite, Mathilde réussit tout de même à assurer son service auprès de *Lady* Catherine et de son frère. Henry, informé par la seigneuresse des insinuations malveillantes qui pesaient sur la réputation de la Canadienne, comprit le trouble et l'embarras de la servante; il se sentait à la fois triste et humilié pour elle, et il peinait à entretenir la conversation avec sa sœur. Il guettait le moment où Mathilde servirait le thé pour insérer discrètement un billet dans la poche profonde de son tablier. «*Je vous attends derrière l'église. Henry*»

La nuit, même privée de lune, était claire, trop claire, et Mathilde dut se montrer prudente pour éviter d'être repérée. La mince couche de neige immaculée rendait la nuit moins opaque; seulement quelques trouées dans les nuages laissaient entrevoir le ciel d'encre au-dessus de sa tête. La jeune fille se tapit le long du mur sombre de l'église, en attendant de voir apparaître la silhouette rassurante d'Henry. Son cœur battait à tout rompre, elle était partagée entre la hâte de revoir Angélique et la peine de la perdre.

— Mathilde? chuchota Henry.

— J'suis icitte!

— Suivons le fleuve et traversons la Bayonne jusqu'à la maison de la veuve Nolan.

— Chez Cunégonde, la sorcière, celle qui fait passer les bébés ?

— Qui fait quoi ?

— La faiseuse d'anges qui aide les filles à se débarrasser d'un petit.

— C'est ce qu'on dit ! Nos amis sont bien là. Personne ne pensera à les chercher dans cette direction.

— Angélique voulait garder son enfant, alors pourquoi sont-ils là ? demanda Mathilde, montant le ton, tant de colère que d'indignation.

— Chut ! Ce n'est pas ce que vous pensez. Allez devant, je vous suis de quelques pas.

Bouleversée par la suspicion dont elle faisait l'objet, Mathilde attendait que l'ombre d'Henry se marie à la sienne pour l'interroger sur ce qu'il savait au sujet des accusations qui pesaient sur elle.

— Votre sœur vous a-t-elle raconté au sujet du jambon ?

— Bien sûr, mon beau-frère est furieux, paraît-il. Catherine a peur pour vous.

— Vous me croyez coupable d'un tel méfait ?

— Bien sûr que non ! Et je protesterai avec force auprès de James à son retour. Rassurez-vous, je trouverai le coupable ou la coupable… Nous arrivons chez dame Nolan maintenant. Restez calme et ne pensez plus à cette folle histoire.

* * *

Le couple d'amoureux attendait Mathilde et Henry dans une pièce sale et sordide, au fond de la petite maison de bois. Une mèche d'amadou allumée éclairait chichement la chambrette où régnait un gros matou noir aux yeux d'or. Une paillasse recouverte d'une peau d'ours posée sur le sol humide et une chaise bancale formaient le seul mobilier dans ce lieu inhospitalier. Mathilde hésitait à pénétrer plus loin dans cette pièce repoussante, mais Cunégonde la prit par la main et, silencieuse, la conduisit vers Angélique.

— T'es venue, lança sa cousine en sanglotant, se blottissant dans les bras de Mathilde.

— Que fais-tu à la cabane d'la sorcière ? Tu veux te débarrasser du petit ?

— Bien sûr que non ! reprit William pour la rassurer. Dame Nolan nous cache pour un jour ou deux, le temps qu'Henry use de son influence dans l'armée et me fasse engager dans une troupe pour défendre les colonies du Sud. Ma belle Angélique viendra avec moi, et nous nous marierons.

— C'est possible, ça, Henry ? demanda Mathilde.

— Je me rendrai à Saurel dès demain et demanderai à l'officier de mon régiment d'accepter le retour de William dans l'armée.

— Les Anglais n'ont peut-être pas oublié que je suis un déserteur.

— C'est certain que je devrai négocier, mais l'armée, qui a bien besoin de soldats par les temps qui courent, commence même à recruter des mercenaires allemands pour tenir ses engagements. En promettant de combattre pour la couronne britannique, William obtiendra probablement son pardon. On lui trouvera un poste, même s'il boite légèrement. Viens, mon ami, laissons seules les deux cousines, elles ont des confidences à partager.

Les deux hommes passèrent dans la pièce qui servait de cuisine où attendait la veuve Nolan, assise dans un coin sombre, chantonnant un vieil air breton.

— Vous prendrez ben un p'tit remontant ? demanda-t-elle en se levant prestement.

— *What ?* reprit William.

— Une gorgée de caribou, pour vous remonter l'moral ?

— Non, merci !

— Comme vous voudrez, répliqua la femme, avalant goulûment une bonne lampée d'eau-de-vie à même la bouteille, à l'aspect plutôt répugnant.

Cunégonde Nolan inspirait à la fois crainte et respect ; on la fuyait ou on la sollicitait, on la dénigrait ou on la louangeait, selon les besoins. Au Moyen Âge, on l'aurait qualifiée de diablesse ou de sorcière, peut-être même l'aurait-on brûlée sur le bûcher. Les deux hommes, intrigués par cette femme singulière, étudiaient discrètement les traits réguliers de celle que l'on surnommait aussi la guérisseuse. Grande et altière, elle semblait régner sur son misérable territoire comme une reine de foire. Énigmatique et mystérieuse, elle posait sur ses visiteurs un regard trouble et pénétrant.

Quelque peu mal à l'aise, aucun des deux hommes n'osait entamer la conversation, mais voyant le temps filer, Henry rejoignit les deux cousines et s'adressa à Mathilde :

— Nous devons partir ; sinon notre trop longue absence sera remarquée.

Sachant qu'elles avaient bien peu de chance de se revoir, elles restèrent enlacées un long moment, silencieuses. Tant de souvenirs les liaient et les ramenaient à leur enfance, tant de confidences les soudaient par cette fusion insondable des cœurs… Pourquoi fallait-il abandonner tout ce passé ?

Devant le profond désarroi des jeunes filles, Henry tenta de se faire rassurant :

— William et moi resterons en contact, et vous pourrez toujours échanger des lettres que nous vous livrerons. Venez, Mathilde, nous ne pouvons plus tarder.

Secouées de sanglots, les deux parentes s'étreignirent longuement ; se détachant la première de sa cousine, Mathilde s'éloigna à reculons, sous le regard impassible du gros chat qui, les yeux mi-clos, fixait son regard intimidant sur les visiteurs.

— Dame Nolan, prenez ces pièces pour votre peine, dit Henry. Merci ! Je peux compter sur votre silence ?

— J'parle jamais pour rien, m'sieur l'Anglais ! répondit la femme à la tignasse rousse et vêtue de misérables haillons.

* * *

Dehors, la nuit semblait hostile ; des chiens vagabonds aboyaient au loin, et les arbres s'agitaient sous le souffle du vent qui venait de se lever.

— Merci, Henry, pour l'aide que vous apportez à ma cousine que j'aime comme une sœur.

— Je le fais pour vous aussi, Mathilde. Dès demain matin, je me rendrai au poste militaire de Saurel. Séparons-nous maintenant jusqu'au manoir. Personne ne doit nous voir ensemble, surtout pas maintenant. Ne craignez rien, je vous suis d'un pas et je porte toujours ma dague…

Le cœur lourd, Mathilde ne trouvait aucune parole capable d'exprimer les émotions diverses qui la bouleversaient. Des pensées contradictoires tournaient dans sa tête, se bousculaient, se heurtaient et passaient par son cœur qui s'affolait pour revenir ensuite dans son esprit tourmenté qui tentait de rester lucide. Elle vivait une fin et un commencement, un départ et une naissance ; elle quittait définitivement son enfance pour entrer dans sa vie de femme. Elle était profondément troublée ; tout se précipitait, tout allait trop vite, elle se sentait plongée trop tôt dans ce monde inconnu qui la terrorisait. Voulant cacher son trouble, elle marchait rapidement, courait parfois, suivie de loin par Henry qui veillait sur elle.

— D'où sors-tu, bon Jésus ? demanda Adèle. Tu as vu un fantôme ?

— C'est ma cousine Angélique, chuchota Mathilde. J'te raconterai plus tard.

— La fouine te cherche partout. Quand elle s'est aperçue que le capitaine Cairns était sorti à son tour, elle est devenue furieuse et a passé sa rage en donnant un bon coup de pied au pauvre Peluche qui est parti, en geignant, se cacher sous les couvertures de Geneviève en pleurs.

— J'ferais mieux de l'éviter ce soir. Bonne nuit, dit Mathilde à voix basse afin de ne pas attirer l'attention de Julia.

À pas de loup, Mathilde longea les murs et ouvrit sans bruit la porte de sa chambre. Ses yeux s'adaptaient facilement à l'obscurité totale, et elle pouvait maintenant voir où elle posait le pied. Lentement, elle se dévêtit et observa son corps de femme ; elle contempla sa silhouette juvénile dans la vitre de la fenêtre, posa son regard sur ses seins fermes et ronds, tout en dénouant ses longs cheveux d'or.

Longtemps, elle resta debout devant la fenêtre, insensible au froid qui s'insinuait par la fenêtre mal isolée, essayant de comprendre les jeux de l'amour auxquels sa bien-aimée cousine venait de sacrifier sa famille et son passé. « Et moi, qui m'aimera ? Jacques Foucault, l'apprenti boulanger qui me fait la cour dès qu'il me voit, ou Henry ? Mais Esther lui est promise, Julia veille, et il est écossais ! » Frissonnante, elle s'enroula dans ses couvertures et s'endormit, rêvant de châteaux, de preux chevaliers et de beaux enfants tout blonds qui faisaient des rondes, de belles choses qu'elle imaginait depuis qu'elle connaissait les secrets des mots.

19

Confortablement installés devant le foyer qui réchauffait le salon et incitait à la détente, Henry et Catherine jouaient aux cartes en mangeant des *scones*, accompagnés d'un bon *tea* bouillant. Julia, qui était restée en retrait, lisait *La Gazette de Québec*, tout en écoutant distraitement la conversation débridée qu'entretenaient le frère et la sœur. Quels que soient les jeux, cartes, dés ou dames, la seigneuresse, qui se montrait toujours une adversaire coriace, ne se laissait pas battre facilement. Assise en face de son frère aîné, qui n'aimait pas perdre au jeu, elle s'amusait à le déjouer en tentant de le distraire. Ils riaient et bavardaient, agrémentant ainsi les longues heures de solitude de *Lady* Cuthbert.

James était un homme d'affaires très pris par diverses obligations et il passait rarement toute une soirée en compagnie de sa femme : qu'il assiste à une assemblée à Québec ou qu'il participe à des négociations commerciales à Montréal, il devait trop souvent s'absenter du manoir, au grand regret de Catherine qui, seule avec sa dame de compagnie, surmontait mal sa solitude. Mais quand Henry se trouvait à Berthier, James était rassuré ; il était reconnaissant envers son beau-frère qui arrivait à faire éclater de rire la seigneuresse, ce que même sa dame de compagnie, malgré tous les efforts qu'elle déployait, ne parvenait jamais à réussir.

Malgré quelques années de séparation, le frère et la sœur étaient restés très liés et, comme deux enfants, ils pouffaient de rire pour un rien ; leur complicité fraternelle les rendait heureux. Ils se comprenaient, se devinaient, s'aidaient mutuellement à s'intégrer dans une société qui leur était étrangère, tant sur le plan de la langue que de la culture et de la religion. Encore maintenant, ils se racontaient tout ; ils puisaient dans la relation qui les unissait la force, le courage, la sérénité qui nourrissaient leur attachante personnalité. Enfants, en Écosse, ils rêvaient de châteaux, de *lords*, du grand et unique amour ; mais la vie les avait conduits tous deux au Canada, là où Catherine venait de trouver l'amour et un manoir, tandis qu'Henry poursuivait sa quête, profondément troublé par l'insaisissable Canadienne.

Les aboiements de Groggy attirèrent leur attention ; Henry reconnut aussitôt le martèlement de l'alezan de James qui galopait en direction de l'écurie.

— Tu ne finis pas la partie que j'ai presque gagnée ? demanda Catherine, déçue en voyant son frère se lever précipitamment.

— Laisse le jeu en place, nous terminerons cette partie plus tard. Je vais à la rencontre de ton terrible époux pour plaider la cause de Mathilde avant qu'il la convoque, répliqua Henry, frôlant affectueusement la joue veloutée de sa sœur.

— Tu la crois innocente, pas vrai ?

— Absolument ! Et j'en convaincrai ton mari, le seigneur des lieux !

Henry se rendit directement à l'écurie et, retenant son beau-frère, il alla droit au but :

— Bonjour, James ! Un malencontreux incident fait peser de lourds soupçons sur une servante. Je fais appel à ton sens de la justice afin qu'une enquête soit menée, en toute objectivité. Avant de condamner qui que ce soit, il faudrait examiner les lieux, interroger les domestiques – tous les domestiques – et tirer les conclusions de cette affaire, mais seulement quand les faits seront connus, insista Henry.

— La situation me semblait pourtant claire quand je suis parti. Mais tu as raison, dans les circonstances, il conviendrait que je garde mon calme ; après tout, ce n'est qu'un jambon volé ! admit James, bouchonnant son magnifique cheval.

— Ce n'est pas la valeur de l'objet volé qui fait la gravité du geste, mais c'est le vol lui-même, un acte qui doit être puni sévèrement devant tous, mais le châtiment doit être réservé à la personne coupable. Il est même possible que *Miss* Julia se soit trompée en notant les entrées et sorties des réserves et qu'il n'y ait pas eu de vol, précisa Henry, passant de l'autre côté de la stalle pour caresser la tête du fougueux pur-sang.

— J'analyserai tous les aspects de cette situation et je réglerai cette affaire rapidement, avant de rencontrer l'habitant Joseph Roch pour négocier l'achat d'une terre à bois. Il doit venir demain. Où est Catherine ? demanda James.

— Devant le jeu de cartes qui nous attend près du foyer.

— Vous continuerez à vous amuser plus tard ; je la garderai un moment pour moi seul, si tu permets.

— Elle se meurt d'ennui sans toi.

— Ma jeune épouse s'attache de plus en plus à la seigneurie, mais je reconnais que la compagnie de femmes lui manque. Quand te décideras-tu à épouser Esther ? Vous pourriez habiter tout près sur une terre que je vous offrirais en cadeau de mariage.

— Ne suis-je pas trop jeune pour me marier ? Et l'armée me rappellera sans doute, car la rébellion gronde au sud, alors, désolé pour Catherine, mais pas de projet de mariage pour moi les prochaines années. Pour avoir une compagne écossaise tout près d'elle, notre chère Catherine devra attendre. Esther aussi. Et pour occuper ta femme, tu devrais lui faire des enfants !

— J'y songe, conclut James, gratifiant son beau-frère d'une bourrade amicale.

Comme chaque fois qu'il revenait au manoir, James posait un regard de propriétaire sur les lieux qu'il chérissait et où il souhaitait élever sa famille ; il estimait être un homme comblé, promis à un bel avenir. Il laissa son cheval aux soins du palefrenier, Jean Malouin, vérifia rapidement l'état des lieux, salua les garçons d'écurie et, avec Henry, entra chez lui par la cuisine, où Adèle besognait en chantonnant un refrain de son pays.

En fin de soirée, le seigneur commença son enquête ; il examina les lieux, questionna les domestiques, mais devant l'absence d'indices, il ne put tirer aucune conclusion logique. Puisque chacun soupçonnait l'autre, l'atmosphère était devenue étouffante… Adèle, l'intendant, même les enfants ressentaient le poids du doute qui alourdissait l'ambiance habituellement si conviviale. Adèle se reprochait son manque de vigilance pendant que Julia, pressant le pas devant les domestiques, exerçait son œil de lynx, tout en surveillant étroitement la réserve des denrées, si nécessaires pour passer l'hiver.

* * *

— Mère, venez vite voir Groggy, insistait Pierre qui, venant de l'écurie, rentra tout essoufflé, Baptiste sur les talons. Il dort sous la galerie, le reste du jambon entre les pattes. Venez voir !

— Ce serait donc lui le voleur ? soupçonna Adèle, interloquée. Comment serait-ce possible ? Cours vite prévenir le maître, ordonna-t-elle aussitôt à son fils, soulagée de pouvoir prouver, hors de tout doute, l'innocence de Mathilde.

Groggy, qui ne voulait pas laisser tomber ce repas inattendu, esquiva la main du seigneur et chercha à fuir plus loin.

— Viens, Groggy ! Donne ! lança James Cuthbert d'une voix autoritaire.

Le chien, penaud, obéit et se coucha aux pieds du maître qui, intrigué par les grosses pattes velues encore tout humides, s'adressa à l'enfant qui attendait ses ordres.

— Pierre, essaie de suivre les traces du chien pour savoir où il a pu dénicher cette pièce de viande. Quand tu auras trouvé, tu m'en informeras aussitôt.

— Tout de suite, *Mr.* J'peux amener mon frère ?

— Bien sûr. Et regardez bien attentivement. Surtout, prenez garde de ne pas brouiller les pistes, c'est très, très important ! précisa James Cuthbert.

Les deux garçons, fiers de la délicate mission que le seigneur venait de leur confier, s'habillèrent plus chaudement et suivirent attentivement les empreintes de pattes imprimées dans la neige fondante. Parfois, les traces étaient explicites, parfois elles s'embrouillaient, se mêlaient aux pas des habitants ou aux sabots des chevaux. D'un pas à l'autre, les pistes de Groggy les menèrent jusqu'à la Bayonne.

— Baptiste, regarde, Groggy est venu ici, pis c'est comme s'il avait traîné un paquet à partir de la rivière.

— Marchons à côté du sentier pour ne pas passer dans ses traces. Tiens, on dirait qu'ici il a laissé tomber quelque chose de pesant, remarqua le garçon.

— Allons avertir *Mr* Cuthbert, reprit Pierre, entraînant son frère vers le manoir.

Prestement, le seigneur et Henry se rendirent jusqu'à la rive de la Bayonne, accompagnés des garçons, aussi fiers de leur découverte que s'ils avaient trouvé une mine d'or enfouie dans la terre glaise.

— Avez-vous vu quelqu'un venir jusqu'ici dans les derniers jours ? demanda le maître.

Intimidé par le regard autoritaire de *Mr* James, et sachant pertinemment qu'il était défendu aux enfants de venir seuls près des cours d'eau, Baptiste, se balançant sur une jambe et sur l'autre, bafouilla une réponse emberlificotée :

— Nous, avec les garçons de l'intendant, pis… souvent Thérèse, et ma sœur… on vient jouer près de la rivière.

— Et *Miss* Julia aussi est venue jusque-là la semaine passée, enchaîna Pierre, en montrant le lieu exact où ils avaient remarqué la présence inhabituelle de l'Anglaise.

— Vous la voyez souvent se promener ici ? demanda Henry.

— Non, m'sieur… *Mr*, c'est la première fois, affirma le plus jeune.

— Vous êtes certains d'avoir vu *Miss* Julia ici, la semaine dernière ? insista Henry.

— Oui, certain. On lui a même dit *Hello* !

— Merci, les gars ! Vous avez fait du bon travail. Votre mère sera fière de vous ! Rentrons maintenant, ordonna Henry, satisfait de cette découverte qui lui permettrait de disculper Mathilde des accusations portées injustement contre elle. Justice serait rendue.

* * *

Déterminé à régler cette affaire courante rapidement, Cuthbert ne tarda pas à interroger Julia sur les raisons de sa promenade inusitée près de la Bayonne. La pauvre femme, étonnée des développements imprévus de son plan machiavélique, se lança dans des explications farfelues, chercha l'échappatoire idéale, esquiva quelques questions embarrassantes, sans toutefois réussir à convaincre son maître de son évidente culpabilité. Face au juge de paix qui la fixait sévèrement, elle se tut.

— Si je résume les faits, *Miss* Julia, vous avez vous-même fait disparaître la pièce de jambon dans la Bayonne. Est-ce exact ?

La jeune femme resta coite, les yeux baissés.

— Répondez-moi, *Miss* Julia, ordonna Cuthbert, contenant sa colère.

— *Yes, Sir.*

— *Why ?* Vous devrez répondre de vos actes, Julia. Pourquoi avoir agi ainsi ? s'emporta le seigneur, de plus en plus impatient.

Prise au piège, consciente de l'autorité redoutable de son maître, Julia, se voyant démasquée, se vit obligée d'avouer.

— Pour… me venger de… cette Canadienne.

— Je dois donc conclure que vous avez volontairement laissé porter les soupçons sur Mathilde ?

— *Yes, Mr* James.

Furieux, James Cuthbert se servit un whisky, qu'il but d'une traite. Qu'il aimerait avoir affaire à un homme, il saurait comment régler ce problème comme un homme, mais avec une pauvre femme, de surcroît orpheline, il devrait se montrer plus clément. Il réfléchit longuement, la tête appuyée sur ses mains jointes.

Une atmosphère lourde pesait dans la pièce sombre où seule la flamme vive du foyer dispensait une lumière chiche. Rompant le silence, le maître regarda la coupable dans les yeux.

— Vous méritez une peine sévère pour cet acte infâme. Dans mon pays, vous auriez payé ce crime d'un bannissement définitif. Je vais réfléchir… Allez dans votre chambre et ne paraissez plus devant moi tant que je ne vous ferai pas appeler.

Partagé entre colère et consternation, James Cuthbert arpentait la pièce, martelant le plancher de bois usé, les poings serrés. La porte s'entrouvrit sans bruit et une main se posa doucement sur l'épaule de l'homme troublé.

— James, *please*, venez vous asseoir près de moi.

— Vous saviez que Julia n'aimait pas la fille Guillot ?

— *Sure !* confirma Catherine, et cette antipathie s'est accrue depuis que mon frère passe plus de temps au manoir.

— Que vient faire Henry dans cette affaire ? Et pourquoi ne m'en avoir rien dit ? insista James, posant un regard interrogateur sur les yeux limpides de sa femme.

— Vous êtes très occupé par vos affaires et par la politique, je n'ai pas voulu vous embêter avec une histoire qui me semblait sans importance.

— Et Henry est au courant de cette rivalité ?

— Comme la plupart des hommes, devant ces intrigues amoureuses, mon frère garde les yeux fermés. Depuis qu'il habite avec nous, Julia ne perd aucune occasion de se faire remarquer par lui ; elle l'aime et fait tout pour le conquérir.

— Et il encourage ce petit jeu ?

— *My God, no !* Et je crains qu'une autre ne fasse battre son cœur.

— Mais il est déjà engagé avec notre amie Esther Mc Connell, protesta James, indigné.

— Oui, je sais…

— À votre hésitation, dois-je comprendre qu'il fréquenterait… cette Mathilde ?

— En effet, elle semble occuper ses pensées et même son cœur, confia Catherine, attristée, inquiète devant la tournure des événements.

Catherine aimait profondément son frère aîné et souhaitait qu'il vive les joies d'une union aussi harmonieuse que celle qu'elle partageait avec James ; mais se laisserait-il prendre au jeu d'un amour impossible ? Un silence empreint d'une grande tendresse enveloppa un bref moment les deux époux.

— Je comprends maintenant pourquoi votre frère retarde son mariage avec Esther, qu'il fréquente pourtant depuis quelques années, et je saisis mieux ce qui a poussé Julia à la vengeance. Une rivalité amoureuse! Mais ce n'est pas une raison pour faire accuser une innocente. Votre dame de compagnie recevra la punition qu'elle mérite! Elle sera renvoyée, traînant avec elle, comme une tache indélébile, le signe du déshonneur.

— *Please!* James, soyez indulgent envers cette pauvre enfant. Un renvoi aurait des conséquences désastreuses pour elle ; tout se sait dans la colonie, et après ce grave méfait, aucune famille anglaise de la bourgeoisie ne lui ouvrira ses portes. Elle sera humiliée et pauvre à jamais. Elle est seule, sans famille, sans amis. Une bonne leçon lui fera comprendre la gravité de son geste insensé. Je lui parlerai.

— Julia devra racheter sa faute! Aucune excuse n'est acceptable! tonna Cuthbert, hors de lui. Tous les domestiques de mon domaine, Canadiens ou Anglais, doivent être traités avec justice et respect. Tous! Et personne n'a le droit d'accuser quelqu'un d'autre injustement. Je ne supporte pas l'injustice envers qui que ce soit!

— Vous devez lui imposer une sévère punition pour son geste réfléchi, elle le mérite, mais j'aimerais qu'elle reste à mon service, plaida Catherine, calme et posée.

— Avec Henry au manoir?

— Il saura bien se défendre et suivre le chemin de son cœur… comme vous et moi, James.

— Mais Henry doit se souvenir qu'il appartient à la noblesse et qu'il ne peut s'attacher à une pauvre servante canadienne ni à la dame de compagnie de ma femme. Il doit respecter son rang en épousant une jeune femme de la bourgeoisie britannique ; vous devez lui rappeler ses devoirs envers Esther, envers sa famille et envers son pays. Veillez bien sur lui en attendant que l'armée le rappelle, ce qui ne saurait tarder.

— Vous croyez que je peux empêcher mon frère de faire ce qu'il veut?

— Vous avez malheureusement raison. Il voudra n'en faire qu'à sa tête, mais je veillerai à ce qu'il parte rapidement en mission dans les colonies, qui fomentent une rébellion pour protester contre les lois anglaises et les lourdes taxes qu'on impose à la population. L'armée britannique doit reprendre la défense de ses territoires, et elle aura besoin des services de votre frère.

— Il me manquera…

— Vous aurez d'autres occupations, chère Catherine.

James resta silencieux un long moment, réfléchissant aux propos judicieux de sa femme bien-aimée. Il l'étreignit avec tendresse, en proie à la mélancolie et au doute.

— Pourrais-je discuter de cette affaire avec vous et Henry, après le *tea*, ce soir ?

— Je vous attendrai dans le salon, les portes closes.

Catherine embrassa son mari en lui rappelant de se montrer indulgent envers cette pauvre orpheline.

* * *

Les délibérations entre les trois Écossais furent rapides, car chacun avait réfléchi à la situation et analysé les diverses solutions envisageables. La peine infligée à la coupable de ce geste lâche et abject devait être à la fois satisfaisante et juste envers les deux personnes concernées. Et bien évidemment, c'était James Cuthbert, chef de ce clan, qui trancherait. Arpentant la pièce pour tenter de dominer son indignation, il décréta :

— Après avoir étudié les faits, je crois de mon devoir d'exiger que Julia implore son pardon à Mathilde, devant nous et devant tous les domestiques réunis au grand salon, et aussi à nous, ses maîtres, pour avoir trahi notre confiance. La coupable de ce honteux délit devra s'exprimer en anglais et en français afin que tous la comprennent bien, même les enfants à qui elle a donné un bien mauvais exemple.

— Votre sentence me paraît juste, approuva Catherine.

— *And you, Henry?* Qu'est-ce que tu en penses?

— Je suis d'accord avec ta décision, mais je t'avoue que je vais me sentir fort mal à l'aise quand Julia implorera son pardon.

— C'est un prix très minime qu'elle devra payer pour sa faute. Si je me suis montré si clément, c'est grâce à ta sœur qui adoucit peu à peu mon caractère, rappela James, posant un regard de tendresse sur la jeune femme qui lui sourit avec affection.

— Vous êtes un homme juste et intègre, James. *I love you.*

Julia, toujours invisible, reçut un billet, signé de la large écriture du maître, l'invitant à présenter ses excuses à Mathilde le soir même, en présence de tous les domestiques. Elle était attendue au grand salon, faute de quoi elle serait bannie. Humiliée, pleurant de honte, elle déchira la missive, cracha dessus et la piétina avec toute la rage qu'elle retenait depuis si longtemps.

— *You're so stupid!* Je t'aurai bien un jour, *bastard Canadian.* Je le jure sur la tête de ma mère!

Le seigneur et sa dame, Henry, tous les domestiques, du jardinier jusqu'à l'intendant Guillaume Piet, tous attendaient dans le grand salon pour la « cérémonie du pardon », comme l'avait expliqué Adèle à ses enfants. La plupart des serviteurs attendaient debout, le regard fuyant, la mine triste et inquiète.

Un lourd silence traduisait le malaise de l'assistance; même Peluche, l'œil vert aux aguets, caché sous l'armoire ancienne, vestige du Régime français, agitait sa longue queue, marquant ainsi son affolement. Seul le feu, qui crépitait dans l'âtre bien nourri, donnait un peu de vie à la pièce, adoucissant, par la chaleur dispensée, la gêne prégnante de la situation.

Julia se présenta, droite, altière, presque arrogante devant ses maîtres. Elle marchait lentement, les regards intimidants de ses pairs rivés sur elle. Elle s'arrêta devant le seigneur, baissa les yeux, attendit.

— *Miss* Julia, mettez-vous à genoux devant mademoiselle Mathilde, ordonna le maître, d'une voix qui commandait l'obéissance.

Julia, humiliée et furieuse, maîtrisant sa colère, obéit et s'adressa à son ennemie d'une voix neutre :

— Pardon, Mathilde, pour l'injustice commise envers toi.

— Vous promettez de ne plus jamais porter atteinte à la réputation de mademoiselle Guillot ? demanda James.

— Je le promets, déclara Julia devant tous ces témoins contraints à assister à cette pénible scène.

— Promettez-vous aussi d'agir dorénavant en toute loyauté et en toute franchise envers vos seigneurs, selon les valeurs chères à notre peuple ?

— Je le promets.

— Relevez-vous maintenant. Vous reprendrez votre service dès demain matin.

S'adressant ensuite aux domestiques, il ajouta :

— Sachez que quiconque agit contre nos lois mérite d'être puni. Retournez maintenant à vos occupations.

* * *

Maintenant que l'abcès était crevé, personne au manoir ne parla plus de ce malheureux incident. Méfiante, Julia restait toutefois sur ses gardes ; énigmatique et refermée comme une huître, elle suspectait les Canadiens de médire sur son compte, de la surveiller, de la juger. Pourtant, il n'en était rien, car bien au contraire, tous la prenaient plutôt en pitié, et nul ne cherchait à l'humilier davantage. Elle semblait plus malheureuse et plus seule que jamais ; elle était comme une naufragée abandonnée sur une banquise au milieu de l'Atlantique, et personne ne viendrait à son secours. Elle fuyait les regards, surtout celui de l'homme qu'elle aimait, et quand ses services n'étaient pas requis auprès de la seigneuresse, elle s'enfermait dans le silence de sa chambre, une pièce aménagée à son image : froide et austère.

La jeune femme, rebelle à son destin, tentait de se libérer de sa détresse et de sa honte en écrivant régulièrement dans son journal intime ou à son amie de Boston. Dans son cahier de confidences, seule, face à elle-même, elle déversait sa rage, ses regrets, ses désillusions ; sans témoin ni censure, elle se permettait de s'abandonner sans retenue. Comme un fleuve en crue, elle déversait pêle-mêle tout ce qui bouleversait son existence et annihilait ses espoirs : l'amour déçu, l'indifférence des autres domestiques, la solitude qui l'emprisonnait dans un carcan étouffant… Elle maudissait le sort qui l'avait conduite sur les rives du Saint-Laurent, lors de cet inoubliable été 1766.

Mais quand elle s'adressait à Françoise, elle lui laissait croire qu'elle avait fait le bon choix, qu'elle était heureuse et maîtresse de sa destinée. Elle empruntait alors un tout autre style : elle usait des plus beaux mots qu'elle connaissait pour tenter d'idéaliser sa vie, en décrivant, par des phrases grandiloquentes, les événements réels ou fictifs qui ponctuaient son quotidien : un regard indifférent du capitaine Cairns posé sur elle devenait, sous sa plume, bienveillant, voire amoureux, et la vilaine Mathilde prenait des airs de sorcière qui jetait des mauvais sorts aux habitants du manoir de Berthier.

À l'intention de son amie qu'elle voulait rassurer, Julia inventait des scènes dans lesquelles elle se réservait toujours le beau rôle. Par des mots élogieux, elle décrivait la seigneurie comme un endroit idyllique, et le manoir, comme étant un magnifique château où des réceptions grandioses rassemblaient la noblesse anglaise de la colonie. Cette fabulation finissait par répandre quelques rayons de soleil dans la vie terne de Julia, qui terminait toujours ses longues missives adressées à Françoise en se rappelant de bons moments passés à l'orphelinat.

Cependant, elle prenait bien garde de taire sa souffrance et les plans de vengeance qui mijotaient dans son esprit retors. La zone d'ombre de son esprit tourmenté n'appartenait qu'à elle seule.

20

$\mathcal{Q}$uelques jours plus tard, estimant le temps favorable à un voyage sur le fleuve, Henry se leva au milieu de la nuit et se rendit secrètement à la cabane de la veuve Nolan. Il y rejoignit Angélique et William et les pressa aussitôt de rassembler leurs bagages ; ils devaient le suivre et prendre le large avant le lever du soleil qui, en décembre, paressait jusqu'à sept heures, ce qui, estima-t-il, leur laisserait le temps de quitter la rive du fleuve avant qu'il fasse grand jour.

Chaudement habillés, raquettes aux pieds, un canot léger chargé sur les épaules des deux hommes, ils se dirigèrent d'abord vers l'est afin de brouiller les pistes ; ils longèrent ensuite les rives du fleuve vers l'ouest, jusqu'à la limite de l'île Randin. Voyageant silencieusement entre les chenaux et la terre ferme, ils atteignirent la pointe de l'île Saint-Ignace-de-Loyaula, certains que personne ne les avait suivis. L'aube lente et blanchâtre givrait les buissons et la cime des arbres qui bordaient la rive et adoucissaient le paysage. Cette impression de douceur éveilla aussitôt, dans le cœur des amoureux, un sentiment de sérénité et de paix. Ils avaient la certitude de prendre la bonne route ; ils s'enlacèrent longuement, le regard posé sur la rive opposée, là où s'écrirait la suite de leur histoire.

Le temps pressait, et le capitaine leur fit signe qu'ils devaient immédiatement se remettre en route ; ils jetèrent un dernier regard sur les îles et, portés par leur jeunesse et leur amour, ils rejoignirent leur ami.

Angélique, tissée de la fibre de ce rude pays, marchait d'un pas assuré, tandis que ses compagnons, lestés de lourds bagages, se montraient plus craintifs sur cette route incertaine qu'ils empruntaient pour la première fois. Ils louèrent ensuite une chaloupe à un habitant et traversèrent le fleuve, entre eaux et glace, jusqu'à l'embouchure de la rivière Richelieu.

Malgré le temps calme et clair, la traversée entre l'île et Saurel était risquée, car le courant fort menaçait constamment de faire chavirer l'embarcation ; ils devaient ramer en coupant les vagues, malgré les blocs de glace qui dérivaient vers le large. Les deux hommes restaient silencieux, attentifs aux périlleuses manœuvres de la navigation, mais leurs gestes complices et cadencés les amenèrent rapidement à l'embouchure de la rivière Richelieu, sur la côte de la seigneurie de Saurel.

Aussitôt la chaloupe bien ancrée sur le quai, Henry conduisit ses amis à la caserne de l'armée britannique où un capitaine, l'air sévère, attendait la recrue. William prit possession de ses habits militaires, salua gauchement son supérieur et accepta, avec une joie non dissimulée, la fonction que l'armée, avide de sang neuf, venait de lui attribuer dans un poste éloigné. Dès le lendemain, il partirait avec Angélique pour le fort Ticonderoga, dont le nom signifie « endroit au milieu des eaux », et connu sous le nom de fort Carillon sous le Régime français.

Ticonderoga était un poste militaire stratégique, situé entre le lac Champlain et le lac George. En juillet 1758, les quinze mille soldats du général Abercromby durent s'incliner devant Montcalm et ses troupes, qui remportèrent une victoire éclatante, la dernière de cette désastreuse guerre de Sept Ans. Désertée par les Français l'année suivante, cette place fortifiée était maintenant la possession des Anglais, et la garnison, qui protégeait le poste, se servait de cet endroit pour tenir tête aux groupes de rebelles qui commençaient à inquiéter sérieusement la Couronne britannique par leurs attaques sournoises. L'armée avait donc besoin de recrues, et William Faye fut le bienvenu, malgré sa désertion, des années plus tôt.

* * *

Le commandant ne mit pas de temps à acquiescer à la demande de William qui souhaitait épouser Angélique avant leur départ ; il se fit conciliant :

— Je prépare immédiatement un billet à l'intention du pasteur de la garnison. En sortant d'ici, vous vous rendrez ensemble au mess des officiers et prendrez un arrangement avec lui.

— Merci, mon commandant !

Et s'adressant à Henry, William demanda : « Tu voudrais être notre témoin ? »

— Ce sera un honneur pour moi. J'accepte avec plaisir.

Et d'ajouter Angélique :

— Vous en informerez Mathilde ?

— Je n'y manquerai pas… Et je peux embrasser la future mariée ?

— Pas trop longtemps, tout de même, dit William, allongeant une bourrade affectueuse dans le dos de son ami.

Désormais, Angélique devra emprunter une route inconnue ; son enfance et les projets que nourrissaient ses parents envers leur fille étaient maintenant loin derrière elle. Tout allait vite, mais la future épouse, quelque peu bohème, regardait l'avenir avec confiance. En l'absence de son mari, appelé au front, elle devrait apprivoiser la solitude et se familiariser avec la langue anglaise, et dans quelques mois, son rôle de maman l'occuperait tout entière. Malgré tous les bouleversements qui avaient changé le cours de sa vie, Angélique se considérait comme chanceuse d'être aimée et croyait sincèrement que sa nouvelle vie deviendrait une merveilleuse aventure dans laquelle elle s'engageait avec fougue et détermination.

Angélique n'avait rien d'une femme fragile ; plutôt forte et courageuse, passionnée et audacieuse, elle saurait faire son nid là où son destin la conduirait, tout comme l'avait fait son aïeule, Ange-Marie, arrivée de Fontenay-le-Comte, à la fin du siècle précédent.

Habitée par les récits héroïques qui avaient bercé son enfance, Angélique s'identifiait à cette femme, partie du quai de La Rochelle, à peine sortie de l'enfance, qui avait dû affronter les dangers de la mer et ceux encore bien pires de la colonie naissante. Fille du roi, elle avait uni sa destinée à François Huguenin et remis son destin entre les mains de son Dieu, au service de son souverain. Ainsi ferait Angélique, digne descendante de cette lignée de femmes sur qui reposait l'avenir de la race.

* * *

Mathilde peinait à dissimuler son inquiétude depuis le départ d'Henry, quatre jours plus tôt. En dehors d'elle, personne ne savait où il était allé, même *Lady* Catherine avait été laissée dans l'ignorance. Julia insinuait, devant sa maîtresse, qu'il était sans doute retourné à Québec pour y rejoindre Esther, peut-être même pour l'y épouser.

— Vous divaguez, Julia, s'impatienta Catherine. Comment mon frère pourrait-il épouser secrètement sa fiancée sans inviter les membres de nos familles amies depuis si longtemps ? Ces rumeurs que vous laissez courir ne sont que sottises.

— Pardonnez-moi, *Lady* Catherine. Mais je suis inquiète, le temps est mauvais, et qui sait ce qui peut arriver à un soldat anglais dans cette colonie hostile ? Pour les habitants, il serait facile d'occire un anglais et de cacher sa dépouille dans les bois.

— Vous vous égarez, Julia. Personne ne veut du mal à mon frère ni aux Anglais qui habitent ce pays ; au pire, les habitants nous ignorent, mais veulent-ils nous tuer ? Je ne le crains nullement, et vous devriez éviter de répandre de pareilles rumeurs. Un militaire comme Henry saurait bien se défendre ; faites-lui confiance et, surtout, cessez vos élucubrations, conseilla Catherine, qui reprit sa lecture devant l'âtre.

Une neige mouillée, mêlée de grésil, tombait depuis la veille, accentuant l'anxiété de Mathilde, consciente des dangers que courait le voyageur solitaire qui s'engageait sur le fleuve par un temps pareil. Le vent mugissait, tandis que le verglas collait aux branches des arbres qui craquaient et s'abattaient sur le sol dans un fracas cristallin. La pluie et la neige se mêlaient, laissant les sentiers impraticables ; cette situation périlleuse angoissait Mathilde qui appréhendait les difficultés que devait éprouver Henry, sans expérience du climat des hivers canadiens.

S'il avait pris la route du retour, connaissant peu l'usage des raquettes, qui n'étaient pas d'une grande utilité en pareille circonstance, il s'exposait à s'embourber dans cette neige mouillée et épaisse comme une bouillie. La jeune femme imaginait le capitaine hésitant, dans le froid, les vêtements humides ; elle évoquait la récente maladie de Geneviève, qui récupérait tant bien que mal de la fièvre qui l'avait tant affaiblie. Elle craignait pour celui qui venait de secourir si généreusement Angélique et William.

Elle n'arrivait pas à chasser de ses pensées la silhouette rassurante d'Henry, sa présence débonnaire, son sourire taquin. Elle cherchait, dans son souvenir, le timbre de sa voix rieuse, expressive, moqueuse et enjouée, surtout quand il taquinait sa sœur dans leur langue maternelle, et ce débit plus lent, plus doux, plus chaleureux, agrémenté d'un accent velouté quand il s'exprimait en français.

« Me manque-t-il déjà ? » se demandait Mathilde, qui éprouvait, pour la première fois de sa vie, un sentiment nouveau, celui qui affole le cœur. Pour occuper son temps et se distraire de ses tracas, elle essaya de dompter ses pensées folichonnes en se consacrant à l'écriture et à la lecture avec les enfants d'Adèle.

***

Le martèlement des bottes sur les marches de la grande galerie l'arracha à ses rêveries, et aux aboiements joyeux de Groggy elle comprit qu'Henry était de retour ; mais Julia, aux aguets comme un fauve affamé, accourut aussitôt et s'empressa auprès du capitaine Cairns qui entra par la porte de la cuisine, tout couvert de neige mouillée. Elle le libéra rapidement de ses lourds vêtements trempés.

— *My God !* Mais d'où venez-vous par un temps pareil ?

— De Saurel, où j'avais été convoqué par mes supérieurs.

— Vous allez prendre froid si vous ne vous mettez pas au sec tout de suite. Allez vite changer vos vêtements trempés ; pendant ce temps, je vous préparerai un grog bien chaud.

— Merci, ma bonne Julia.

Mathilde restait en retrait, rassurée de savoir Henry sain et sauf. L'agitation trouble qui l'avait habitée pendant l'absence du capitaine Cairns s'était calmée. Elle se fit discrète, voulant éviter d'éveiller la vigilance de la soupçonneuse Julia. Sachant qu'il attendrait patiemment le moment propice pour l'informer de ce qui s'était passé depuis son départ, Mathilde faisait confiance au bon jugement d'Henry et vaquait maintenant à ses occupations coutumières, partageant les jeux et les bavardages des enfants, avec l'entrain et la bonne humeur qui la caractérisaient.

Dès qu'elle put se libérer, elle monta à sa chambre, bougie allumée à la main. Au-dehors, la tempête mugissait toujours et poursuivait sa course par-dessus les toits, qui gémissaient sous la force du blizzard, pendant que la giboulée frappait impitoyablement la fenêtre avec fracas, traçant des sillons éphémères sur les parois vitrées. La pluie verglaçante s'était changée en neige, et rien ne semblait vouloir freiner l'ardeur de la tourmente ; la région tout entière semblait paralysée sous la froidure. Mathilde frissonna, prit une couverture et s'en enveloppa.

Elle resta un long moment immobile devant sa fenêtre, scrutant les environs, écoutant les plaintes du vent qui pénétrait entre les interstices des ouvertures de la grande maison, pendant que la faible lumière de la chandelle projetait une silhouette informe sur le mur nu de la pièce. Nulle ombre ne rôdait au-dehors, même Groggy s'était résigné à se réfugier près du poêle ; seule la tempête habitait le vaste pays.

La jeune femme s'agenouilla, pensive, et pria pour que la Vierge Mère protège Anne et Angélique qui, toutes deux, portaient la vie. « Sainte Mère de Dieu, protégez-les. Ayez pitié de nous qui avons recours à vous avec confiance. » Apaisée, elle entrebâilla la porte de sa chambrette pour faire entrer un peu de chaleur, venue des deux cheminées en briques, bien nourries de grosses bûches de bois qui pétillaient et réchauffaient le manoir. Elle souffla ensuite la bougie, se mit au lit et enfila ses chaussons de laine.

Elle pensa à tout le chemin parcouru depuis son arrivée à la seigneurie avant de sombrer dans une léthargie propice au sommeil, mais une flamme de bougie, à peine perceptible, l'alerta ; levant la tête, elle vit une ombre furtive se glisser dans sa chambre.

— N'ayez pas peur, Mathilde. Pouvez-vous me rejoindre demain, chez la veuve Nolan, afin que je vous donne des nouvelles de votre cousine ? chuchota Henry.

— J'peux m'y rendre au lever du jour. Vous m'y retrouverez.

— Bonne nuit, Mathilde. Faites de beaux rêves, et à demain matin !

— Bonne nuit ! répondit-elle à voix basse ; pudique et réservée, elle était enveloppée jusqu'au cou dans ses couvertures.

Troublé, Henry descendit lentement l'escalier sans se retourner, fuyant comme un voleur devant l'objet de sa convoitise. Il n'y avait plus personne dans le salon ; il ralluma la lampe posée sur la table et s'installa devant le feu. Groggy vint s'étendre à ses pieds, grogna de contentement et se rendormit aussitôt. Henry fixait les flammes qui s'affolaient au même rythme que le vent déchaîné qui gémissait à l'extérieur ; désespéré, il cherchait le moyen d'éteindre ce feu qui couvait dans son cœur affolé. Il interrogeait sa raison, mais il n'arrivait pas à oublier la vision de Mathilde, les cheveux défaits, belle comme une madone nichée au creux des oreillers. Elle le hantait et l'ensorcelait.

Il se servit un whisky, prit une feuille et ses crayons et tenta en vain de reproduire avec précision les traits de la femme qu'il aimait. Il dessina plusieurs fois des croquis de sa silhouette, accentuant certains traits, mais aucun ne sut rendre ni la perfection ni la luminosité de son regard. Il déchira ces esquisses et les jeta dans les flammes qui les dévorèrent et les réduisirent en cendres. Il se sentait perdu, désespéré ; comment échapper à ce sentiment qui risquait de lui faire perdre la tête ? Il se pencha pour caresser la tête du chien endormi puis monta à sa chambre, hanté par la vision de la blonde Canadienne couchée dans la pièce voisine.

Mathilde, dérangée dans son sommeil, n'arrivait pas à se rendormir. Elle entendit les pas de l'homme et, fermant les yeux, elle s'enroula dans ses couvertures. Henry s'était-il vraiment arrêté à la porte de sa chambre, ou n'était-ce qu'un rêve éveillé, une illusion ? La torpeur engourdissait ses pensées, elle ne distinguait plus les songes de la réalité. Envahie par une chaleur jusqu'alors inconnue, tremblante d'un désir mystérieux, elle se laissa bercer par l'évocation de la voix douce et apaisante du romantique Henry Cairns. « Maintenant, je comprends mieux ma cousine Angélique, qui a tout laissé pour suivre l'homme qu'elle aimait. Que ferais-je si Henry me déclarait son amour ? » se tourmentait Mathilde, cherchant dans l'obscurité de sa chambre le souvenir de la brève visite de l'homme. Son cœur, moins sage qu'elle-même, engagea alors une lutte implacable contre sa raison ; il battait avec tant de force et d'affolement qu'il étouffait tous les bruits drapés de la nuit.

* * *

Bien avant l'aube, Mathilde sortit du manoir, sans faire de bruit, et se rendit à la maison de Cunégonde. Nulle trace devant elle ; Henry ne l'avait donc pas précédée. Elle n'eut pas besoin de frapper à la porte de la masure, la veuve Nolan était déjà dehors, les cheveux en bataille, à demi vêtue ; elle vidait son pot de chambre dans le banc de neige tout neuf.

— Qu'est-ce qui t'amène, ma belle, à cette heure matinale ? Y a quelqu'un de malade ?

— Non, c'est m'sieur Henry qui m'a demandé de venir le rencontrer icitte à matin.

— Le beau capitaine anglais ?

— C'est ben lui. Il est revenu d'Saurel et nous donnera des nouvelles de ma cousine pis de son amoureux.

— Ben le v'là qui vient. Entrez, m'sieur l'Anglais !

La veuve Nolan se fit discrète et laissa les deux jeunes gens dans la pièce encore obscure, gardée par le matou aux yeux d'émeraude. Elle leur offrit une bougie allumée et s'éclipsa au fond de la mansarde.

Henry éprouvait une sorte de gêne face à Mathilde qui restait réservée et silencieuse. Elle attendait patiemment qu'il lui fasse le récit des événements qui s'étaient déroulés entre le départ d'Angélique et de William et son retour au manoir. D'une voix ténue et veloutée, il entama le récit de tous les faits, tout en abrégeant les péripéties du voyage ; le temps pressait et il préférait plutôt s'attarder au mariage des amoureux et aux préparatifs de départ pour le fort Ticonderoga, première mission confiée à William. Il lui remit ensuite la brève missive que William avait écrite au nom d'Angélique pour ses parents.

Mathilde l'écouta sans l'interrompre, rassurée et fascinée. La pénombre formait un halo romantique qui entourait l'abondante chevelure dénouée de la jeune femme qui n'avait pas pris le temps de les dissimuler sous son bonnet. Silencieuse, captive, elle buvait les paroles du capitaine, qui racontaient la folle cavale de sa cousine, pendant que des larmes inondaient son beau visage, éclairé par la flamme vacillante de la bougie. Elle n'avait rien d'autre à ajouter que des mots de reconnaissance pour cet homme courageux qui venait d'ouvrir à Angélique et William la porte d'un bel avenir.

— Oh, merci, Henry! Que seraient-ils devenus sans vous?

— Chut! Ne dites plus rien, belle Mathilde, vous êtes encore plus ravissante sans votre bonnet. Vos cheveux défaits sont… ensorcelants.

— Je vous en prie, Henry. Partons maintenant, chacun de not' bord.

Ils se séparèrent, et Mathilde rentra seule au manoir encore assoupi; elle surprit Adèle qui s'affairait déjà à la préparation du déjeuner.

— Mais, grand Dieu, que faisais-tu dehors à cette heure?

— Chut! J'te raconterai plus tard, murmura Mathilde, entendant les pas de Julia qui venait vers elles.

21

$\mathcal{L}$e seigneur Cuthbert était un homme fort occupé depuis l'acquisition du domaine qu'il gérait avec efficacité. Il innovait en appliquant, dans les vastes prairies de la seigneurie, de nouvelles méthodes de culture afin d'obtenir le meilleur rendement possible. De plus, cet esprit visionnaire cherchait constamment à acquérir d'autres territoires pour agrandir la seigneurie de Berthier-en-Haut. Il multipliait les rencontres avec les propriétaires de la région, achetait et investissait.

James Cuthbert se montrait à la fois audacieux et rationnel ; aucun choix n'était le fruit du hasard, car s'il s'agissait de projets qui concernaient la gérance de la seigneurie, il consultait soit l'intendant Piet ou encore le curé Kerberio. Ses ambitions colonialistes se réalisaient généralement dans la bonne entente avec ses voisins. Dans toutes ses décisions, il tentait d'être fidèle à la devise de sa noble famille : « Avec non moins de force et de courage ». Épris de justice et du sens de l'honneur, il exigeait de ses censitaires et de ses domestiques une loyauté absolue. Il était craint autant que respecté ; personne n'avait oublié les jugements impartiaux et équitables prononcés depuis son arrivée à Berthier, lors de conflits ou de violation des lois, et ce, quelle que soit l'origine des coupables de ces méfaits. L'injustice commise envers Mathilde Guillot par la malveillante Bostonnaise Julia Scott avait fait le tour de la seigneurie ; personne n'avait envie de se retrouver devant ce juge de paix impitoyable.

Fidèle aux valeurs de la religion presbytérienne à laquelle il appartenait, il n'en fréquentait pas moins assidûment le curé Kerberio, avec qui il aimait discuter de sujets divers. Apprécié de James Murray, comme lui d'origine écossaise, il vit par ailleurs ses rapports avec Carleton devenir plus acrimonieux.

Le curé, passionné des enjeux politiques de la colonie, aborda un jour cette question avec le seigneur, devant un bon verre de whisky.

— Vous sembliez vous entendre fort bien avec James Murray, tandis que vos rapports avec le nouveau gouverneur me paraissent moins harmonieux. Est-ce que mes impressions sont justes, *Mr* James ?

— Vos observations sont exactes, répondit Cuthbert en souriant. Le gouverneur Carleton est irlandais, originaire de Strabane ; vous comprendrez que nos idées politiques sont parfois difficiles à concilier.

— Selon certains observateurs, devant la rébellion naissante des insurgés des colonies, Carleton préférerait les armes de la diplomatie plutôt que celles de la guerre.

— Carleton compte s'assurer la fidélité des Canadiens en leur accordant certaines revendications, par exemple le maintien des lois civiles françaises et, pour satisfaire monseigneur Briand, le retour de la dîme pour le maintien des paroisses catholiques.

— Et vous n'êtes pas de cet avis, *Mr* James ?

— Certaines requêtes sont justifiées, je le concède, mais je doute de la fidélité de certains Canadiens. Qui sait si, une fois leurs légitimes demandes satisfaites, ils ne prendront pas la part des rebelles des colonies qui infiltrent secrètement nos seigneuries pour convaincre les habitants de se rallier à leurs causes…

— Peut-être êtes-vous quelque peu sévère, mon ami. Laissons le gouverneur Carleton mener les choses à sa manière ; peut-être a-t-il raison, après tout. Vaut mieux la paix que la guerre !

— Le feu couve dans les colonies du Sud ; les Bostonnais s'organisent, me dit-on. Il faudra rester vigilants et défendre la Couronne britannique au besoin.

— Et prier notre Dieu de protéger ses fidèles qui, selon ce que j'entends, ne sont pas prêts à reprendre les armes, surtout pas dans un combat qui n'est pas le leur.

— Les Canadiens sont maintenant sujets du roi George III, je vous le rappelle.

— Sujets qui refusent de prêter tout serment d'allégeance, même pour obtenir des charges publiques. Ils préfèrent se voir exclure du pouvoir plutôt que de se soumettre au Serment du test.

— Le gouverneur Carleton, usant de flair politique, ferait preuve de lucidité en négociant, avec l'évêque de Québec et les seigneurs, l'abolition du serment de fidélité en échange de la collaboration des Canadiens, en cas de conflit armé avec les colonies du Sud. J'espère que les habitants comprendront alors où se trouvent leurs intérêts, riposta Cuthbert, quelque peu ulcéré en pensant à l'indifférence de la population.

— Il ressort de nos observations que de l'issue de ces enjeux politiques dépendra la survie de la colonie anglaise en Amérique. Nous prions afin que tous soient bien éclairés dans les décisions à prendre, prononça, songeur, le curé Kerberio.

— Qu'il en soit ainsi, dit le seigneur, prenant congé de son ami curé.

* * *

Afin de répondre à ses exigences professionnelles et commerciales, James Cuthbert avait besoin d'aménager un bureau où il pourrait travailler efficacement, en toute discrétion et en toute tranquillité. Évaluant la disposition du manoir, il jugea qu'il était impossible de réserver une pièce qui lui serait exclusive. D'un commun accord avec Catherine, il chercha le meilleur ouvrier des environs pour réaliser les travaux de rénovation nécessaires. Il pensa immédiatement à Olivier Huguenin, l'oncle de Mathilde, qui avait restauré une partie du manoir avant l'arrivée de la seigneuresse.

Il proposa à Mathilde de porter un court message à son oncle maternel, l'invitant à venir le rencontrer le plus tôt possible pour discuter de cette affaire. La jeune femme profiterait de cette visite inattendue pour remettre la lettre d'Angélique à sa tante Marie. « Le hasard fait parfois si bien les choses ! » pensa-t-elle. Le jour même, Mathilde sortit, au beau milieu de la journée, pour se rendre à l'Île Du Pas, sous le regard désapprobateur de Julia qui s'en plaignit à Catherine.

— Cette servante n'en fait qu'à sa tête et part, on ne sait où, pendant qu'Adèle se tue à la tâche.

— Mon époux, le seigneur, a demandé à mademoiselle Guillot de se rendre chez son oncle pour une affaire urgente. Cette entente, passée entre elle et lui, ne devrait pas vous affecter, Julia. Le seigneur reste le maître, souvenez-vous-en.

— Je m'en rappellerai, lâcha Julia, qui sortit du salon, une fois de plus, désillusionnée.

« Les Cuthbert se montrent vraiment trop conciliants envers leurs serviteurs ; ils paieront sans doute un jour le prix de leur naïveté », songea l'Anglaise.

* * *

Surprise par cette visite, Marie redouta un moment qu'un accident ne soit arrivé à Angélique et se signa en ouvrant la porte à sa nièce, tout emmitouflée dans ses lourds vêtements.

— Bon Jésus ! Y est-tu arrivé un malheur à ma fille ?

— Non, non ! Rassurez-vous, ma tante, bien au contraire ! J'viens d'abord de la part de *Mr* Cuthbert, il envoie un message à oncle Olivier. Tenez !

— Il n'est pas là, j'lui remettrai. J'pense à mon Angélique nuit et jour, j'en dors pas. Ma pauvre enfant ! dit Marie en essuyant ses yeux rougis. Entre, ma chère, reste pas dehors. Dégreye-toé don !

— J'ai pour vous des nouvelles d'Angélique, répondit Mathilde en enlevant son manteau. Grâce à Henry Cairns, William a pu retourner dans l'armée anglaise, et il fait maintenant partie d'la troupe du fort Ticonderoga. Pis Angélique et William se sont mariés avant d'partir ; c'est *Mr* Henry qui leur a servi de témoin.

— Au moins, ma pauvre enfant vivra plus dans le péché ! Mais qu'est-ce que son père va dire en apprenant qu'elle est mariée avec un Anglais, protestant par-dessus le marché ? Il va piquer une autre de ses colères !

— Ça va lui passer. Un Anglais qui l'aime, c'est mieux que son Français qui l'a abandonnée pour retourner en France à la fin de la guerre. Ils s'aiment et ils seront sans doute heureux. Pleurez plus sur son sort, William est bon et il la rendra heureuse. Pis vous recevrez parfois des nouvelles par *Mr* Henry qui m'a remis cette lettre pour vous.

— Malheur ! Tu sais ben que j'sais pas lire…

— Voulez-vous que je la lise pour vous ou vous attendrez oncle Olivier ?

— Fais donc, ma fille ; tu devines que j'suis ben impatiente de savoir ce qui est écrit dans cette lettre.

Peu familière avec la lecture, Mathilde lut lentement.

« Chers parents,

Je sais que ma fuite vous fait de la peine et vous inquiète, mais mon amour pour William et pour l'enfant que je porte est plus fort que tout. Nous sommes mariés et partons vivre ensemble dans un pays étranger pour nous, mais je resterai toujours fidèle à ma foi, à ma langue et à ma famille. Je vous aimerai toujours, de même que mon frère Xavier.

Votre fille Angélique ; message écrit par William.

Saurel, December 1766 »

— Ma pauvre enfant, gémit Marie. Quelle vie l'attend dans un pays inconnu, si loin de nous ? J'garderai précieusement cette lettre jusqu'à la fin de ma vie, ajouta la mère éplorée, cachant ce précieux billet dans son corsage.

Mathilde, émue et attendrie par la peine immense de sa tante, la serra très fort dans ses bras.

— Faut plus pleurer, tante Marie. Nous savons maintenant où ils sont. Prions la Sainte Vierge pour qu'elle les bénisse !

Reprenant son manteau, Mathilde dit à regret :

— Faut que j'parte ; je peux pas rester plus longtemps, j'veux saluer mes parents avant de retourner au manoir. Et n'oubliez pas de remettre la lettre de *Mr* James à oncle Olivier. C'est important, m'a-t-il dit.

— Et celle d'Angélique ; j'peux pas lui cacher la vérité sur sa fille, il doit savoir. Prends ben soin de toi, Mathilde, et fais attention aux Anglais, y sont ben ratoureux.

— Rassurez-vous. J'gagne bien ma vie, pis au manoir, à part Julia Scott, on me traite en demoiselle. Au revoir, tante Marie !

Mathilde ne s'arrêta qu'un moment chez ses parents, le temps de cajoler Nicolas et Marguerite, de se rassurer sur la santé de sa mère et de faire rire Firmin, toujours heureux de voir sa grande sœur.

L'entente conclue entre le charpentier Huguenin et le seigneur permit d'entreprendre rapidement les travaux de rénovation au manoir. Le bruit constant des outils et l'odeur de bois fraîchement coupé témoignaient des opérations en cours et animaient cette saison morte.

Tout ce remue-ménage impatientait Julia qui bougonnait et rudoyait les enfants, tandis que Mathilde s'affairait à balayer les copeaux qui jonchaient le sol. Elle époussetait patiemment les bibelots coûteux avec le plumeau d'ailes de canards et astiquait l'argenterie qu'elle enveloppait ensuite dans des serviettes tissées afin de les protéger de la poussière pendant les travaux de menuiserie.

Des meubles luxueux, fabriqués de bois d'ébène et d'acajou par l'ébéniste Filiaud dit Dubois, agrémentèrent l'aménagement, alors que la décoration, confiée aux mains expertes de dame Dizis et de ses ouvrières, compléta la rénovation juste avant les festivités de la fin de l'année 1766.

* * *

Un soir de la mi-décembre, Mathilde, encore accablée par les soupçons qui pesaient sur elle, brodait un corsage pour Marguerite, tandis qu'Adèle finissait de ranger la cuisine. La cuisinière semblait triste.

— Tu es fatiguée d'entendre tout ce bruit ? s'informa Mathilde.

— J'avoue que j'ai hâte que les marteaux se taisent, mais c'est la fuite d'Angélique et William qui me rend morose ; ça me ramène dix ans en arrière, confia Adèle.

— L'histoire de ma cousine te tracasse ?

— V'là pas si longtemps, moi aussi j'ai quitté famille, amis et pays pour vivre mon grand amour avec Jean de Beauval, fils de nobles qui ne voulaient rien entendre aux amours de leur fils avec une pauvre campagnarde comme moi. Jean, militaire du roi Louis, était promis à une jeune bourgeoise qu'il n'aimait pas. Nous nous sommes connus par le plus pur des hasards, un bon matin de juin, sur la route près d'Évreux.

— Raconte…

— Il faisait très chaud, poursuivit Adèle. Il était avec son régiment de cavalerie, et les hommes avaient demandé à boire. Je les ai conduits au puits de la grande place, et je me souviens qu'il a été le dernier à remplir son gobelet. Nos regards sont restés captifs l'un de l'autre, aimantés par une force magnétique. Il m'a demandé mon nom, il est monté sur son cheval bai et s'est engagé sur la route sans se retourner. Je me suis dit que ce n'était qu'un rêve.

— Et puis ?

— Il est revenu seul, le même soir, raconta la Normande, hantée par ce passé toujours si présent. Il cantonnait tout près avec son bataillon, pour quelques jours encore. La soirée était douce et calme, le ciel était parsemé d'étoiles, un croissant de lune, accroché au clocher de l'église paroissiale, nous souriait. La nuit était habitée par des fées bienveillantes qui se penchaient sur notre amour naissant. Nous avons marché longuement sur la petite route du village, et avant son départ, nous savions que nous nous aimerions toujours.

— Quelle histoire romantique, Adèle ! T'es chanceuse d'avoir connu un tel amour.

— Non, pas trop chanceuse, car son père a refusé de me rencontrer et a même menacé son fils de l'expédier sur les champs de bataille des colonies d'Amérique s'il n'entendait pas raison.

— C'est pour cela que vous êtes venus ici ?

— Nous avons fui un an plus tard, comme ta cousine et William, parce que j'attendais un petit ; pour éviter le déshonneur à nos familles, j'me suis sauvée avec lui à La Rochelle, et de là, nous nous sommes embarqués pour Québec sur un vieux rafiot qui menaçait de couler à tout moment. Une traversée longue et périlleuse, peuplée de cauchemars, de nausées, de maladies, de morts jetés à la mer peuplée de requins. Mais tant que mon Jeannot était là, je n'avais pas peur et j'avais confiance en l'avenir.

— Et cette confiance s'est éteinte avec lui ?

— Si on peut dire ! Mais il me reste les enfants, Geneviève lui ressemble beaucoup. Elle a les mêmes yeux, le même sourire timide, le même port de tête aussi, droit et fier ! Et dire qu'elle ne l'a même pas connu…

— Et ton Jeannot a pu se joindre à l'armée française, à Québec ?

— Le général Montcalm avait tant besoin d'officiers que Jean, avec son nom et ses états de service, a réintégré rapidement les troupes de la colonie. Pour son malheur et le nôtre, car il est mort en défendant une terre inconnue.

— Triste histoire, mon amie… Est-ce que les garçons lui ressemblent aussi ?

— Moins que leur sœur, mais ce sont ses fils, ce sont des de Beauval, comme toute la lignée de la vieille France. À la mort de Jean, sa mère m'a écrit une lettre que j'ai gardée. Elle me demandait pardon, m'assurant qu'elle n'avait jamais été du même avis que son mari et qu'elle pleurait chaque jour le départ de son fils aimé. Elle me suppliait de revenir avec ses petits-enfants.

— Pourquoi n'es-tu pas retournée, alors ?

— À quoi bon ? Ma vie, et celle de mes enfants, devaient être ici, où repose mon amour, leur père. Et je ne voulais pas revivre une traversée, seule avec trois petits, aux prises avec les grivoiseries des matelots, la maladie, la peur de ne pas arriver à destination. Je n'ai jamais regretté ma décision. Nous nous écrivons une fois l'an, elle est veuve et seule. Si elle était plus jeune, elle viendrait vivre avec nous, mais à son âge, elle ne risquera pas la traversée.

— Et tes parents ?

— Ils sont morts tous les deux maintenant. Mes deux sœurs habitent encore en Normandie, mais mon frère a été une autre victime de la guerre. Il est mort en mer, quelques mois après Jean.

— Que de morts inutiles ! rappela Mathilde, indignée.

— Voilà, ma tendre amie, tu sais tout de moi maintenant. Je me sens soulagée, comme libérée d'un poids énorme que j'étais seule à porter. Maintenant, j'ai l'impression que ce secret partagé est moins lourd sur mes épaules.

— Tu pourras toujours compter sur mon amitié, Adèle, toujours ! Cette navrante histoire me rappelle le sacrifice ultime des femmes et des enfants qui subissent les revers de la guerre. T'entends, comme moi, les rumeurs d'une rébellion au sud des frontières ?

— Et le plus triste est que ça recommence sans cesse, on a toujours peur de la guerre, des morts, des invasions, de tout ce sang répandu pour la gloire des rois. La vie est tellement pénible par moments qu'il fait bon trouver quelqu'un avec qui je peux tout partager, joie comme chagrin. Je t'aime maintenant comme une sœur, Mathilde.

— Moi aussi, j'ai confiance en toi ; tu auras toujours une place dans ma vie et dans mon cœur. Allons dormir, maintenant, proposa Mathilde, touchée par les confidences d'Adèle.

Elle rangea sa broderie dans le panier d'osier et, d'un geste de tendresse, elle serra son amie dans ses bras. Elles montèrent ensuite le grand escalier qui conduisait à leur chambre respective.

Mathilde se remémorait les confidences d'Adèle et n'arrivait pas à faire taire son imagination qui trottait en tous sens. Sans cesse, elle pensait à sa cousine enceinte, et dont le mari soldat serait peut-être tué sur un champ de bataille, comme Jean de Beauval. Elle ne réussissait pas à se détendre ; le sommeil la fuyait. Un glaçon tomba de la toiture, une branche durcie par le gel s'abattit sur le sol, un chien jappait… tous ces bruits familiers la gardaient en état d'éveil. Elle se leva, descendit à la cuisine, but un verre de lait et, à pas feutrés, regagna son lit. La chaleur des draps l'apaisa et elle sombra dans un sommeil agité, habité par des rêves étranges et troublants, où la vie et la mort s'affrontaient en combats inégaux. Des chevaux furieux piétinaient des bébés en pleurs, tandis que les mères riaient à gorge déployée. Au petit matin, le carillon du manoir la tira de ce sommeil troublé par d'affreux cauchemars.

* * *

Malgré une nuit agitée, pas de temps pour la paresse, car le travail attendait la servante Mathilde en ce dernier dimanche de l'avent. Les Cuthbert avaient décidé de se rendre à Montréal au cours de la semaine pour y célébrer les festivités de Noël et du Nouvel An avec des parents et des amis presbytériens. Mais avant leur départ, ils avaient cru bon d'inviter tous les domestiques au manoir, ainsi que le curé Kerberio, pour l'échange de vœux et de cadeaux.

La messe dominicale terminée, le seigneur et sa dame accueillirent leurs invités et présentèrent leurs meilleurs souhaits à chacun des membres de la domesticité, de la dame de compagnie au garçon d'écurie. Tous reçurent un présent : de délicieux chocolats importés d'Europe, des variétés de thé venues des colonies ou des épices rares provenant des Indes. Chaque famille représentée reçut un panier de victuailles préparé par les bons soins d'Adèle, sous la direction de la seigneuresse.

Un léger goûter fut servi, après quoi les invités remercièrent les maîtres en leur offrant des vœux de bonheur et de prospérité. Et malgré ce temps de pénitence préparant les âmes aux fêtes de la nativité du Christ, une ambiance joyeuse et festive régnait au manoir.

Profitant du brouhaha général, Henry s'assura que Julia était occupée dans une autre pièce et s'approcha furtivement de Mathilde pour lui remettre une toute petite boîte.

— C'est pour vous, belle Mathilde.

— Henry, je vous prie…

— Chut ! C'est une pierre suspendue à une chaînette en or, pierre qui a la même couleur que vos yeux cristallins, limpides comme l'eau du fleuve. Je l'ai choisie exprès pour vous. J'aimerais que vous la portiez en pensant à moi.

— Dois-je vous en remercier, *Mr...* Henry, chuchota Mathilde, soutenant sans ciller le regard franc du militaire.

— C'est moi qui, chaque jour, remercie notre Dieu de vous avoir mise sur ma route.

Mathilde le fixa intensément, cherchant à comprendre le sens de ces paroles ; elle sortit de la pièce et dissimula le présent dans la poche de sa longue robe ivoire. Imperturbable, elle continua à servir les invités, troublée, ne sachant comment réagir devant l'insistance discrète d'Henry. Elle le vit ensuite remettre une aquarelle à Julia, béate de bonheur. Courtois et très à l'aise, il errait dans la pièce remplie de gens, souriait à l'un, discutait avec l'autre, serrait des mains, sans jamais perdre de vue « sa belle Canadienne ».

Mathilde percevait le regard caressant d'Henry posé sur elle, un poids trop lourd dont elle se savait maintenant prisonnière ; son cœur battait au rythme d'un sentiment à la fois indéfinissable et exquis.

Mais en un éclair, les souvenirs de la ravissante Esther, qui avait tourné, tout l'automne, autour de son galant cavalier comme une abeille butineuse, assagirent son cœur épris de liberté.

22

L'aube de ce doux matin de mi-décembre annonçait une journée pleine de rires. On aurait dit que le ciel était en deux dimensions : il y avait le ciel d'azur ainsi que le ciel pur et lumineux qui ne s'usait jamais, malgré le passage du temps ; ce ciel des froids rivages faisait risette et invitait à la promenade matinale. Bien avant le chant du coq, Mathilde se rendit jusqu'à la Bayonne ; Groggy trottait à ses côtés, laissant, avec ses grosses pattes poilues, de larges empreintes facilement reconnaissables. Elle caressa la tête de la bête, se pencha et fit un trou dans la glace amincie pour remplir sa cruche d'eau glacée à même la généreuse rivière. Elle revint sur ses pas, s'amusant à déjouer les pistes déjà tracées et dessinant des ailes d'anges sur la neige fondante.

Dès qu'elle ouvrit la porte de la cuisine animée, une bonne odeur de café d'orge caressa ses sens éveillés. Les enfants se disputaient déjà une place à table, les domestiques entreprenaient leur service, et pour une rare fois *Mr* James avait investi la place.

— Nous partirons dès que le repas sera terminé et que les bagages seront chargés, précisa le seigneur. Adèle, je vous prie de préparer un panier de provisions pour le voyage. Henry se joindra à nous, ainsi que Julia, dévouée au service de *Lady* Catherine. Vous vous occuperez de la maison en notre absence, et vous, mademoiselle Mathilde, vous pourrez passer ce temps des fêtes dans votre famille. Un messager, qui nous précédera, vous informera de notre retour dans quelques semaines. L'intendant, monsieur Piet, répondra aux besoins de la seigneurie pendant notre séjour à Montréal ; vous pourrez vous en remettre à lui pour toute question concernant la propriété. Nous comptons sur votre dévouement et votre loyauté. *God bless you !*

Julia était folle de joie à la pensée d'accompagner les Cuthbert à Montréal. Elle considérait d'abord cette invitation comme un pardon pour la faute commise envers Mathilde, et surtout comme un privilège exclusif qui lui était réservé parce qu'«elle était anglaise, elle !» Elle s'activa à boucler les bagages, et dans sa hâte de partir avec les maîtres, elle manqua de vigilance : le regard insistant d'Henry cherchant celui de Mathilde lui échappa. Sa joie resta totale.

La route serait longue, et même si des arrêts étaient prévus aux seigneuries de La Norraye, de La Valtrie et de Repentigny afin de reposer hommes et bêtes, les voyageurs envisageaient ce long et périlleux trajet avec une certaine crainte. La route d'hiver restait toujours imprévisible ; si, par bonheur, elle était gelée et bien entretenue, l'aller jusqu'à Montréal se faisait rapidement, mais si le temps doux la rendait boueuse et cahoteuse, si les glaces ne mariaient pas les rives, il faudrait attendre le passeur pour traverser et, alors, la durée du voyage se prolongerait. Rien pour rassurer Catherine...

James et Henry, d'un commun accord, avaient choisi la route sur terre plutôt que le chemin jalonné de sapins longeant la rive du fleuve, trajet encore trop périlleux en cette saison, les glaces n'étant pas encore assez prises pour porter des équipages. Les chevaux piétinaient, attendant que les passagers soient installés dans les traîneaux ; ils étaient prêts à s'engager sur le sentier boueux et n'attendaient que le signal du cocher. La route n'était pas sans risque, car les bêtes peineraient à éviter les ornières remplies de neige fondante.

Les deux cochers qui guidaient les bêtes devaient manœuvrer avec prudence et fermeté s'ils voulaient éviter que, brusquement, la voiture ne se renverse ou ne s'enlise dans la fange. Le seigneur n'appréciait pas ces voyages en traîneau et préférait plutôt monter son bel étalon, mais cette fois il accompagnait sa femme, bien emmitouflée dans ses fourrures. Cherchant comment occuper ces heures trop longues, James évaluait les distances, soupesait la valeur des terres qu'ils longeaient, calculait, faisait des projets. Le voyant sourire, Henry, qui lui faisait face, lui demanda :

— Tu sembles bien aise en regardant toutes ces terres inexploitées. Songerais-tu à te faire un cadeau, James ?

— Plusieurs arpents de terre sont en friche, abandonnés, juste au bout de ma seigneurie. Au printemps, nous irons en faire le tour et jugerons de la valeur de ces grands espaces que nous a légués la France. Il faudrait ajouter des terres aux quelques lieues achetées l'an dernier et développer cet immense territoire.

— Je t'accompagnerai avec plaisir quand ce dur hiver sera terminé, à moins que l'armée ne me rappelle à son service. Je suis toujours capitaine, au service du roi.

— Ne parlez pas de malheur ! s'exclama Julia, se mêlant à la conversation sans y être invitée.

— Les colonies au Sud s'agitent de plus en plus, et il faudra sans doute que l'Angleterre renforce sa défense si elle veut garder ce vaste et riche territoire. Si on m'appelle, je devrai partir, comme tout bon militaire doit le faire.

Plongeant ses yeux sombres dans ceux d'Henry, Julia risqua :

— Vous partiriez seul ?

— Pourquoi cette question ? Bien sûr que je partirai seul avec mon régiment !

— Pardonnez-moi, je n'aurais pas dû.

— En effet, vous n'auriez pas dû, répliqua Henry, contrarié.

* * *

Lady Catherine, se sentant lasse et un brin nauséeuse, avait hâte d'arriver au premier arrêt, à La Norraye, où l'équipage était attendu. Elle somnolait souvent, parlait peu. Elle posait parfois sa tête alourdie sur l'épaule de son mari et fermait les yeux sur les paysages monotones qui se déroulaient trop lentement sous le crissement des lames de la carriole surchargée. Parfois, les jurons d'un cocher la tiraient de sa torpeur, elle se redressait, s'enveloppait dans sa fourrure et refermait les yeux. Henry, assis en face d'elle, l'observait et remarqua sa pâleur.

— Tu ne te sens pas bien, *sister*?

— Je suis un peu fatiguée de tous ces préparatifs. Rien de grave.

— Quand nous serons installés à Montréal, précisa Julia, je verrai à ce que *Lady* Catherine se repose. Elle a travaillé beaucoup ces derniers jours pour préparer la fête des domestiques, choisir les cadeaux pour chaque famille, remplir les paniers de provisions. Tant de peine pour des serviteurs!

— Dont vous faites partie, Julia, répliqua Cuthbert avec humeur.

Elle rougit, détourna la tête, n'osant affronter le regard d'Henry, de peur d'y déceler une certaine ironie qu'elle ne pourrait supporter. Et tandis que les deux hommes se partageaient les pages du journal, elle fouilla dans son sac et en sortit un livre dans lequel elle plongea avec délice, semblait-il, car elle souriait à certains passages, absorbée par cette histoire romanesque qui racontait les amours d'un preux chevalier et d'une pauvresse des landes anglaises. Lentement, elle tournait les pages, jetant de temps à autre un regard furtif sur sa maîtresse, appuyée sur l'épaule de son époux. Rassurée, elle avalait les mots, communiait à la passion des amoureux imaginaires et priait pour que son propre destin soit scellé sous le signe d'un amour aussi pur et noble que celui de ces héros romantiques.

Repliant son journal, Henry engagea, avec James, une discussion animée au sujet d'un article qu'il venait de lire concernant l'application des lois civiles et criminelles :

— Le gouverneur Carleton semble favorable au maintien des lois canadiennes quasi intactes, écrit-on dans *The Gazette*.

— Il y aura sans doute beaucoup d'opposition de la part des marchands, et rappelons-nous qu'ils ont une grande influence auprès du gouvernement de Londres, précisa James Cuthbert.

— Tu auras sans doute l'occasion d'en discuter avec certains d'entre eux pendant les événements mondains auxquels vous assisterez, Catherine et toi. Maintenant que tu es du côté du pouvoir, tes opinions auront davantage de poids, renchérit Henry.

— Et je compte bien me servir de cet atout, promit James.

— On s'arrête bientôt ? s'enquit Catherine. J'ai les jambes tout engourdies.

— On est tout près de la seigneurie de La Norraye, patiente encore un moment.

Le premier arrêt se fit à l'heure prévue. En homme galant et courtois, James aida sa femme à descendre de voiture et la soutint jusqu'à l'auberge, car le sentier, glissant et incertain, était rempli de neige mouillée. À son tour, Henry accompagna Julia qui se laissa docilement guider par le bras ferme et puissant du militaire. Ses pas s'attardèrent un moment, elle trébucha et se laissa rattraper vivement par son compagnon, qui la releva avec attention et douceur.

Qu'elle aimerait s'abandonner tout entière et pour toujours à cette force irrésistible qui l'entraînerait vers des zones inconnues, à la fois troubles et rassurantes ! Un moment, elle crut possible ce bonheur insaisissable, et elle ferma les yeux, un trop bref instant, pour intérioriser et conserver à jamais cette douce impression d'être une femme aimée et protégée.

* * *

Le radieux soleil du matin, qui avait fait fondre la neige et rendu le chemin raboteux et désagréable, était maintenant caché par de gros nuages gris et pluvieux qui crachaient une bruine froide qui gelait en touchant le sol. La route, parfois défoncée, risquait de garder prisonnières les voitures qui cahotaient dans les ornières profondes et boueuses.

— Le voyage est désagréable, surtout par un temps pareil. Le soleil était pourtant là, ce matin, et le temps plus doux. Maintenant, ça se gâte. Il faudrait nous arrêter à la prochaine auberge, suggéra Catherine.

— Nous changerons aussi de chevaux, proposa son mari, et nous poursuivrons ensuite notre route jusqu'à la nuit.

— Je suis de ton avis, approuva Henry. Tu veux que j'en informe le cocher ?

Et ainsi, d'arrêt en départ, les voyageurs arrivèrent à Montréal trois jours plus tard, le 23 décembre, en fin d'après-midi, fatigués mais heureux de déposer leurs bagages à la somptueuse résidence du cousin de Catherine, Alexandre Cairns, et de son épouse, Rebecca Mc Connell.

* * *

La cité était habitée, vivante. Les rues malodorantes, jonchées d'immondices, soulevèrent le cœur de Catherine, secouée de spasmes involontaires ; compatissant, son mari la soutint et l'aida à relever ses jupes pour éviter qu'elles ne se souillent sur le pavé boueux. À son tour, Julia hésitait à poser le pied dans la fange qui ruisselait dans la rue mal éclairée ; bon prince, Henry lui tendit une main sûre, tandis que le cocher retenait les chevaux énervés par les autres bêtes qui circulaient dans la ville pressée.

Montréal leur sembla très animé après ces jours de solitude, et l'accueil chaleureux de leurs hôtes leur permit de se détendre autour d'une bonne table, après un moment de repos dans les chambres préparées et décorées avec goût pour chacun d'eux.

Julia était enchantée. Même la saleté des rues n'arrivait pas à la décevoir, au contraire, tout la séduisait : la richesse et le statut social des Cairns, les manières raffinées des domestiques, l'atmosphère festive qui régnait dans la ville, tout devenait pour elle un sujet d'émerveillement. Elle se réjouissait surtout de la fréquentation exclusive de la gent britannique. Les Canadiens ne lui manqueraient certes pas !

Son bonheur fut un moment assombri par l'arrivée inattendue d'Esther qui, délaissant ses amis de Québec, avait répondu à l'invitation de sa sœur, Rebecca, qui l'avait informée de la visite d'Henry et des Cuthbert pour les festivités du Nouvel An. Elle voulait surprendre le capitaine Cairns et se présenta chez sa sœur en fin de soirée, le 24 décembre. Tout le monde était au lit, et seul le majordome savait qu'Esther était arrivée ; elle monta sans bruit et s'enferma dans sa chambre. La grande horloge sonnait les douze coups de midi lorsqu'elle rejoignit sa sœur dans la salle à manger. Henry, qui ignorait la présence d'Esther à Montréal, se préparait à sortir.

— *Come, darling !* dit la gracieuse Esther, élégamment vêtue en ce jour de Noël. Tu m'as tant manqué, dit-elle, se dirigeant vers lui d'une démarche langoureuse.

— Je ne savais pas que tu étais à Montréal ! répliqua Henry, vexé d'avoir été gardé dans l'ignorance. Je me préparais à visiter des amis…

— Je les connais ?

— *Yes !* Je répondais à l'invitation des Prescott.

— *Wait.* J'y vais avec toi.

— Fais vite, je suis attendu, riposta froidement Henry.

Esther, nullement embarrassée par la surprenante attitude d'Henry, monta l'escalier et disparut dans sa chambre. Catherine observait discrètement son frère qu'elle savait mécontent et contrarié par la présence impromptue de son amie Esther. Il s'approcha et lui confia :

— Esther n'a même pas daigné me prévenir de son arrivée à Montréal, elle qui prétend m'aimer.

— Elle voulait sans doute t'en garder la surprise… Ne lui en veux pas et parle-lui, conseilla la seigneuresse.

— Attention, elle vient…

Les sages paroles de sa sœur ne réussirent pas à convaincre Henry, qui garda une froide distance entre Esther et lui, conduite qui intrigua et rassura Julia. *«Miss Esther tourne autour du capitaine Cairns comme un papillon volage devant une bougie allumée, mais la flamme semble vaciller»*, écrivit Julia à son amie Françoise dans la lettre qu'elle lui adressa pour le Nouvel An. Elle conclut en ajoutant : *«L'année qui commence me réserve-t-elle les joies d'un amour partagé ? L'espoir s'est enfin glissé dans mon cœur.»*

***

Les arbres tout givrés se rejoignaient en arcs radieux au-dessus de la rue Saint-Jacques, tout près de la place d'Armes, où résidait Alexandre Cairns, ravi de recevoir Catherine, James et Henry pour célébrer en famille ce jour de l'An 1767. James Cuthbert et sa dame admiraient ce temple de glace en se rendant, à pied, à la cérémonie religieuse presbytérienne où étaient rassemblés leurs compatriotes pour y célébrer la nouvelle année.

Ils étaient habillés chaudement de luxueux manteaux de fourrure ; le seigneur Cuthbert portait, avec superbe, une pelisse de castor, tandis que *Lady* Catherine arborait une chatoyante mante de renard roux avec manchon assorti. *Mrs* Catherine et sa dame de compagnie avaient fait beaucoup d'emplettes, pendant que *Mr* James discutait affaires avec les marchands anglais et écossais ; ils ne repartiraient donc pas les traîneaux vides !

La cérémonie religieuse terminée, les Cuthbert, les Cairns, les Prescott, les Ramsay, les Mc Connell, les Mc Furguson et de nombreux autres membres de la riche bourgeoisie de Montréal se retrouvèrent à La Vieille France, où la cuisine française attirait une riche clientèle. Des vœux furent échangés ; des ententes commerciales négociées au cours de la semaine furent scellées par des poignées de main amicales.

Le champagne doré faisait concurrence au whisky écossais et égayait les invités qui, tout en discutant, prirent place à l'immense table dressée sur une nappe artistiquement brodée par une artisane normande. La délicatesse des porcelaines rivalisait avec la grâce des verres de cristal qui brillaient entre les ustensiles argentés. Les cinq copieux services présentés par des domestiques en livrée suscitèrent d'élogieux commentaires, et seule *Lady* Catherine resta indifférente devant des plats aussi savoureux et refusa le vin qui ajoutait à la qualité des mets offerts.

James Cuthbert, occupé à discuter avec Donald Morrison, ne remarqua pas la pâleur de sa femme ni sa fatigue, malaises pourtant évidents. Elle restait assise en compagnie d'autres femmes, sans cependant participer aux conversations animées qui se déroulaient sans elle. Elle entendait le vague bourdonnement des rires et des mots qui se chevauchaient, s'échangeaient et se perdaient dans un babillage incessant. De temps à autre, elle fermait les yeux, dans une douce torpeur, bercée par les voix qui s'éteignaient. Comme elle aimerait la réconfortante chaleur de sa chambre au manoir de Berthier ! Une main se posa délicatement sur son épaule, la tirant de sa rêverie.

— Vous prendriez un cognac, *Lady* Catherine ?

— *No thank you. Lady...* ?

— Maria. Je suis allemande, et épouse de Peter McKenzie.

Les deux femmes firent connaissance, mais la seigneuresse de Berthier trouvait peu d'intérêt à ces mondanités, et c'était seulement par courtoisie qu'elle s'efforçait d'échanger des sourires et des paroles qu'elle jugeait bien futiles. Et c'est avec un soulagement évident qu'elle aperçut son époux qui venait vers elle.

— Partons maintenant, je me sens épuisée. Tant de gens ! Tant de conversations à soutenir, j'ai besoin de silence, *please* !

— À vos ordres, ma seigneuresse bien-aimée. Vous êtes bien pâle, devrais-je m'inquiéter ?

— Non, j'ai seulement besoin de dormir ; toutes ces rencontres m'ont épuisée.

Heureuse de retrouver la tranquillité de leur chambre, Catherine tenta de rassurer son époux, mais elle insista toutefois pour rentrer au manoir le plus tôt possible.

— Quand retournerons-nous à Berthier ?

— Bientôt, dès que j'aurai terminé les négociations de certaines affaires.

— Je pourrais repartir avec Henry dès demain ?

— Ce pays est trop rude, trop sournois en hiver, je ne vous laisserai pas partir sans moi. Quelques jours encore et nous serons à notre manoir. Vous ne vous sentez pas bien ?

Catherine eut tout juste le temps de saisir le bassin de faïence pour y vomir tout le repas avalé à grand-peine. James, pris de court, appela à l'aide :

— Julia, venez vite. *Lady* Catherine a un malaise.

Julia accourut aussitôt auprès de sa maîtresse et aida James à la dévêtir et à la mettre au lit.

— Restez auprès d'elle, je vais faire appeler un médecin.

— Non, non! protesta Catherine, je n'ai pas besoin de consulter un médecin. J'ai seulement besoin de repos et de tranquillité. Julia, veuillez nous laisser seuls un moment, je vous prie.

Une fois seule avec son époux, Catherine sourit, le regardant avec tendresse.

— Que se passe-t-il, *my love*? s'inquiéta James, pris au dépourvu devant le malaise de sa bien-aimée Catherine.

— Vous ne devinez pas?

— Vous attendez un enfant? demanda tout ému le futur père, serrant très fort sa jeune épouse dans ses bras.

Il attendait ce moment depuis si longtemps! Les larmes de joie qui brillaient dans les yeux de cet homme, d'habitude si maître de ses émotions, émurent Catherine.

— Le premier de votre descendance. Ce sera un fils, promit-elle.

— Ou une fille, ajouta-t-il. Mais il faudra consulter un médecin avant de retourner à la seigneurie; à Montréal, nous pourrons trouver le meilleur.

— Je ne suis pas malade, rassurez-vous, *my lord*, j'attends seulement un enfant! Rien de plus naturel, *believe me.* Je voudrais apprendre moi-même cette bonne nouvelle à mon frère. Pourriez-vous lui demander de venir me voir dès qu'il rentrera?

— Bien sûr! Nous demanderons à Henry s'il accepte d'être le parrain, si vous êtes d'accord.

— Comment pourrait-il en être autrement? *I love you,* James!

— Mon premier héritier est là, *and I love you, dear* Catherine! murmura James, caressant avec tendresse le ventre fécond de sa femme. Je vous laisse. Reposez-vous. Est-ce que je demande à Julia de veiller sur vous?

— Pas maintenant, je veux seulement dormir.

Julia, qui attendait discrètement à quelques pas de la chambre, s'empressa au-devant de James dès qu'il referma doucement la porte derrière lui.

— *Lady* Catherine va-t-elle mieux ?

— Oui, elle se repose. Je reviendrai en fin d'après-midi. Profitez de votre temps libre jusqu'à ce soir. Merci, Julia.

La mine réjouie du maître n'avait pas échappé à l'œil averti de la servante qui se doutait bien de l'origine du malaise de *Mrs* Cuthbert. Elle sourit d'aise, espérant que de nouvelles responsabilités lui seraient confiées, « à elle, parce qu'elle est anglaise, et non à cette *dummy Canadian girl…* »

✳ ✳ ✳

L'annonce de l'arrivée d'un enfant dans la famille ravit Henry qui, oubliant la présence accaparante d'Esther, se préoccupait du bien-être de sa sœur chérie. Il veillait sur elle comme si elle était un vase précieux dans lequel se cachait un trésor fragile.

— Est-ce qu'il est sage d'entreprendre le long voyage de retour sur des routes enneigées avec Catherine ? se préoccupa Henry, inquiet, en voyant James planifier les préparatifs de départ. Ne vaudrait-il pas mieux la laisser à Montréal avec Julia jusqu'au printemps ?

— Ce serait mon choix, bien entendu, mais Catherine tient à revenir au manoir le plus tôt possible ; nous partirons dès que j'aurai trouvé un traîneau fermé et de bons chevaux vigoureux, entraînés sur les chemins de neige et de glace.

— Il fait si froid depuis la fin de décembre, je crains qu'elle ne soit malade, dit Henry. Est-ce que les serviteurs seront prévenus de notre retour ?

— Dès demain, j'enverrai un courrier à cheval porter une missive à monsieur Piet ; il informera les domestiques de notre arrivée prochaine, précisa le seigneur de Berthier.

— Si Dieu le veut ! Au Canada, en hiver, nul ne peut prédire le temps qu'il fera, rappela le capitaine Cairns.

Les formules de politesse échangées, les bagages empilés sur les traîneaux, les Cuthbert, Henry et Julia quittèrent la métropole par un temps gris et froid, accompagnés de soldats en armes. *Miss* Esther Mc Connell n'avait aucune envie de quitter le confort de la ville et, au grand soulagement d'Henry, elle ne prépara pas ses malles.

— Tu reviendras bientôt à Montréal ? lui demanda-t-elle.

— Sans doute, mais pas avant la fin de la saison. En passant l'hiver ici, tu profiteras de tous les bals auxquels tu seras invitée ; tu prends la bonne décision, la ville te sied mieux que la campagne, surtout quand il fait froid. Amuse-toi bien, mon amie !

— Tu me manqueras, chuchota Esther quand il l'étreignit avant de la quitter.

— Il ne manque pas de prétendants dans cette ville, lui rappela Henry, qui connaissait bien la belle Esther.

Elle ne resterait pas une seule soirée à se morfondre auprès du feu, il en était convaincu.

Il l'embrassa et rejoignit James et Catherine qui patientaient. Ils prirent aussitôt la route. Le vent venait de l'est et balayait une neige poudreuse sur la route enneigée. De nombreuses carrioles encombraient le seul sentier qui longeait le fleuve reliant les seigneuries et les villages situés sur les rives. Les cochers se saluaient, s'entraidaient au besoin, échangeaient des informations, échappaient parfois quelques jurons, mais, généralement, ils savaient faire preuve de courtoisie.

Dès les fortifications de la ville passées, le cocher prit la direction du fleuve, où la route de glace qui longeait les rives, depuis peu bornée de troncs d'arbres, facilitait ce passage habituellement hasardeux. Les chevaux robustes attelés aux traîneaux, naseaux blancs de givre, haletaient en dévalant la pente de la rive qui menait au fleuve. L'habile cocher, emmitouflé dans ses fourrures, épaisses mitasses aux mains, guidait les bêtes avec fermeté et douceur, tentant de les rassurer sur cette route dangereuse. Deux cavaliers armés précédaient l'équipage, deux autres suivaient à courte distance ; le seigneur Cuthbert avait ainsi voulu assurer la sécurité des voyageurs et décourager les attaques de convoi, de plus en plus fréquentes depuis que l'argent circulait de nouveau dans la colonie.

Ils s'arrêtèrent dormir au manoir de Saint-Sulpice, où d'autres voyageurs se partageaient aussi le gîte et le couvert, au grand plaisir d'Henry, qui appréciait la compagnie. Il bavarda longuement avec la fille aînée du seigneur des lieux, une jolie Canadienne joviale au sourire invitant. Décidément, ce rude pays lui plaisait bien.

La nature semblait tombée en léthargie ; la nuit éclairée par la lune était froide, très froide, et *Lady* Catherine n'arrivait pas à se réchauffer. Le teint livide, les yeux cernés, elle n'avait pu avaler une seule bouchée du copieux repas apporté par Julia à sa chambre. James, inquiet, insista, mais Catherine refusa toute nourriture. Qu'elle avait hâte de retrouver son manoir !

* * *

Tôt le lendemain matin, les voyageurs restaurés, habillés chaudement, montèrent dans les traîneaux qui défilèrent sur la neige durcie, gémissant sous les lisses de bois. Il faisait froid, si froid que le soleil ressemblait à un vigile bien inutile dans le ciel d'un bleu éclatant, un firmament de cristal qui étincelait et éblouissait. Le monde semblait avoir perdu toute forme, et toute ligne définie qui marquait l'horizon se confondait avec la vastitude du pays. Une couleur uniforme nappait le paysage immobile ; le blanc aveuglant de la neige sur lequel se reflétait l'éclat du soleil en mille diamants minuscules découpait le bleu riche, unique, saisissant d'un ciel où ne traînait aucun nuage. Ciel pur, ciel d'azur.

Lady Catherine somnolait, blottie bien au chaud contre l'épaule de son mari qui occupait le temps en lisant des documents, des contrats et des textes de loi. Henry tournait machinalement les pages d'un manuel de géographie, s'attardant sur le long ruban bleu qui rejoignait la mer vers l'est. Ses yeux pers et expressifs étaient rivés sur les îles, en face de la seigneurie de Berthier, et lentement il caressait la forme oblongue de « son île à elle », comme si le contact charnel avec ce lieu géographique le rapprochait de Mathilde. « Je lui offrirai ce manuel, maintenant qu'elle sait lire, elle pourra connaître d'autres mondes », se proposa Henry, refermant ce livre aux mille trésors.

Il ferma un instant les yeux pour mieux se rappeler le visage franc et limpide de celle qu'il n'avait pu ni voulu oublier auprès d'Esther. Passion naissante, amours folles qui le tourmentaient et l'apaisaient à la fois, sentiment doux et amer, rassurant et affolant comme une sorte de délicieux vertige. Il se laissa porter, alangui par le crissement monotone du traîneau sur la glace du fleuve figé, et s'endormit, échappant le livre qu'il tenait entre ses mains.

Julia, imperturbable, remit sans bruit le manuel sur le siège et profita du silence pour concentrer son attention sur la lecture des notes prises lors de son séjour à Montréal. D'une écriture rectiligne, sans vaines fioritures, elle avait tenu fidèlement son journal personnel, y relatant les événements avec parcimonie, ne soustrayant aucun détail. Tout était là, dans ces pages de vie consumée de désir inassouvi. Un mouvement de Catherine la rappela au moment présent, et, aidée du maître, elle replaça la couverture sur les épaules de la jeune femme, maintenant réveillée.

Après une halte bien méritée, *Mr* James demanda à l'un des militaires qui les accompagnaient de partir en éclaireur afin de prévenir les domestiques de leur arrivée imminente.

— Je peux partir avec lui ? proposa Henry, pressé de rentrer au manoir.

— Si tu trouves une monture, tu pourras partir devant nous. Je t'envie, j'aimerais terminer ce long voyage en écuyer, mais je dois rester auprès de Catherine. J'espère que tu trouveras tous les serviteurs à leur poste, confia le seigneur.

— Avec le froid intense des derniers jours, il est possible que quelques-uns soient mal en point, et avec eux, il faut s'attendre à tout, lança Julia qui ne manquait jamais de critiquer les Canadiens.

— Julia, *please*, je ne tolère pas de malveillance à l'endroit des domestiques de ma seigneurie. Souvenez-vous-en désormais, reprit brutalement *Mr* James.

Les derniers milles parcourus parurent à la jeune seigneuresse comme étant l'une des pires épreuves qu'elle ait eu à surmonter jusque-là. Le froid tenace s'insinuait par les ouvertures du traîneau fermé et chauffé, qu'une buée translucide remplissait d'un désagréable brouillard cotonneux. La nausée tenace l'indisposait, et elle tolérait de moins en moins la proximité obligée par ce long et interminable voyage. Les chevaux ralentirent, laissant deviner qu'ils approchaient du manoir. « Enfin, se dit Catherine, je rentre chez moi ! » Le soleil descendait lentement dans le lit du fleuve engourdi.

23

*P*endant que les Cuthbert célébraient la nouvelle année à Montréal, au manoir de Berthier, la vie quotidienne, paisible comme un lac gelé, s'était organisée tout simplement autour des préparatifs de la fête de Noël et du jour de l'An. Adèle cuisinait viandes, pâtisseries et sucreries qu'elle entendait partager avec ses enfants et quelques serviteurs, tandis que Mathilde espérait se rendre à l'Île Du Pas et y rester jusqu'au retour des seigneurs. Mais le temps doux menaçait sérieusement ses projets.

Le dégel et la pluie des derniers jours avaient rendu la glace si fragile que seuls les plus téméraires s'aventuraient encore sur le chemin balisé. Avec fracas, de gros morceaux de glace se détachaient de la rive, sous la pression du courant, et formaient un casse-tête mouvant qui dérivait vers le large en se bousculant, laissant une plaie béante sur la route du fleuve. Si le temps restait aussi clément, Mathilde devrait se résigner à célébrer son premier Noël sans sa famille, dans la petite église de Berthier.

Le 24 décembre, il pleuvait, et un vent chaud venu du sud faisait fuir les derniers lambeaux de neige grise qui s'entêtaient encore aux abords des fossés. Très tôt, l'obscurité enveloppa la seigneurie et ses environs d'un voile mélancolique qui dissipait toute envie de célébrer Noël, fête habituellement chantée et dansée dans un décor ouaté.

Le temps humide, qui rendait la maison froide et inconfortable, obligea Adèle et ses enfants à rester près du feu, où Mathilde s'occupait à réaliser une délicate broderie.

— Quel temps de chien ! se plaignit Mathilde, pendant que Geneviève jouait avec Peluche, nullement inquiété par le mauvais temps.

Les deux garçons s'appliquaient, silencieux et attentifs, à gosser patiemment des pièces de bois offertes par Olivier Huguenin au moment des réparations du manoir. Ils sculptaient les personnages de la crèche de Noël : Pierre peinait à donner forme à Marie, tandis que son frère s'échinait sur la gracile silhouette de l'enfant Jésus. Sans perdre un instant, ils comparaient leur ouvrage et ponçaient soigneusement les traits des visages, sous le regard amusé de leur mère. Le temps pressait, car ni l'un ni l'autre n'avait encore consacré une minute à saint Joseph ; l'enfant Jésus risquait de rester orphelin de père, du moins pour ce Noël 1766.

Adèle veillait tendrement sur sa famille, tout en mettant la dernière main aux préparatifs des festivités. Elle fredonnait un vieil air de Noël venu de Normandie, en étendant, dans un moule bien beurré, un sucre à la crème tout doré.

— As-tu besoin d'un coup de main, Adèle ? s'informa Mathilde, reposant sa broderie.

— Non, j'ai fini pour ce soir. Tout sera prêt pour demain.

— Maman, est-ce que je peux nettoyer le bol de sucre à la crème ? demanda Geneviève.

— L'avent n'est pas encore terminé, ma fille. Les friandises, c'est pour demain !

— C'est pas juste, s'indigna l'enfant, retournant à ses jeux.

— Une bouchée pour chacun, consentit Adèle, cédant au regard insistant de l'enfant. Le bon Dieu, c'est l'bon Dieu, après tout !

Les deux femmes éclatèrent de rire et se remirent au travail. Un bruit de pas sur la galerie réveilla Groggy, qui se prenait pour le gardien des lieux, et, mécontent d'être dérangé dans son sommeil, il se dirigea vers la porte de la cuisine en grognant.

— Va donc ouvrir, Pierrot ! demanda Adèle.

— Bonjour la compagnie ! lança Jacques Foucault, l'apprenti boulanger, avec entrain et bonne humeur. Comment vont ces gentes dames, en cette veille de Noël ?

— Comme tu vois, mon ami, bien contente d'avoir un bon toit, de la nourriture et du travail, répliqua Adèle. Et toi, qu'est-ce qui t'amène, par un temps pareil ?

— Malgré le temps bien maussade qui n'incite pas aux réjouissances en cette veille de Noël, je viens vous offrir mes meilleurs souhaits. Je vous transmets aussi les bons vœux de mon maître, le sieur Chaviot, ainsi que ces modestes présents, belles dames, ajouta Jacques, s'inclinant respectueusement devant les deux femmes.

— Donne-moi ton manteau tout trempé, je vais le suspendre au crochet de fer près du poêle.

— J'ai jamais vu un temps pareil le 24 décembre, ajouta Mathilde. Ça n'augure rien de bon pour demain.

— Ça ne durera pas, même que dame Cunégonde a vu, dans ses cartes, un hiver très rigoureux, confia le jeune homme, impressionné par le savoir ésotérique de la sorcière du village.

— Si c'est la veuve Nolan qui le dit ! commenta Adèle, un brin sceptique.

— On dit qu'elle ne se trompe pas souvent, affirma Jacques, convaincu des dons extraordinaires de cette femme mystérieuse. Dame Cunégonde communiquerait avec les esprits, dit-on, et comme elle ne fréquente pas l'église, on soutient qu'elle parle au diable. Dame Adèle, la connaissez-vous bien ? dit-il, soudainement pris d'inquiétude.

— Ce sont là des foutaises ! Cunégonde est une brave femme qui, par ses dons de voyance et de soigneuse, rend bien des services à ses semblables, et ce, sans rien demander en retour. Faut pas la craindre, rassurez-vous, jeune homme ; cette femme n'a jamais fait de mal à quiconque s'est approché d'elle.

— J'peux aussi en témoigner, confirma Mathilde. Dame Nolan a soigné mon frère Louis, l'an dernier, alors que les remèdes du docteur Généreux restaient sans effet ; les infusions qu'elle lui avait préparées l'ont guéri du mal des poumons.

— Vous me rassurez, mesdames ; mais si dame Cunégonde vivait en France, elle risquerait le bûcher.

— Dieu l'en préserve ! dit Adèle en se signant.

Jacques se rapprocha de Mathilde, prit des nouvelles de sa mère et déposa une boîte sur la table en s'adressant aux deux femmes :

— Voici une bonne pâtisserie que j'ai cuisinée en pensant à vous, chère Mathilde ; vous pourrez la partager avec votre famille au repas de Noël. Et pour vous, dame Adèle, un bon pain aux noix que vous offre monsieur Chaviot, avec ses bons vœux.

— Comment va sa dame ? s'informa Adèle, inquiète.

— Elle ne quitte plus sa chambre ; elle reste de longs moments assise devant la fenêtre, en marmonnant des phrases inintelligibles. Parfois, elle crie le nom de son enfant mort à la naissance. Ses cris sont terrifiants. Monsieur Chaviot affirme qu'elle est atteinte d'un mal que ne peut guérir aucun médecin.

— Elle aurait perdu la raison, la pauvre femme ?

— C'est ce qu'on raconte, confia le jeune homme, baissant le ton.

— Un bien triste Noël pour eux, ajouta Mathilde. Après avoir posé sa broderie, elle s'approcha de la table et admira le gâteau tout frais, magnifiquement décoré par l'apprenti boulanger.

— Vous avez du talent, m'sieur Jacques ! Vous auriez pas dû... c'est si beau ! Trop pour être mangé ! Et comment vous en remercier ?

— Moi aussi, je dois des remerciements à monsieur Paul-Henri, ajouta Adèle. Il faudra que je trouve la manière et le bon moment pour le faire. En attendant, présentez-lui mes hommages.

— Il vous apprécie beaucoup, madame Adèle. Vous êtes courageuse ; avec trois mômes à nourrir, vous ne manquez pas de vaillance !

— Monsieur Paul-Henri est un gentilhomme, y a pas à dire ! assura la cuisinière, un brin intimidée. J'vous offrirais ben un morceau de sucre à la crème, mais c'est jeûne jusqu'à minuit. Vous r'viendrez fêter avec nous demain, si vous êtes libre.

— J'dis pas non ! Merci, madame Adèle !

— Eh, les enfants, c'est maintenant l'heure d'aller au lit… comme tous les soirs ! rappela la mère sur un ton autoritaire.

— Laissez-nous encore un peu de temps, mère ; j'ai presque fini de sculpter la main de Jésus, protesta Baptiste.

— Tu termineras ça demain matin. Allez, ouste !

— Bonsoir, m'sieur, balbutièrent les trois enfants, mécontents de monter si tôt à leur chambre.

— C'est pour laisser les amoureux tout seuls, chuchota Pierre à l'oreille de son frère. Apportons nos affaires, on va continuer dans notre chambre.

Adèle monta à l'étage avec ses trois enfants pour les préparer à se mettre au lit. Mathilde, un brin intimidée par la présence du boulanger, écoutait les pas de son amie qui s'éloignait, la laissant seule avec le jeune homme. Quelques minutes plus tard, la prière du soir, récitée par les petits, « Oh bon Jésus… », montait comme une douce mélopée, rappelant à Mathilde que, sur l'autre rive, les enfants de sa famille priaient dans les mêmes mots et avec la même naïveté.

* * *

Quelque peu surprise par la présence inattendue de Jacques Foucault, qu'elle n'avait pas revu au manoir depuis la fête de la Saint-Martin en novembre, Mathilde reprit sa broderie, sans conviction, juste pour tromper son embarras de se retrouver seule avec lui. Elle ne savait que dire… Elle souhaitait ardemment le retour d'Adèle qui, le craignait-elle, les laisserait seuls. Son amie n'était pas du genre à jouer au chaperon…

— Vous semblez soucieuse, belle Mathilde. Vous vous inquiétez pour votre mère ?

— Ma famille me manque, et j'ai ben peur de passer mon premier Noël sans eux ; c'est trop risqué de voyager sur le fleuve à moitié dégelé.

— Mais votre présence à Berthier me réjouirait, Mathilde. Depuis novembre, je cherche l'occasion de vous revoir, et si vous êtes ici demain, j'accepterai l'invitation de dame Adèle… si vous le désirez, bien sûr !

— J'peux rien vous promettre, mon ami. Si le temps reste aussi doux, j'garde espoir que Jean-Baptiste ou mon père viendra m'chercher, tôt demain matin.

— Ce serait un si beau Noël si nous le fêtions ensemble ! Je pense à vous très souvent, confia-t-il, se rapprochant davantage.

Mathilde hésitait à répondre, ne voulant ni peiner ce brave garçon ni se montrer impolie envers lui.

— Jacques, vous êtes vaillant, aimable, de bonne compagnie, mais j'peux pas m'engager maintenant envers quelqu'un, même avec un bon parti comme vous.

— Nous pourrions nous voir plus souvent, faire des promenades ; je sais que vous aimez marcher sur les rives du fleuve, à l'heure grise, l'heure où la lumière s'en va, sans être tout à fait partie, et où la nuit arrive, sans être encore tout à fait là. Je pourrais vous accompagner et connaître davantage cette jeune femme qui habite mes rêves d'homme.

— Je partirai pour l'Île Du Pas aussitôt que le fleuve sera libre de glace et ne reviendrai qu'au retour des Cuthbert. Et j'ai peu de temps quand je travaille ici ; j'voudrais pas vous laisser trop d'espoir…

— Laissez-moi bercer mon rêve encore un peu, douce amie. Ne dites plus rien pour le moment. L'espérance est la rose de l'amour, je saurai vous attendre, ma mie.

— Vous parlez si bien ! J'suis très touchée par vos aveux, mon ami. J'sais que vous êtes bon, honnête et travaillant. Mes parents vous aimeraient comme leur fils, n'en doutez pas.

— Votre famille serait mienne, plaida l'amoureux, aussi candide que tenace.

— J'm'ennuie d'eux, j'espère pouvoir me rendre à la maison demain. Pour le moment, ma famille, c'est ce qui compte le plus dans ma vie. Est-ce que vous pensez encore souvent à la vôtre, laissée en France ?

— De moins en moins, et il ne me reste plus beaucoup de famille là-bas. Ma vie est maintenant ici et… avec vous, si vous acceptez que je vous voie plus souvent.

— Vous allez trop vite, mon brave Jacques. Ma mère me donne beaucoup de tracas, et j'commence à peine à travailler au manoir pour rapporter un peu d'argent à mon père, et…

— Promettez-moi de réfléchir à ma proposition. Je tiens à vous revoir, ma mie. Je me montre très raisonnable…

— J'vais y réfléchir, promis ! Et merci pour le gâteau ; j'le garderai au froid jusqu'à c'que j'parte pour l'Île Du Pas, demain, j'espère.

— Quelques jours plus tard, ça ferait mieux mon affaire, plaisanta-t-il en se levant. Vous permettez ?

Prenant la main de la jeune femme avec galanterie, sans lui laisser le temps de répondre, il y posa ses lèvres amoureuses, les yeux rivés sur ceux de Mathilde, troublée.

— Bonne nuit, ma douce. Vous êtes l'inspiration qui illumine mes rêves d'avenir, ajouta-t-il.

— Bonne nuit, Jacques. Merci encore pour votre agréable visite et pour le gâteau. Et joyeux Noël !

— Joyeux Noël, ma mie !

L'apprenti boulanger s'enfonça dans la nuit sombre, soulagé du poids des mots qu'il avait tant de fois ressassés dans sa tête et son cœur depuis l'arrivée de Mathilde au manoir des Cuthbert. Il avait tant rêvé de ce moment où les regards se cherchent, où les mots trop remplis d'amour et d'espérance trébuchent d'impatience devant l'inconnu. Il aurait aimé offrir à sa belle un diamant ou une pierre précieuse aux couleurs de cristal, ou une maison chaude et accueillante, ou même un voyage à l'autre bout du monde ; rien ne serait trop beau pour sa bien-aimée, mais le gâteau qu'il avait préparé en pensant à elle témoignait, à sa manière, de la ferveur de son amour. Satisfait, il sourit, emportant avec lui le souvenir de la voix, des lèvres charnues et rieuses, des yeux limpides et de la chaleur de la main de la jeune femme.

— Je vous aime, belle Mathilde ! clama-t-il à tue-tête dans la nuit profonde, où la nature endormie, seule témoin de sa passion, restait impassible devant son bonheur.

* * *

Mathilde resta longtemps devant le feu qui crépitait, analysant la confusion qui s'était installée dans son esprit depuis les déclarations inattendues de Jacques, le boulanger. La sécurité d'un amour avoué se heurtait à l'incertitude d'un amour pressenti, peut-être même illusoire : le connu affrontait l'inconnu. Le doute assombrissait son regard qui s'attardait sur la faible lueur des bougies qui s'éteignaient les unes après les autres. Après avoir ajouté une grosse bûche dans le foyer qui s'anima aussitôt, elle se dirigea, dans l'obscurité, vers sa chambre où le souvenir d'Henry se fit plus vif encore.

— Marie, mère de l'Enfant Jésus, où est ma route ? Je vous salue, Marie…

Elle s'endormit, recroquevillée comme une enfant dans le sein de sa mère, tenant précieusement sur son cœur le bijou qu'Henry lui avait offert en cadeau de Noël. Le délicieux gâteau de Jacques ferait-il le poids devant la pierre précieuse qui brillait secrètement à son cou ? Qui, de la fleur de lys ou de la rose rouge, embellirait sa vie de femme ?

***

Le matin de Noël, comme la plupart des habitants de la seigneurie, Jacques Foucault assista à la messe à l'église de Berthier ; il salua sa bien-aimée qui lui répondit par un bref sourire et un discret signe de la main. Dès que le curé Kerberio eut chanté l'*Ite, missa est*, des groupes se formèrent sur le perron de l'église où chacun se faisait un devoir de commenter le dégel inopiné qui causait déjà de sérieux inconvénients et obligeait les habitants à rester vigilants. Le souffle chaud du vent venu du sud semait l'inquiétude, et la montée des eaux du fleuve, qui osaient s'avancer tout près de l'église, léchant effrontément les quais et les banquettes de bois, attirait les curieux. Nulle trace de l'hiver ne subsistait ; il semblait avoir déclaré forfait devant le redoux inhabituel pour cette saison.

L'apprenti boulanger attendit en vain une invitation de la jeune femme qui le faisait rêver, mais elle le gratifia d'un sourire et prit aussitôt la direction du manoir avec Adèle et ses enfants. Mathilde gardait l'espoir de voir arriver son frère ou son père. Ils étaient braves et connaissaient bien le fleuve, ils viendraient… Pendant la messe de Noël, au moment sacré de la consécration, elle avait demandé cette grâce de Noël à l'Enfant-Dieu, ainsi que la Lumière divine pour éclairer sa route. Ses prières avaient été entendues, du moins la première. À l'heure où la Marie-Louise sonnait l'Angélus, Jean-Baptiste, tout joyeux, frappa à la porte de la cuisine du manoir.

— Entre, mon garçon, dit Adèle, enlève ton attirail et approche-toi de la table ; reste à manger avec nous. Vous partirez ensuite, car même si le jour est chiche le 25 décembre, le soleil se couchera pas avant quelques heures.

— C'est pas d'refus, madame Adèle.

— Comment se porte mère ? demanda Mathilde, inquiète.

— Elle en arrache, elle s'couche souvent pendant la journée. Elle s'plaint jamais, mais j'ai l'idée qu'elle a ben hâte que tu sois là.

— J'pourrai rester avec vous autres tant que les Cuthbert seront à Montréal. Pis en hiver, on sait jamais ben longtemps d'avance quand on pourra voyager. Ça s'peut que j'passe une partie du mois de janvier à la maison.

— Pis Sagawee pourra revenir aider mère. Maintenant qu'Angélique est partie, elle a pus d'aide.

Et jetant un regard furtif dans la pièce, il demanda :

— Thérèse est partie ?

— Elle est retournée chez ses pauvres parents, bien éprouvés cette année. Ils avaient plus besoin de sa présence que moi, précisa Adèle. Les maîtres partis, il y a moins de besogne icitte.

Mathilde adressa à son frère un sourire affectueux qui lui fit comprendre qu'elle avait deviné son intérêt pour la fille Valois, mais elle resta discrète, respectant les sentiments de Jean-Baptiste, qui aurait bientôt quinze ans et devenait peu à peu un homme.

Le copieux repas combla les appétits ; les garçons de Beauval, qui rechignaient habituellement devant les mois de privation imposée par l'Église, se trouvaient aujourd'hui rassasiés. C'était Noël, c'était fête, c'était l'abondance : finies les pénitences pour expier leurs peccadilles! Ils dégustaient avec gourmandise les pâtés au canard sauvage, le ragoût d'agneau longtemps mijoté, les beignes au sirop du pays et une épaisse tranche du pain aux noix offert par le boulanger Chaviot.

Adèle, satisfaite des compliments bien mérités, posa un regard affectueux sur sa marmaille et remercia le ciel du bonheur tranquille qui lui était donné. L'ombre de Jean de Beauval s'estompait au fil du temps. Adèle n'était pas femme à se plaindre de son sort, elle avait compris depuis longtemps qu'il était bien futile de perdre son temps à geindre sur les misères passées, et c'est avec foi et espérance qu'elle entrevoyait l'avenir des siens.

La cuisine rangée, Mathilde salua son amie et se prépara à partir.

— Prenez garde, conseilla la cuisinière, inquiète pour celle qu'elle considérait désormais comme une sœur. Voyager une journée pareille est un bien grand risque.

— Nous connaissons les caprices du fleuve. Aujourd'hui, y a pas d'risque, pas d'vent, pas d'vagues, m'dame Adèle; sans ça, j'serais pas venu.

— Au revoir, ajouta Mathilde, serrant son amie sincère dans ses bras.

— Que Dieu vous garde! Et prends bien soin de ta mère.

— J'm'occuperai de la maisonnée, crains pas.

— Allez, maintenant, avant que la nuit tombe.

Mathilde sortit du manoir et courut jusqu'à la rive, pressée de rentrer chez elle.

* * *

Jean-Baptiste hésita un moment quant à la route à suivre; il sonda les eaux froides, où traînaient ici et là quelques épaves de glace à la dérive, et il choisit de descendre le fleuve jusqu'à la

Bayonne, de contourner l'île aux Castors par la pointe est, pour ensuite remonter le courant jusqu'au quai, devant leur maison.

Les deux jeunes gens ramaient en mouvements cadencés, avares de paroles qui se perdaient dans le clapotis de l'eau figée. Leur chaloupe tranchait l'eau glaciale comme un couteau aiguisé et, bientôt, ils aperçurent les maisons de leur île, chaudes, accueillantes et animées. C'était l'après-midi de Noël, journée de festivités où les familles se visitaient, pendant que les chevaux attelés aux belles carrioles attendaient patiemment devant les logis, en mangeant l'avoine déposée dans un épais sac de jute, bien fixé à leur museau. Scène bucolique qui fit battre le cœur de Mathilde, fille de ces îles millénaires regroupées au milieu du fleuve infini.

Une chaleur bienveillante et des cris de joie accueillirent la jeune femme qui embrassa tout son monde avant de suspendre son manteau. Saluant ses parents, elle nota tout de suite les traits tirés de sa mère, enceinte depuis sept longs et pénibles mois, mais ne passa aucune remarque, de peur de l'inquiéter. « Que nous réserve cette année qui commencera dans quelques jours ? » se demandait Mathilde.

— Ton oncle Olivier et sa famille viendront souper avec nous. Marie est venue hier pour cuire les viandes et les pâtés. Si tu voulais préparer le gâteau de Noël, le repas serait complet, proposa Anne.

— Pas besoin d'me donner cette peine, j'en ai reçu un en cadeau.

— De tes maîtres ?

— Non ! Les Cuthbert nous ont offert un panier de provisions, mais le gâteau, c'est de l'apprenti boulanger, Jacques Foucault.

— Ton cavalier ? demanda Louis, un brin taquin.

— Grand curieux ! lança Mathilde, feignant l'indignation. Ce jeune galant est venu me rendre visite au manoir, hier soir, et m'a remis ce gâteau de Noël, spécialement décoré pour nous.

— Pour toi, tu veux dire, dit Jean-Baptiste en plaisantant.

— Peut-être ben… pis prends garde, si t'es pas gentil avec moi, t'en auras pas un seul morceau, rétorqua Mathilde, taquine.

Cette conversation n'échappa pas à Anne qui posa un long regard de tendresse sur sa grande fille devenue femme. « Quelle sera sa destinée ? » se demandait cette mère aimante, qui espérait une vie plus facile que la sienne pour chacun de ses enfants.

***

Les deux familles réunies, ce fut la fête : le repas était joyeux et animé, partagé dans la bonhomie et la tendresse. Ensuite, les plus grands jouèrent aux dés ou aux cartes, tandis que les plus jeunes s'amusaient à inventer des histoires farfelues avec des soldats de plomb et des personnages sculptés par Xavier. Mathilde offrit le sucre à la crème préparé par Adèle pendant qu'Antoine versait un petit verre de caribou à son beau-frère.

— Pis nous autres, qu'est-ce qu'on boit ? Un peu de vin de pissenlit ? proposa Marie.

— Il doit ben en rester encore un peu dans la cave. Louis, tu voudrais aller voir ? demanda Anne.

D'un verre à l'autre, d'un jeu à un autre, la soirée de Noël se termina par de grands éclats de rire sur des histoires quelque peu grivoises dont le sens échappait aux jeunes enfants qui bénéficiaient d'une veillée prolongée. Un grand privilège pour enfants sages seulement !

Lourde de la vie qui s'épanouissait en elle, Anne était fatiguée, et comme aucune position ne la rendait confortable, elle manifesta le désir d'aller se coucher.

— On partait, justement. J'vais atteler la jument, pis dans quelques minutes, on sera en voiture. Tiens, il neige ! remarqua Olivier en ouvrant grand la porte par laquelle s'engouffra un vent de tempête.

Le temps venait brusquement de changer, le vent glacé venu du nord faisait courir une neige fine et poudreuse dans les champs et les prairies. L'hiver était revenu pour de bon. Cette fois, il ne changerait pas d'idée et resterait jusqu'à Pâques.

* * *

Les jours suivants, Mathilde prit les rênes de la maison : lessive, cuisine, réparation et confection de vêtements pour la famille, tout devenait sa besogne, pendant que sa mère, toujours à bout de souffle, la secondait quand elle le pouvait.

Accablée du poids de l'enfant porté dans la douleur, Anne peinait de plus en plus à se déplacer d'une pièce à l'autre dans la maisonnette et ne pouvait plus sortir respirer l'air du large sur le rivage endormi. Elle suivait la course du temps en regardant par la fenêtre de la cuisine et voyait les pinces de l'hiver enserrer peu à peu le vaste pays. Souvent, des larmes emplissaient ses beaux yeux noisette, trahissant, bien malgré elle, sa souffrance et son angoisse. À trente-quatre ans, elle était encore belle, mais son corps éprouvé lui refusait les grâces de l'élégance et de la souplesse. Soumise aux dures et implacables lois de la nature, elle portait la vie, qui vampirisait sa propre vie et la grugeait petit à petit.

Tous ces signes de fatigue et de tristesse n'échappaient pas à l'attention de Mathilde, qui usait de tous ses talents pour adoucir les tourments de sa mère. Elle souriait souvent et faisait rire les enfants en leur racontant toutes sortes d'aventures ; elle les épatait en leur lisant des histoires dans des livres prêtés par Adèle et jouait avec eux.

Elle portait une affection toute maternelle au fragile Firmin, qui semblait ressentir dans son propre corps les souffrances de leur mère, à qui il ressemblait tant. Mère et fils partageaient la même essence spirituelle et la même sensibilité devant les événements de la vie. Des traits délicats, presque féminins, le distinguaient de ses frères plus costauds, et son visage de garçon de dix ans, animé par de grands yeux expressifs, couleur de châtaigne, s'attristait ou resplendissait selon les émotions qui le submergeaient. Affectueux, réservé et vulnérable, il savait se faire aimer ; son sourire timide le rendait sympathique.

Anne lui avait toujours voué un attachement très particulier, comme si des liens invisibles les unissaient malgré le temps, depuis l'irréalité du monde secret des âmes. Mystère insondable des esprits qui se glissaient d'une génération à l'autre, par la vie qui se transmettait dans la souffrance, conjuguée à la joie indicible de faire une œuvre unique de création.

— Mère, vous êtes bien songeuse, s'alarma Mathilde. Vous avez mal ?

— Juste des élancements dans le bas du dos, mais j'suis si pataude dans mes mouvements que j'me demande comment j'ferai pour porter cet enfant jusqu'à son terme.

— Tante Marie suppose que vous vous êtes trompée dans le calcul des mois avant la délivrance. Et si ce petit arrivait plus tôt ? C'est possible, ça ?

— Le docteur Généreux pense ben qu'il s'montrera pas le bout du nez avant la fin de février. Encore ben des semaines…

— J'resterai avec vous, tout le temps qu'il faudra. Les Cuthbert comprendront la situation. Pis en hiver, les travaux sont moins importants, Adèle pourra demander l'aide de Thérèse, si elle a besoin.

— Cette Thérèse, c'est cette pauvre enfant qui a été brûlée par le feu qui a détruit la maison de sa famille ?

— C'est ben d'elle que j'parle. Le feu a aussi emporté son grand frère et le bébé. Elle vient souvent nous aider quand la besogne augmente.

— Dis donc, ma fille, parle-moi un peu de ce jeune homme qui t'a offert le bon gâteau. T'en as pas beaucoup parlé.

— J'en sais peu de choses. Jacques Foucault est arrivé à Berthier l'an dernier, peu de temps après Adèle. Né en France, il était soldat dans les troupes françaises et il a été blessé pendant le siège de Québec. Il a décidé de rester en Nouvelle-France après la guerre. Le boulanger Chaviot l'a engagé comme apprenti.

— Il te plaît ?

— Il est gentil, drôle, habile et bon travaillant. Il me semble aussi être un homme de parole.

— De bien belles qualités pour un prétendant ! Est-ce qu'il t'a fait des propositions sérieuses ?

— Un genre de déclaration d'amour, j'pense. Il parle bien et trouve de jolis mots pour exprimer ses sentiments. Il était ben déçu que j'parte pour quelques semaines ; il m'a fait des compliments bien tournés et souhaite me revoir pour qu'on fasse davantage connaissance. J'pense ben que j'lui plais.

— Tu vas accepter d'le fréquenter ?

J'sais pas encore, j'suis trop jeune pour penser me marier, et vous avez encore ben besoin de moi.

— C'est à toi que tu dois d'abord penser, ma fille. Et cet Anglais qui rôde autour de toi ?

— Écossais, mère, pas Anglais. Henry ? J'sais pas encore…

— Suis l'chemin de ton cœur, ma fille. Ta cousine est partie avec celui qu'elle aimait, même si elle savait que ses parents désapprouvaient cette alliance.

— Henry ne m'a encore fait aucune proposition, mère. Il est gentil avec moi, me protège des moqueries de Julia, m'a secouru quand l'inconnu s'en est pris à moi, mais il n'a jamais dit clairement qu'il m'aimait. De plus, il fréquente assidûment une jeune femme de son riche milieu, qui attend sa demande en mariage, et Julia s'est juré de gagner son cœur, alors… J'veux pas me faire accraire qu'il pourrait m'aimer sincèrement, trop de

Canadiennes se sont fait prendre à ce jeu de la séduction et pleurent aujourd'hui.

— J'ai cru lire l'amour dans ses yeux posés sur toi quand il venait presque chaque jour porter des provisions jusqu'ici, alors que Jean-Baptiste aurait pu les prendre au manoir. J'pense pas m'tromper. Mais toi, penses-tu à lui ?

— Je m'en voudrais de vous mentir. Oui, il habite mes pensées, parfois je rêve de vivre avec lui, même s'il me demandait de le suivre au bout du monde.

— Si tu partais loin d'nous, j'en aurais le cœur brisé, le reste d'la famille aussi, mais si c'était là ta destinée, j'te donnerais ma bénédiction. J'ai insisté auprès de ton père pour que tu ailles travailler chez les Cuthbert, pour que tu connaisses une autre vie que la nôtre, que tu voies d'autres horizons que les îles.

— Rassurez-vous, mère, j'suis pas encore prête à m'en aller, ni avec le Français ni avec l'Écossais.

— Quand le choix se présentera à toi, laisse parler la voix de ton cœur qui te trompera pas. Regarde les chemins devant toi et prends celui qui est l'tien, et même s'il est parfois difficile, si t'es sur la bonne route tu trouveras tout ce qu'il te faudra pour arriver au bout et partager le bonheur avec celui qui t'aimera.

— Et votre choix à vous, il était le bon ?

— Pour sûr ! J'aime Antoine, il est généreux, responsable, bon catholique, sobre, j'pouvais pas demander mieux ! Mais ma vie est parfois si difficile ! J'voudrais tant t'éviter tout ça, et à Marguerite aussi.

— J'sais qu'vous souffrez ces temps-ci, mais quand l'petit sera arrivé, après les relevailles, vous retrouverez ben votre joie de vivre !

— Et ça recommencera au prochain petit... Tu es belle et intelligente, suis une route plus facile qu'la mienne, avec Jacques ou Henry, peu importe, mais choisis celui vers qui ton cœur te conduira. J'te donne pas souvent de conseil, ma fille, mais celui-là engagera toute ta vie de femme. Y a tant de mariages de raison, de veufs et de veuves qui se mettent en ménage pour accommoder les familles, évite ce piège et n'obéis qu'à tes sentiments.

— Merci, mère. J'ai peur devant l'inconnu… Comment reconnaître l'amour ?

— Tu le sais déjà, j'le vois dans le tremblement de ta voix quand tu parles de lui…

Voulant éviter d'aller trop loin dans les confidences, Mathilde garda pour elle seule le secret du coûteux présent offert par Henry et proposa à sa mère d'aller se reposer.

— C'est bon. Tu m'le diras quand la brunante arrivera, j'viendrai t'aider à préparer l'repas. J'vais m'reposer un peu.

*　*　*

Jamais Mathilde n'avait échangé de tels propos avec sa mère. Aurait-elle ainsi conversé avec Anne si elle n'avait jamais quitté l'Île Du Pas, ni rencontré d'autres personnes, ni vécu des expériences nouvelles, ni éprouvé ces sentiments étranges ? Aura-t-elle sa force et son courage si la vie la mène sur une route difficile ? Saura-t-elle, comme sa mère, porter la vie, au risque de sa propre vie ? Au fil des confidences échangées, Mathilde venait de découvrir en sa mère une femme aux prises avec ses contradictions, ses obligations, ses désirs et ses rêves envolés. Une femme-mère.

24

*T*out le temps que dura l'absence des seigneurs, Adèle de Beauval et Guillaume Piet prirent grand soin de la seigneurie ; leurs journées, moins remplies, leur laissaient toutefois le temps de se reposer et de s'amuser. Le manoir retentissait des rires des trois enfants d'Adèle, qui ne se lassaient pas de dénicher des trésors oubliés dans la maison désertée.

Le grenier, derrière la grosse trappe, les intriguait, et Adèle leur permit, pour la première fois depuis leur arrivée au manoir de Berthier, d'y monter, à la condition que leur sœur aille avec eux et qu'ils veillent sur elle. Les garçons ne se firent pas prier et, après avoir placé une chaise sur la table de la cuisine, ils se hissèrent, l'un à la suite de l'autre, dans la pièce secrète, alors que Geneviève, plus craintive, attendit que ses frères aient fait une première reconnaissance des lieux avant de s'y aventurer à son tour.

À pas feutrés, comme pour ne pas déranger tous les fantômes qui hantaient la place, ils inventoriaient tous les objets anciens qui encombraient les combles. Ils ouvraient de vieilles malles, en sortaient les vêtements sagement repliés et les chapeaux oubliés. Au fond de la pièce, cachés sous une épaisse peau de fourrure, une perruque poussiéreuse, un berceau défoncé, un petit lit de plumes, des hardes faites, probablement oubliées par le sieur Jean-Baptiste Courthiau, des habits militaires de la mère patrie, des tentures à demi déchirées, des meubles inutiles, quelques peintures écaillées…

Tous ces objets hétéroclites nourrissaient leur imagination fertile et, déguisés en pirates, en seigneurs ou en coureurs des bois, ils s'inventaient des histoires invraisemblables. Par des jeux innocents et des fous rires contagieux, avec la complicité de leur mère, ils se fabriquaient des souvenirs pour les années à venir. Ces découvertes comblaient de joie les enfants intrépides qui exploraient, avec audace, ce coin mystérieux du manoir. Oh ! surprise, tout juste avant de redescendre, Geneviève dénicha une pile de livres vieillots, entassés sous une table bancale.

— Mère, venez voir, des livres de France ! lança la fillette.

Adèle, aussi fébrile que ses enfants accroupis devant ce trésor négligé, les rejoignit en riant. Tout à leur ivresse, ils en oubliè-rent l'arrivée prochaine des maîtres, et la course enlevante du cheval fougueux, qui remontait le sentier entre le fleuve et le manoir, passa inaperçue. C'est le bruit sonore et familier des bottes que l'on secouait vigoureusement pour se libérer de la neige, en montant sur la galerie, qui les ramena à la réalité.

— Doux Jésus ! s'exclama Adèle. Ils sont déjà de retour !

— Tout le monde dort, ici ? Il y a quelqu'un ? appela Henry qui entrait dans la cuisine déserte en secouant son manteau tout blanc de givre.

— Je ne vous savais pas si près, *Mr* Henry, s'excusa la cuisi-nière, ajustant son tablier.

— Je suis venu en éclaireur, accompagné d'un militaire qui est à l'écurie. Les seigneurs nous suivent, ils seront bientôt ici. Mon beau-frère James demande que les chambres soient réchauffées et le repas, prêt. Vous êtes… seule ? demanda le jeune homme, hésitant.

— C'est Mathilde que vous cherchez ? Elle est encore à l'Île Du Pas, sa mère a besoin d'elle, mais Thérèse est au manoir. Elle m'aidera à faire le nécessaire. Rassurez-vous, tout sera prêt à temps.

Déçu, Henry tourna les talons et sortit à la rencontre de l'intendant, Guillaume Piet. Les deux hommes échangèrent quelques informations et préparèrent l'écurie pour l'arrivée des chevaux. Peu bavard, Henry aida le palefrenier, pendant que les deux servantes s'affairaient, laissant les enfants, retirés dans la grande chambre des garçons, faire l'inventaire de leur précieux trésor.

— Tiens, pour toi, Geneviève, ces rubans et ce chapeau de paille, on n'a pas besoin de ça, c'est pour les filles, pas vrai, Pierre ? décréta Baptiste, tout heureux de son initiative.

— Mère en fera un très joli chapeau, s'exclama l'enfant, tournoyant sur elle-même, agitant les rubans qui volaient comme des ailes d'ange autour de sa tête blonde.

Fébriles comme des corsaires découvrant la caverne d'Ali Baba, les trois enfants se partagèrent le butin démodé dans les rires et la bonne entente. Les bras chargés, Geneviève regagna sa chambrette avec ses trésors, tandis que ses frères rangèrent précieusement, sous la paillasse, le fruit de leurs découvertes. Ils se sentaient les rois du monde, fabuleusement riches d'objets tout aussi précieux qu'inutiles.

* * *

L'arrivée imminente de la nuit se devinait aux nuances délicates que diffusait la lumière sur les franges découpées des nuages que le soleil fatigué enjolivait de pâles dorures. En cette fin d'après-midi de janvier, le cocher immobilisa enfin le traîneau surchargé qui amenait la seigneuresse jusqu'à la porte principale du manoir. La jeune femme, soutenue par son mari, en descendit et contempla un moment son *home*, à l'heure magique où le soleil glissait lentement sous la ligne d'horizon, barbouillant le couchant de larges bandes orangées, roses et mauves.

— Que c'est magnifique et calme, James, *my love* ! Vous faites de moi la plus heureuse des femmes, chuchota Catherine à l'oreille de son époux, qui l'accompagna jusqu'à la porte du manoir seigneurial.

Le bonheur les y attendait.

La jeune femme, appuyée sur son mari, se dirigea vers le salon où pétillait le feu. Empressée autour de sa maîtresse, Julia veillait à assurer le confort et le repos de cette dernière après ce long et harassant voyage.

— *Mrs* Catherine, désirez-vous vous reposer dans le salon ou dans votre chambre ?

— Si le foyer de notre chambre est allumé, je préférerais aller y dormir pendant que les hommes s'occupent des chevaux et des bagages.

— Bien, *Mrs* Catherine. Vous saluerez les domestiques plus tard.

— Vous avez raison, nos serviteurs s'interrogeraient devant mon air fatigué. Aidez-moi à me mettre au lit, je vous prie.

Les chevaux séchés, brossés, abreuvés et nourris, les hommes déchargèrent les traîneaux, déposant les lourds colis bien emballés dans la cuisine déjà encombrée de marmites bouillantes. Des mises en garde furent lancées afin de prévenir les chutes sur la neige fraîchement tombée qui transformait le plancher de bois de la pièce en patinoire. Les deux domestiques ne suffisaient pas à éponger toute cette eau qui dégoulinait des boîtes ficelées et des bottes mouillées.

— Quel gâchis ! fulmina Adèle, qui voyait le plancher de *sa* cuisine bien entretenue tout souillé de neige fondue. Ils ont acheté la ville tout entière, parbleu !

— Une petite cachotterie pour nous, peut-être ? reprit Thérèse en s'esclaffant, perdue parmi tous les colis.

Peu à peu, les bagages furent rangés dans les chambres principales, dans celle d'Henry et celle de Julia. En remisant ses achats dans la vieille armoire qui occupait un coin de sa modeste chambre, l'Anglaise était ravie d'en mettre plein la vue aux autres domestiques. À peine était-elle rentrée au manoir de Berthier que Julia s'ennuyait déjà du luxe de la ville, des riches demeures des marchands anglais où, accompagnant sa maîtresse, elle avait pu admirer l'élégance et le raffinement de la noblesse qui s'installait peu à peu dans la colonie récemment conquise. Elle songea même un instant à changer de maître, mais au manoir de Berthier-en-Haut, elle vivait tout près du capitaine Henry Cairns… Elle se devait d'y rester.

* * *

La cloche du manoir annonça le service du repas du soir, où *Mrs* Catherine se présenta, souriante et reposée, vêtue d'une longue robe de laine marron, les cheveux tressés sur la nuque. Elle avait faim et, au grand plaisir de James, elle dégusta l'appétissant repas préparé par la cuisinière normande, dont les talents culinaires étaient appréciés de tous. Un canard, servi sur un plateau garni de légumes cultivés sur les terres seigneuriales, combla l'appétit des voyageurs, laissant peu de place au gâteau renversé aux pommes et aux noix, produits de la seigneurie et cueillis, l'automne dernier, par les enfants d'Adèle. James était ravi d'une telle abondance et, volubile, il s'informa, auprès des servantes, des événements survenus pendant leur séjour à Montréal.

Henry écoutait distraitement, inquiet de l'absence remarquée de Mathilde. Il apprit, par Thérèse, qu'Anne éprouvait de plus en plus de difficulté à porter l'enfant qui risquait de naître plus tôt que prévu. Craignant de ne pas revoir Mathilde bientôt, il songea à lui rendre visite dès le lendemain. Il souhaitait tellement retrouver le sourire, la douceur, la force discrète et la présence apaisante de celle qui n'avait pas quitté ses pensées pendant tout son séjour à Montréal. Silencieux et pensif, il restait indifférent aux bavardages échangés entre Catherine, de nouveau enjouée, et son mari, rassuré sur la santé de sa femme.

— Monsieur Piet souhaite profiter du grand froid pour couper les blocs de glace sur la Bayonne. Pourras-tu nous aider demain ? proposa James à son beau-frère, le tirant de sa rêverie.

— Hum… tu peux compter sur moi. Ce sera ma première expérience, mais les hommes de ce pays savent comment s'y prendre ; je les observerai et suivrai les consignes du brave Guillaume. Quand cette corvée sera terminée, je dessinerai une belle aquarelle rappelant cette scène d'hiver ; je l'offrirai ensuite à la future maman qui en décorera son petit salon, ajouta-t-il en taquinant sa sœur.

— Merci, *dear brother*, ajouta Catherine en lui souriant.

***

Depuis les premiers jours du mois de janvier, le froid se faisait si vif et si mordant que la nature inerte se désolait, perdue dans son immobilité. Le vent tenace, venu du nord, régnait comme un maître cruel et tyrannique sur les couleurs argentées des paysages gelés et dominait la lumière crue du jour. La ligne d'horizon, qui avait perdu ses repères dans la blancheur éclatante, ne savait plus faire la différence entre la terre et le fleuve. Tout se confondait sous l'emprise de la morsure de l'hiver canadien.

Dès que l'aube fit place au jour, les chefs de familles, armés de pics, de scies et de gaffes, se dirigèrent avec leurs traîneaux vers la rivière, où l'intendant vérifiait l'épaisseur de la glace avec une verge destinée à mesurer les longueurs. Quand il fut certain de l'endroit où la glace était la plus épaisse, il divisa les hommes en équipes selon leurs compétences et, surtout, leur expérience, car il arrivait trop fréquemment que l'un d'eux glisse dans l'eau glacée et périsse emporté par le courant. Guillaume Piet agit en homme averti et confia une tâche à chaque personne.

Le découpage des blocs de glace, conservés dans le bran de scie et réservés pour la conservation des aliments, était un travail dangereux et difficile ; seuls les hommes les plus habiles se rendaient sur la rivière pour tailler la glace, les autres s'occupaient du chargement et du transport, sous le commandement d'Henry.

— Par ici, monsieur Valois. Un peu plus à gauche… C'est bon, l'encouragea Henry, continuez…

Les cris fusaient de part et d'autre, les chevaux patients tiraient à hue et à dia, tandis que les hommes besognaient en lents mouvements rythmés, engourdis par le froid mordant. Cuthbert participait aussi à la corvée afin de garnir les grandes chambres froides où étaient conservées les réserves pour l'hiver.

— *Stop!* ordonna James.

Pressentant un danger imminent, il se précipita vers le forgeron Jos Matton qui forçait son cheval à remonter sur la rive.

Trop tard, la bête s'effondra, et le traîneau lourdement chargé la percuta, lui fracturant une patte. L'animal se débattait dans la neige et, aidé par les hommes, tentait désespérément de se lever, mais c'était peine perdue, la blessure était trop grave pour qu'il puisse être sauvé. Le forgeron dut se résigner à perdre son cheval, mais ne put l'abattre lui-même : il n'avait plus de fusil. Comme tous les autres Canadiens, il avait dû, à la capitulation, en 1760, obéir aux ordres du général Amherst et se résigner à déposer les armes. Il s'était soumis.

Le pauvre forgeron, chaviré, demanda au seigneur de mettre fin à l'agonie de son cheval. James sortit son arme sur-le-champ et tira une seule balle dans la tête de la pauvre bête affolée ; un coup sec qui aviva les plaies encore vives de ceux qui avaient récemment combattu les Anglais. Interrompant leur travail, ils restèrent silencieux un long moment et, au signal de James, ils transportèrent la bête près de l'atelier de Jos Matton, qui la dépeça et partagea les pièces de viande avec les membres de sa famille. Dans la colonie, rien ne devait se perdre.

Les hommes n'avaient plus le cœur à la besogne ; la mort brutale d'un cheval, un bien si précieux pour les colons, les attristait. La bonne humeur qui égayait leur dur labeur, ce matin, s'était transformée en silence gêné. Chacun gardait ses pensées pour lui-même, maugréant contre le mauvais sort.

— Ça aurait pu être ben pire ! confia l'habitant Baptiste Gervais à Henry. V'là deux ans, c'est le père Gauvreau qui a péri sous la glace, personne a pu empêcher ça !

— Cette corvée est un travail très dangereux, rappela le capitaine, impressionné par la vaillance et l'habileté des hommes de ce pays, qui s'adaptaient avec courage à leur vie difficile.

— Pis chaque année, y en a qui en profitent pour s'esquiver comme des poltrons ; j'dirai pas qui, j'veux pas manquer à la charité chrétienne, marmonna le meunier Casaubon, mâchouillant la pipe qu'il venait d'allumer.

— Nous sommes assez nombreux aujourd'hui, le travail avançait rondement jusqu'à ce malheureux accident. Tiens, déjà la mi-journée, annoncée à grands coups de cloche qui sonne l'heure du repas et du repos pour tous ; allons manger. On reprendra la corvée dans une heure, prévint l'intendant, perdu dans le frimas tout blanc, et que les hommes peinaient à reconnaître.

Tout l'après-midi, la corvée se poursuivit ; les hommes faisaient la procession d'une maison à l'autre, avec les traîneaux chargés de lourds blocs transparents et glacés. Juste avant le dernier chargement, Guillaume Piet estima qu'il faudrait encore une ou deux autres journées de labeur afin de pourvoir chaque habitant de cette précieuse et indispensable glace.

***

— Vous semblez fatigués ce soir, remarqua Catherine en s'adressant aux deux hommes attablés devant leur bol de soupe aux pois.

— Le découpage de la glace est un travail très dur, surtout qu'il fait si froid en ce pays, rappela Henry. Et nous n'avons pas encore terminé cette dangereuse corvée.

— On m'a dit qu'une bête a été tuée ? s'enquit la seigneuresse, s'adressant à son mari.

— Un bête accident, le cheval du forgeron s'est blessé, et j'ai dû l'abattre.

— Horrible ! Je suis désolée.

— Impossible de le sauver, la fracture de sa patte était trop importante, et il souffrait beaucoup. *Sorry, my love !* soupira James, connaissant l'intérêt que sa femme portait aux animaux.

La conversation familière autour de la table se poursuivit auprès du feu, qui réchauffait les hommes encore transis de froid, mais rapidement elle se noya dans l'indifférence, perdue entre la fatigue de James et la nostalgie d'Henry, qui ne songeait qu'au moment où il pourrait enfin s'échapper pour rendre visite à Mathilde, vers laquelle tendait son être tout entier.

Ce soir, plus que jamais, il la désirait sans autres raisons que ce qu'elle était et ce qu'elle deviendrait. « Elle n'est peut-être pas la femme la plus jolie que j'aie connue, mais c'est la seule, l'unique. *Dear* Mathilde, je vous aime. Il faut que je lui dise… je vous aime, songeait-il, le regard rivé sur les flammes qui dansaient. Pourquoi cette Canadienne hante-t-elle ainsi mes pensées et habite-t-elle mes rêves ? Son assurance tranquille, sa fidèle amitié avec Adèle, sa tendresse quand elle s'occupe des enfants, son regard franc et enjoué, son indépendance, sa fierté… En la voyant la première fois, un dimanche d'été, j'ai su que c'était elle que j'attendais, aucune autre… »

— Tu es bien silencieux, observa Catherine. Tu es trop fatigué pour jouer aux cartes avec moi ?

— Pas ce soir. Je dois sortir, chuchota Henry à l'oreille de sa sœur. Secret, *please* !

— *Understand !* sourit la jeune femme, complice de ces amours naissantes.

25

*U*ne lune ronde et éclatante illuminait la route balisée qu'empruntait le capitaine Cairns, chaussé de raquettes avec lesquelles il marchait maintenant avec aisance. Il était partagé entre le bonheur de revoir Mathilde et la crainte d'être déçu. La cour discrète mais assidue que faisait l'apprenti boulanger à la servante du manoir ne lui avait pas échappé : il avait maintenant un rival, sûrement plus acceptable que lui aux yeux d'Antoine… lui, l'ennemi ! Et cette jeune femme, aux manières simples, très attachée aux siens, tissée de la fibre de ce pays, existait par elle-même, indépendante et libre ; elle n'avait pas besoin de son amour ni de sa protection pour s'épanouir et être heureuse. Était-ce surtout pour cela qu'elle l'attirait tant ?

Doutant de lui-même, il pressa très fort contre lui le manuel de géographie qu'il allait lui offrir. Tourmenté, il entendait les battements de son cœur, qui n'avait jamais battu aussi fort, même quand la séduisante Esther usait de son charme, susurrant à son oreille des poèmes ou des paroles douces et invitantes. Il réalisait maintenant qu'il ne s'agissait alors que d'un jeu innocent mené entre adultes consentants. Il analysait diverses fantaisies amoureuses qu'il avait connues au cours des dernières années, mais il dut admettre que les sentiments qu'il éprouvait pour Mathilde ne souffraient aucune comparaison : jamais une aventure galante n'avait su éveiller en lui une telle passion, un tel désir. Que lui arrivait-il ?

La distance entre le manoir et la maison des Guillot, faiblement éclairée, fut rapidement parcourue, mais il hésitait à frapper à la porte, à cette heure quelque peu tardive, craignant de se montrer importun. Il avait presque envie de rebrousser chemin quand il vit le père et l'aîné des garçons sortir de l'étable.

— Bonsoir, monsieur Guillot, Jean-Baptiste. Comment se porte votre femme, dame Anne ?

— Pas très bien ; entrez, elle est pas encore couchée.

— Je ne voudrais pas vous déranger.

— Faites pas tant de manières et entrez, monsieur l'Anglais, répondit sèchement Antoine.

Henry se garda bien de relever ce commentaire blessant et entra à la suite des hommes.

— V'là de la visite, ma femme. Monsieur Henri, prévint Antoine, accentuant volontairement la prononciation française du prénom d'Henry.

— Venez et enlevez votre capot, dit Anne sans se lever, de plus en plus gênée par le poids de l'enfant.

— Dame Catherine s'inquiète de vous, madame Anne. Elle demande si elle peut faire quelque chose pour vous aider.

— P't'être ben me laisser ma grande fille au moins jusqu'à la naissance du petit. Chus pus ben ben capable de m'occuper de ma famille.

— Je comprends, madame. Ma sœur pourra demander l'aide de Thérèse pour remplacer Mathilde, dit-il, cherchant des yeux la jeune femme jusque-là invisible. Elle… n'est pas ici ?

— Elle est dans la chambre avec les petits, qu'elle est allée endormir. Ils aiment bien quand elle leur raconte une histoire. Elle va leur manquer quand elle retournera au manoir, souligna Antoine avec dépit.

Il tira sa chaise près du poêle et, de façon inhospitalière, il tourna le dos à Henry, sans le prier de s'asseoir avec eux.

Le capitaine Cairns, embarrassé par le ton inamical du père de famille, ne savait comment réagir. Debout près de la porte, il attendait qu'on l'invite. Mais l'arrivée de Mathilde, qui descendait lentement l'étroit escalier, lui redonna courage.

— Bonsoir, Henry. Vous êtes de retour depuis quelques jours ? Prenez une chaise, à la chaleur, près du poêle, et racontez-nous votre long séjour à Montréal, proposa la jeune femme.

Henry relata brièvement leur voyage à Montréal, en passant sous silence le fait que la seigneuresse attendait un enfant.

Le capitaine, reprenant de l'assurance, se leva et se dirigea vers la table où il déposa les cadeaux qu'il avait apportés pour chacun des membres de la famille Guillot.

— Ces chocolats aux amandes sont pour vous, dame Anne ; et pour vous, monsieur Antoine, du tabac cultivé dans nos colonies du Sud, la Virginie. Pour toi, Jean-Baptiste, un ruban à mesurer.

— En mesure anglaise ou de notre vieux pays ? demanda Antoine, maintenant un peu plus amène.

— Il indique les deux, monsieur Guillot ; français d'un côté, équivalent anglais de l'autre.

— Ce sera ben utile, m'sieur, dit Jean-Baptiste, un brin gêné de tant d'attention.

Voyant se rapprocher Louis et Firmin, curieux de voir s'il avait aussi pensé à eux, Henry les fit attendre un moment avant de sortir une flûte et un soldat de plomb de sa besace.

— Je ne peux deviner ce qui plaira à l'un ou à l'autre, alors vous choisirez vous-mêmes ou vous les utiliserez chacun votre tour, suggéra le visiteur.

— C'est trop de bonté, *Mr* Henry. Vous auriez pas dû.

— Ma famille manque de rien, monsieur, ajouta Antoine, quelque peu humilié de recevoir des cadeaux de « l'ennemi ».

— Père veut dire que nous avons reçu des étrennes en fêtant le jour de l'An, corrigea Mathilde, gênée de l'attitude peu amicale de son père.

Feignant d'ignorer le commentaire acerbe d'Antoine, Henry continua sa distribution de cadeaux.

— Je trouvais ces objets si pratiques que j'ai cru bon vous les offrir. Et je n'ai pas oublié les deux derniers qui, je vois, sont déjà au lit. Pour Marguerite, des crayons et des feuilles pour dessiner, et pour Nicolas, ce petit cheval de bois. J'aurais aimé trouver une poupée de porcelaine pour votre sœur, mais je ne suis pas très patient dans les boutiques ; je demanderai à Catherine de lui en acheter une quand elle retournera à Montréal ou à Québec.

— Donnez-vous pas tant de peine, capitaine, trancha Antoine.

— Merci, *Mr* Henry, ajouta Anne. C'est ben d'bonté de votre part.

Le militaire, mal à l'aise, remit ces présents à Mathilde, gardant un bref instant sa main dans la sienne ; le regard brillant d'amour de l'Écossais cherchait à captiver celui de la Canadienne. Moment volé, moment d'intensité.

— Vous les leur donnerez demain, *please* ?

— J'y manquerai pas ; ils seront très contents, soyez assuré. Merci, Henry.

— Et pour vous, maintenant que vous savez lire, j'ai trouvé ce manuel de géographie. Voyez, votre Île Du Pas est ici, et la seigneurie, juste en face, et voici Montréal. Là, en descendant le fleuve, c'est Québec, précisa Henry.

Penché au-dessus de Mathilde qui feuilletait le précieux livre déposé sur la table, il ferma un instant les yeux pour mieux s'imprégner de l'odeur de ses cheveux nattés qui se balançaient nonchalamment sur sa nuque. Il retint un geste, il était trop tôt…

— Où est votre pays, *Mr* Henry ? s'informa Jean-Baptiste, intrigué par ces dessins et ces mots qui lui étaient étrangers.

Tournant les pages du manuel de géographie, Henry repéra rapidement les pays d'Europe et lui montra l'endroit où se trouvait l'Écosse.

— C'est d'ici que nous venons, ma sœur et moi ; mon beau-frère, James, est né là-bas, un peu plus loin, près de la rivière Ness, qui coule vers la mer, comme votre grand fleuve. Vous voulez voir la carte de la France ?

Curieux, Antoine se rapprocha pour mieux voir où se trouvait le pays d'où étaient partis ses grands-parents.

— La France est à l'est de l'Angleterre, et vos ancêtres sont presque tous venus de l'ouest de ce pays ; ils ont embarqué à La Rochelle ou dans les ports de Bretagne ou de Normandie. Voyez ici, sur cette carte, c'est le port de Brest, plus au nord, là où j'ai été fait prisonnier et où j'ai appris à parler votre langue.

Ébahis par les propos du capitaine qui avait voyagé si loin de leur île, les garçons le questionnaient ; ils écoutaient avec grand intérêt les réponses précises d'Henry, ils en oublièrent même de le remercier pour les cadeaux reçus. Et Antoine, trop fier pour laisser deviner sa curiosité, ne perdait pas un mot des informations fournies par Henry, tout en observant silencieusement Mathilde et l'Écossais, déjà complices et familiers, comme s'ils se connaissaient depuis toujours. Les regards qui s'attardaient, les sourires qui se glissaient, les gestes retenus ne le trompaient pas, et ce qu'il voyait ne lui plaisait pas du tout.

Une plainte étouffée, venue du fond de la cuisine, interrompit la conversation, et Mathilde accourut auprès d'Anne qui tentait de maîtriser sa souffrance.

— Mère, vous avez mal ?

— Il bouge toujours ce p'tit-là et il me vrille le dos. Y va être costaud, pour sûr, celui-là. T'inquiète pas, ça va mieux déjà, dit Anne pour la rassurer, les yeux remplis de larmes. Ça va…

Henry était troublé de voir souffrir cette femme à laquelle il vouait respect et admiration ; il se sentait inutile et impuissant.

— Voulez-vous que je demande au docteur Généreux de vous rendre visite demain ? proposa Henry en se levant.

— C'est pas encore le temps de la naissance, mais s'il vient aux îles prochainement, ça s'rait pas d'refus qu'y arrête, dit Antoine un peu plus aimable.

— Comptez sur moi, j'irai tôt demain matin, avant la corvée de découpage de la glace. Avez-vous commencé vos réserves, monsieur Guillot ?

— Pas encore, on manque d'hommes. Mais ça devrait pas tarder.

— Je dois partir maintenant, il se fait tard. Prenez bien soin de votre mère, Mathilde ; j'informerai ma sœur, la seigneuresse, que vous resterez auprès de votre famille encore quelques semaines. Bonne nuit.

— Merci, m'sieur ! lancèrent les trois garçons, tout heureux de cette soirée riche en événements inattendus.

* * *

La lune voyageuse s'était déplacée et trônait maintenant au-dessus de la pointe ouest de l'Île Du Pas, dessinant une auréole dorée sur le faîte des grands arbres dénudés. Quelques nuages moutonnaient en se bousculant devant l'astre impassible, formant des ombres bleues qui dansaient entre les branches dégarnies sous la poussée d'un vent capricieux et imprévisible. Cette belle nuit d'hiver habitée d'étoiles, mystérieuse et impénétrable, chavira le cœur troublé d'Henry et embrouilla son esprit habituellement si rationnel.

Malgré la morsure du froid qui rendait sa respiration haletante, il revint lentement au manoir, déçu de se voir privé de la présence de Mathilde, restée auprès de sa mère, et agacé par l'animosité évidente d'Antoine à son égard. « Je comprends sa fierté et sa révolte, songea Henry. Je crains qu'il ne donne jamais son consentement à une union entre Mathilde et un ennemi. L'apprenti boulanger aura sans doute la faveur du père, mais *elle*, quel sera son choix ? Mon cœur me dit qu'elle m'aime aussi, mais comment en être certain ? Je dois lui dire sans tarder : *Mathilde, je vous aime !* cria-t-il dans le vide de la nuit d'hiver.

* * *

Dès qu'Henry eut fermé la porte, Antoine, impatient et mal à l'aise, tisonna les braises encore ardentes et bourra le poêle de grosses bûches d'érable. La chaleur remplit aussitôt la cuisine et s'engouffra dans l'escalier. Le chef de famille se sentait piégé, impuissant à protéger les siens contre les dangers qui les menaçaient. Préoccupé par l'état de santé d'Anne, il n'avait pas besoin d'un étranger qui rôdait autour de sa fille aînée. La mauvaise humeur le gagnait ; il dut se maîtriser pour garder le contrôle de ses émotions, et, d'une voix contenue, il s'adressa à ses enfants qui comparaient les cadeaux reçus :

— Les garçons, au lit maintenant. Assez de potinage pour aujourd'hui. Et toi, Mathilde, aide ta mère à en faire autant, ordonna Antoine, coupant court à la conversation fort animée qui risquait de s'éterniser.

Avec précaution et une tendresse presque maternelle, la jeune femme frictionna le dos et les jambes enflées d'Anne avec des pommades soigneusement préparées par Sagawee ; aucune parole n'était échangée, mais les gestes et les regards révélaient sans ambiguïté les sentiments partagés entre mère et fille. Mathilde suivait avec douceur et assurance les instructions fournies par l'Abénaquise afin de soulager sa mère et lui permettre de dormir quelques heures.

— Vous avez mal quand je pose ma main sur votre ventre ? s'inquiéta Mathilde, devant l'abdomen proéminent et distendu de sa mère.

— J'te cache pas que j'trouve pus aucun repos ; j'ai mal le jour comme la nuit.

— Le jour d'la naissance approche, vous serez délivrée et heureuse d'avoir de nouveau donné la vie.

— Sans doute… Sans doute, ma fille. Va te reposer maintenant, tu travailles trop, lui fit remarquer Anne.

Antoine, partagé entre sa rancœur à l'endroit de l'Écossais et les soucis que lui donnait la santé de sa femme, fumait sa pipe en attendant que Mathilde ait terminé de prodiguer les soins à sa mère. Il rabâchait les vieux souvenirs du temps du Régime français, et ses pensées s'attardaient sur le prétendant qui venait faire la cour à Mathilde les dimanches après-midi. Comme père, il souhaitait un bel avenir pour sa fille, et si Jacques Foucault lui demandait la main de Mathilde, il s'empresserait de la lui accorder pour éviter qu'elle ne parte avec l'ennemi, comme l'avait fait sa nièce Angélique. Perdu dans ses pensées, il n'entendit pas Mathilde qui, le croyant endormi, marchait à pas feutrés. Elle se dirigeait vers l'escalier quand Antoine l'interpela :

— J'aime pas trop ça voir l'Anglais tourner autour de toi, ma fille. Méfie-toi d'lui, rappelle-toi ce qui est arrivé à ta cousine.

— Henry est Écossais, pas Anglais, rappela Mathilde, retenant sa voix afin de ne pas inquiéter sa mère. Et Angélique est partie avec l'homme qu'elle aime. Ces unions entre nous et «l'ennemi», comme vous dites, ce sera de plus en plus fréquent. Faudra vous y habituer.

— Anglais ou Écossais, c'est du pareil au même, ma fille ! C'est l'ennemi qui a pris notre pays… Et les Écossais ont été coriaces sur les plaines d'Abraham, si on en croit les rumeurs rapportées par les soldats canadiens qui leur ont fait face. Faudra regarder ailleurs, tonna Antoine. Un charmant jeune Français vient te voir quasi chaque dimanche de beau temps, tu lui plais, ça se voit, et s'il te demande en mariage, j'lui accorderai ta main dès que l'enfant sera né.

— Père, j'veux pas me marier maintenant. Mère aura encore ben besoin de moi pour quelques mois ; ensuite, j'retournerai au manoir pour vous remettre les gages que j'reçois. Pas de mariage maintenant, ni avec monsieur Jacques ni avec *Mr* Henry ! protesta Mathilde avec aplomb, regardant son père droit dans les yeux. Bonne nuit, père !

Antoine venait de réaliser que son aînée était devenue une jeune femme déterminée, capable de défendre son destin, malgré la volonté de son père. Se rappelant la force et le courage de sa propre mère, pionnière de ce pays, il était fier d'avoir engendré une descendante digne de cette femme vaillante et généreuse. Mais il ne changerait pas d'idée, il restait résolu à marier sa fille avec l'apprenti boulanger, dès que les relevailles de sa femme seraient terminées. Jacques Foucault était un bon travaillant, bien élevé, vaillant et honnête… Elle apprendrait à l'aimer.

26

*R*entré tard au manoir, Henry se versa un bon whisky et s'assit devant l'âtre, ses longues jambes étendues devant lui, Groggy sommeillant à ses pieds. Seule la flamme rougeoyante du bois qui crépitait éclairait la pièce, projetant des jeux d'ombre sur le parquet ciré. Le capitaine était triste ; même le silence feutré de la nuit n'arrivait pas à l'apaiser ; des images d'Esther et de Mathilde se chevauchaient dans son esprit troublé. Il errait, égaré dans le dédale de ses pensées, il avait perdu ses repères ; il naviguait sans boussole, dans les ténèbres de son esprit embrumé. Il avait connu de grands chagrins d'enfant mais, depuis qu'il était un homme, jamais il n'avait éprouvé de tels sentiments. Il avait l'impression que son cœur trop lourd allait éclater, et, malgré lui, il ne put retenir les larmes qui coulèrent doucement sur son beau visage d'homme.

Comment pourrait-il maintenant vivre sans elle ? Était-ce une folie de croire que Mathilde l'aimait autant qu'il l'aimait ? Sa raison lui rappelait qu'aucune promesse ne les liait et qu'aucune déclaration n'avait été faite. Et le boulanger qui rôdait, et le père qui veillait de près… Perdu dans ses pensées, il n'entendit pas les pas feutrés qui s'approchaient et il sursauta quand une main affectueuse se posa sur son épaule.

— Que fais-tu debout à cette heure ? demanda Henry à sa sœur, toute fripée de sommeil, les cheveux défaits. Tu es encore plus belle dans cette tenue romantique, *sister* chérie !

— C'est ce que me dit chaque soir mon tendre époux. Mais toi, pourquoi n'es-tu pas au lit ? Tu me sembles bien triste… Tu as pleuré, on dirait… *Why ?* demanda Catherine, inquiète, tout en se blottissant contre son frère.

— À toi seule je peux confier ce qui me trouble ; tu as compris depuis longtemps que j'aime Mathilde, et j'ai bien peur de la perdre.

— Lui as-tu ouvert ton cœur ?

— Pas encore. En faisant le trajet entre le manoir et la maison des Guillot, ce soir, j'étais bien résolu à lui déclarer mon amour, mais dès que je suis entré j'ai compris que je n'étais pas le bienvenu. C'est de bien mauvaise grâce que son père m'a ouvert la porte, me laissant clairement entendre qu'il n'aimait pas voir « le renard entrer dans le poulailler », comme on dit en France.

— Et Mathilde, tu l'as vue ?

— Toujours avenante, elle m'a invité à m'asseoir, mais dans la maison remplie d'enfants, je n'ai pas trouvé le moment propice pour me rapprocher d'elle.

— Comment va dame Guillot ?

— Pas très bien. En ce moment, la préoccupation de Mathilde est de prendre soin de sa mère et de sa famille. Elle m'a demandé si Thérèse pouvait venir aider Adèle jusqu'à la naissance de l'enfant. Mathilde resterait alors à l'Île Du Pas.

— Julia verra à régler ça dès demain.

— Mathilde me manquera. Je l'aime plus que jamais, tu peux comprendre ça, Catherine ?

— *Sure !* mais je crois que tu devrais te montrer plus raisonnable, ne pas précipiter les événements. Il s'agit peut-être d'un coup de foudre, d'un caprice ? Comment un riche capitaine de l'armée britannique peut-il souhaiter épouser une servante canadienne sans éducation et sans le sou ? Jamais James ne permettra une telle union ! déclara Catherine. *Never !* Et Esther qui se languit en attendant que tu la demandes en mariage…

— James n'a aucun droit sur moi, *sister*! chuchota Henry afin de ne pas éveiller la maisonnée. Et Esther ? Je l'aime bien, mais je ne l'épouserai jamais, je le sais maintenant.

— Mon frère, agis avec sagesse, conseilla Catherine. C'est ton avenir que tu prépares.

— Cet avenir, je ne peux l'imaginer sans Mathilde… Toi qui chéris un époux qui te rend heureuse, tu peux comprendre mon cœur qui n'aspire qu'à partager ma vie entière avec la femme que j'aime, plaida Henry. Viens plus près de moi, comme quand nous étions enfants, *my little sister*! Mais… pourquoi n'es-tu pas au lit avec ton époux? Tu n'as pas répondu à ma question plus tôt.

— Un malaise; ne t'inquiète pas, c'est passé maintenant, le rassura Catherine en lui souriant.

D'un geste machinal, elle caressa son ventre encore plat; Henry le remarqua et lui fit part de ses inquiétudes:

— Oh, *sister*! je crains pour toi. La mère Guillot me fait tellement pitié! J'espère que tu seras épargnée de tant de souffrances. Tu sais, je préfère ma condition de militaire à celle des mères, et si un jour Mathilde souffrait autant que dame Anne à cause de moi, je ne me le pardonnerais jamais!

— Chut! murmura Catherine. Tu es encore un petit garçon qui a besoin d'être écouté et consolé, ajouta-t-elle et, se glissant par terre, elle s'enveloppa dans son châle de laine, appuyée contre les jambes de son frère.

Unis par des liens sacrés, méditatifs devant le jeu imprévisible du destin, ils contemplaient, en silence, les flammes, qui doraient la chevelure vagabonde de Catherine. Se tournant vers son frère, elle lut une douce tristesse dans l'expression de son visage.

— Je verrai ce que je peux faire pour convaincre James de ne pas se mêler de tes amours. Mais rien n'est gagné, tu connais la droiture et l'intransigeance de mon époux, ajouta la jeune femme, tentant d'apaiser la tourmente qui assombrissait le regard habituellement limpide de son aîné.

Soulagé d'avoir pu partager son inquiétude avec Catherine, son unique complice depuis leur enfance, Henry caressait les cheveux bouclés de sa sœur en vidant son verre de whisky.

— Tu en veux une gorgée ?

— Tu oublies mon état, *uncle* ?

— Bien sûr que non ! Allons nous coucher ; maintenant que je t'ai livré mon secret, je vais mieux dormir.

* * *

Dès le jour levé, Henry se rendit à la résidence du docteur Généreux pour lui demander de se rendre chez les Guillot ; il proposa même de payer d'avance ses honoraires.

— Merci, *Mr* Henry ; je m'en vais aux îles aujourd'hui et je rendrai visite à la femme Guillot en arrivant à l'Île Du Pas. Rassurez-vous, mon ami, dame Anne est courageuse et elle a déjà enfanté. Elle s'en sortira.

— Je connais votre réputation et je sais que vous mettrez toute votre science et votre expérience au service de dame Guillot, qui semblait vraiment souffrante, hier soir, et plutôt inquiète.

— Je vous avoue que depuis décembre cette femme me donne du souci. Cherchant des solutions à cette situation particulière, j'ai consulté quelques bouquins venus de Paris, mais jusqu'à ce jour je n'ai trouvé aucune réponse satisfaisante. Mais j'espère que le ciel nous aidera !

— *God bless her !*

Henry remercia le médecin en lui donnant une chaleureuse poignée de main.

Le docteur Généreux était un homme de foi, pas de cette foi aveugle qui fait que les gens s'abandonnent à la croyance passive de la prière ; il était plutôt convaincu de la puissance de l'action. C'était d'abord un homme de savoir, passionné et déterminé à faire reculer les limites de l'ignorance. Il faisait régulièrement venir de France des traités d'anatomie et d'autres manuels qu'il étudiait méticuleusement ; il faisait ensuite profiter les habitants des environs de Berthier des connaissances acquises au fil des ans. Il était grand et robuste, son large front laissait deviner une vive intelligence. Il avait le regard bienveillant, le sourire chaleureux ; tout en sa personne respirait l'honnêteté et l'intégrité. On lui faisait confiance.

Un soleil douteux et incertain hésitait à se montrer, laissant presque toute la place aux nuages gris qui roulaient du nord vers le sud, poussés par de forts vents. Le pauvre cheval du médecin ahanait et hésitait à affronter la violence de cette bise piquante qui soufflait dans le vaste corridor de la route du fleuve. Avec fermeté et adresse, le docteur Généreux conduisait sa bête, sur la route balisée de sapins, jusqu'à la maison des Guillot, premier arrêt des nombreuses visites de sa longue journée de travail.

Anne, nauséeuse, était encore au lit ; elle avait refusé de manger la soupane bouillante que lui offrait Mathilde. Elle était livide comme le paysage qui s'étirait au-dehors et elle respirait avec difficulté ; dès qu'il la vit, le médecin diagnostiqua le risque d'éclampsie puerpérale. Il examina les yeux de la patiente, prit son pouls, écouta le râlement de ses poumons, palpa longuement le gros ventre de la femme et, devant la gravité de la situation, demanda qu'on aille immédiatement chercher Sagawee.

— L'Abénaquise me secondera et restera auprès de votre femme, car j'ai d'autres malades à voir aujourd'hui. Anne doit rester au lit, ordonna le médecin à Antoine, fou d'inquiétude.

Le prenant à part, il ajouta :

« J'pense pas me tromper, je crois qu'elle porte deux bébés. »

— Ça compliquera les choses ? demanda l'homme, effrayé par la réponse du médecin.

— Je le crains, mon brave ! Je le crains…

Jean-Baptiste revint rapidement avec Sagawee et sa fillette, qui commençait à faire quelques pas et prononçait déjà des sons, au grand plaisir de Nicolas et de Marguerite. Insouciants, les deux enfants s'amusaient à lui faire répéter des mots drôles. Les aînés, retirés près du poêle, restaient silencieux, comprenant que l'heure de la délivrance approchait. Assis tout en haut de l'escalier, Firmin récitait son chapelet, les larmes aux yeux.

— Vous avez une infusion pour soulager ses nausées et l'aider à dormir ? demanda le médecin.

— Dans ma besace, ai monarde, répondit l'Abénaquise. Je prépare ça.

— Laisse, Sagawee, je peux le faire, proposa Mathilde.

— Je dois me rendre à l'île Saint-Ignace faire quelques visites, mais je reviendrai avant de retourner à Berthier, probablement en fin d'après-midi. Au besoin, faites-moi chercher.

Et s'adressant à Antoine :

— Jean-Baptiste et toi, vous connaissez mon attelage ?

— Pour sûr ! confirma Antoine. On vous trouvera ben !

Le médecin reprit la route, tourmenté par l'état de cette patiente qu'il connaissait depuis tant d'années. La naissance imminente de ces petits s'annonçait risquée, il devait tout faire pour sauver Anne. Il rencontra Marie et Olivier qui, informés de la situation par Jean-Baptiste, venaient offrir leur aide et ramener chez eux tous les enfants, même la petite de la sauvagesse.

***

Anne semblait maintenant se reposer, mais sa respiration haletante inquiétait Sagawee qui veillait en silence sur la malade. Soudainement, des convulsions très violentes agitèrent la mère qui se tordait en mouvements brusques et affolants. Mathilde, vite alertée par les cris rauques de sa mère, accourut et, avec Sagawee, tenta de la maîtriser.

— Vite… ustensile de bois, dit l'Abénaquise. Elle, faut pas étouffer.

Les deux femmes réussirent à calmer Anne qui, à bout de force, s'évanouit.

— Le médecin… Sortir bébé, vite.

— Vite, père, il faut trouver le médecin pour aider mère à mettre le bébé au monde. Elle vient de perdre connaissance.

— Au moins, elle souffre pas, échappa Antoine, dévasté.

L'Angelus annonçait la mi-journée quand le docteur Généreux entra chez les Guillot, sans même prendre le temps de dételer son cheval.

— Antoine, veux-tu mettre Ti-gars avec tes bêtes? Moi, je m'occuperai de ta femme.

Lançant son manteau de castor, sa tuque, son foulard et ses mitaines sur la table, il s'adressa à Mathilde en frottant ses mains avec le savon du pays.

— Raconte-moi ce qui s'est passé depuis mon départ.

Mathilde, retenant ses larmes, résuma la situation, en précisant que Sagawee pensait qu'il fallait aider le bébé à naître.

— Elle a raison, le temps semble arrivé, mais ce ne sera pas facile si ta mère ne peut pas pousser. Est-ce que ton père t'a informée de la naissance probable de deux enfants?

— Non! gémit Mathilde. Ma bonne sainte Mère Marie, venez-lui en aide, supplia-t-elle, tombant à genoux, les yeux noyés de larmes.

— Venez, Mathilde, reprit le médecin, votre mère a bien besoin de votre courage.

Anne revint à elle. Mathilde lui apporta une couverture chaude, enveloppa ses jambes et ses pieds bleuis et distendus comme des ballons.

— Anne, essayez d'avaler cette gorgée de boisson tout d'un coup, proposa le docteur Généreux.

Avec dextérité et douceur, Sagawee releva la tête de la pauvre femme alanguie et la força à ingurgiter le liquide soporifique ; elle la calma ensuite en caressant son front bouillant.

— Mathilde, tenez-la bien pendant que Sagawee poussera sur le bas-ventre, j'irai chercher le premier bébé. Tenez-la bien, Mathilde…

Le docteur Généreux explora délicatement l'utérus qui résistait à livrer son fruit ; il fouilla avec adresse, cherchant la manière la plus sûre de sortir l'enfant de son nid douillet. Le bébé était encore trop loin et mal placé ; c'étaient les fesses qui se présentaient à la main expérimentée de l'homme qui devait réagir rapidement pour sauver ces trois vies.

Silencieusement, avec une tendresse retenue, Mathilde tenait fermement sa mère, qui laissait parfois entendre un cri guttural, presque bestial, plainte qui bouleversait Antoine, revenu de l'étable et resté à l'écart, se sachant plus encombrant qu'utile.

— Il me faudra couper un peu le périnée pour aller chercher les bébés. Continuez à masser le ventre, Sagawee, pendant que je vais désinfecter mes instruments.

D'un geste précis, le médecin fit une incision et tira le premier petit, flasque et bleu.

— C'est un garçon, dit-il machinalement, comme s'il s'agissait d'une banalité.

Mais il n'avait pas le temps de s'attarder, il devait continuer le travail et aider l'autre enfant à naître dans la douleur et le sang qui coulait.

Il remit le petit être vagissant à Sagawee, qui enleva adroitement les sécrétions de sa bouche, massa sa poitrine inerte et lui insuffla patiemment un souffle de vie, en faisant pénétrer en même temps par le nez et par la minuscule bouche toute bleue l'air de ses propres poumons. Un cri, une plainte plutôt, jaillit de ce petit corps, tout gluant du sang de sa mère, dont le ventre était encore rempli d'une autre vie. Le nouveau-né fut aussitôt enveloppé dans une couverture et déposé près du sein de sa mère.

Mathilde, atterrée, peinait à réagir devant ce petit enfant qui, en venant au monde, emportait la vie de sa mère inconsciente, gisant sur la couche nuptiale, pendant que le médecin tentait l'impossible pour délivrer le deuxième enfant de sa chaude prison.

Sagawee, près de la mère, massait le ventre flasque et déformé de cette femme encore belle, malgré la souffrance qui se lisait sur son visage exsangue. Un instant, elle revint à elle, laissa entendre une faible plainte, sans un cri. Elle ouvrit les yeux et s'attarda sur le regard à la fois terrifié et affectueux de Mathilde ; elle lui sourit, le visage comme auréolé d'une lumière ténue. Le rythme de sa respiration devint saccadé et, sous l'effet de la fièvre, ses yeux se révulsèrent. La souffrance devint si intense qu'Anne ne réagit plus.

— Vite, Sagawee, poussez plus fort sur le ventre pour faire descendre le petit, la mère n'aide plus.

De ses mains délicates, presque féminines, le médecin explora plus loin l'intérieur de l'utérus d'Anne qui se vidait de son sang. Le deuxième garçon entra dans la vie pendant que sa mère, si jeune encore, donnait la sienne.

Recueillis, les deux femmes et le médecin restèrent un long moment silencieux, respectueux à l'égard de cette femme sacrifiée qui habitait encore les lieux. Le moment semblait irréel, et Mathilde ressentait tout le poids qui reposerait désormais sur elle ; et afin de garder à jamais la force et le courage de sa mère aimée, elle s'étendit près de la femme encore chaude et ferma les yeux. Le docteur Généreux et Sagawee sortirent discrètement de la chambre avec les bessons.

— Pis ma femme ? s'enquit Antoine, qui se rongeait les sangs depuis que le travail avait commencé. J'l'entends pus.

— Je n'ai rien pu faire pour la sauver. Je devais d'abord sauver les petits. Je regrette, Antoine…

Fou de douleur, Antoine se dirigea vers la chambre où l'odeur du sang chaud et de la mort planait comme un spectre invisible. Mathilde était immobile, lovée tout contre sa mère endormie éternellement, vide de vie… Antoine, livide, ferma les yeux de celle qui partageait ses jours et ses rêves depuis tant d'années, déposa un baiser sur ses lèvres tièdes et quitta la pièce en pleurant son désespoir, laissant les deux femmes liées dans une ultime étreinte.

* * *

Le curé, informé du retour précipité du médecin chez les Guillot, s'amena alors pour offrir à Anne les secours de l'extrême-onction. Le garçon en surplis qui le précédait faisait sonner une clochette tout le long du parcours, invitant, par ce geste de piété, les paroissiens à saluer le saint viatique que le prêtre transportait. Le missionnaire marchait à grandes enjambées dans le froid de cet après-midi du 1er février 1767, souhaitant arriver à temps pour que toute assistance spirituelle soit donnée à la mère Guillot. Mais quand il frappa à la porte de la maison de la famille éprouvée, c'est Antoine, révolté, qui le reçut.

— Trop tard, curé ! Ma femme est déjà morte en me laissant deux autres bouches à nourrir.

— Au nom de l'Église, je t'offre le réconfort de mes prières et celle de la communion des saints. Je voudrais la bénir, Antoine, puis-je entrer dans la chambre ?

— Faites ce que vous avez à faire, mais ça m'rendra pas ma femme !

Le curé et l'enfant de chœur se dirigèrent vers la chambre de la mère sans vie, à qui Mathilde faisait ses adieux dans un rite mystérieux et secret. Jamais elle n'oublierait ce moment ultime passé dans l'intimité avec cette mère qu'elle venait tout juste de connaître dans son essence même. Ces instants lui appartiendraient pour toujours et la guideraient sur les routes difficiles de sa propre vie.

L'arrivée intempestive du prêtre dérangeait la cérémonie d'adieu, et Mathilde lui fit signe d'attendre encore un moment avant d'entrer. Elle s'attarda sur le visage maintenant serein de sa mère sans vie, toucha son corps tiède, et, à genoux, lui adressa cette ultime prière :

« Mère, votre dernier sourire restera à jamais gravé dans la mémoire de mon cœur. Je vous prie de me laisser en héritage toute la force qui vous a soutenue durant vos épreuves, donnez-moi aussi votre sagesse et votre douceur. Et je promets de prendre soin de tous les enfants que vous laissez dans la peine, les deux petiots sans défense, Marguerite, Nicolas qui aura quatre ans demain, et Firmin qui vous aime tant. Les deux plus grands, Louis et Jean-Baptiste, pourront toujours compter sur mon affection. Restez avec moi chaque jour de ma vie, je vous aime tant, mère, et je vous aimerai toujours. Veillez sur moi, sur nous, je sais que vous implorerez notre sainte Mère Marie de nous protéger. Merci, mère, pour toutes ces vies que vous avez données. Reposez maintenant dans la paix du ciel auprès de ceux que vous retrouvez. »

Et d'un geste rempli d'amour, Mathilde étreignit sa mère et la quitta, apaisée.

* * *

Le prêtre entra doucement dans la chambre et imposa les mains sur la défunte en des gestes symboliques qui accompagnaient le rite mortuaire des fidèles ; l'enfant de chœur lui présenta le goupillon, qu'il agita en faisant le signe de la croix, et il bénit le corps. Il récita ensuite le *De Profundis,* un *Pater,* quelques

Ave Maria, et traça le signe du pardon sur le front diaphane d'Anne Huguenin, morte à l'aube de ses trente-cinq ans.

Quand il retourna à la cuisine, il s'adressa à Antoine, prostré et silencieux.

— Il faut maintenant ondoyer les enfants. Ils sont si petits qu'il vaudrait mieux ne pas les sortir par ce froid pour les conduire sur les fonts baptismaux.

— Faites ce que vous voulez, répliqua le père anéanti. Faites votre travail !

— Avez-vous pensé à un prénom pour chacun des jumeaux ?

— Demandez ça à ma fille.

Mathilde, absorbée à nettoyer le dernier-né du sang de leur mère, était désemparée devant un si petit corps qui s'agitait et criait sa détresse.

— Froid, faim, remarqua Sagawee, pressant le premier-né contre sa généreuse poitrine encore gonflée de lait.

— Quels prénoms donnerez-vous à ces nourrissons ? demanda le prêtre, pressé d'en finir.

— Que suggérez-vous, père ? demanda Mathilde, à voix basse.

— Peu m'importe… Ah, peut-être Étienne, comme l'un de mes frères, pour l'autre, choisis toi-même.

— Il s'appellera Julien, trancha Mathilde.

Et le curé de verser une goutte d'eau bénite sur le front de chaque enfant, tout chiffonné comme une vieille feuille d'automne, en disant : « Étienne, je te baptise au nom du Père, du Fils et du Saint-Esprit. » Il refit les mêmes gestes pour Julien, qui pleurait sans cesse depuis sa naissance. Avec une attention toute maternelle, Sagawee le prit, le réchauffa contre elle, lui murmurant des paroles inaudibles mais rassurantes, qui l'apaisèrent aussitôt.

Sa mission pastorale terminée, le curé salua Antoine, lui recommandant de s'abandonner à la Providence : « Regardez les oiseaux du ciel, ils ne sèment ni ne moissonnent », lit-on dans l'Évangile ; et posant un regard suspicieux sur Sagawee, il sortit sans ajouter un mot.

Les bébés réchauffés et déposés l'un à côté de l'autre, dans un panier placé tout près du poêle bien chaud, Sagawee entreprit la tâche ingrate de faire la toilette de la défunte. Elle enleva les draps ensanglantés et remit de l'ordre dans la pièce silencieuse. Mathilde vint la seconder, œuvrant machinalement comme une somnambule. Elle n'existait plus, le jour n'existait plus, la réalité n'existait plus… Seuls les cris de l'un des bébés la fit revenir à la matérialité du moment présent.

— Père, les p'tits ont faim, il faudrait leur donner à boire, suggéra Mathilde.

— C'est pas une affaire d'homme, demande à Sagawee ce qu'il faut leur préparer.

— Elle nourrit encore sa petite, elle a peut-être assez de lait…

— C'est peut-être la meilleure solution, ma fille. Les animaux sont ben capables de nourrir le p'tit d'une autre, ça doit être pareil pour les p'tits des humains.

Sagawee, comprenant le sujet de la conversation entre Antoine et Mathilde, fit signe qu'elle pouvait donner le sein aux nourrissons. Elle prit le plus chétif, Étienne, qui hésitait à téter. Elle insista et offrit, avec le bout de son doigt, une goutte de lait chaud à la petite bouche affamée ; le bébé suça doucement cette sève bleutée et s'endormit, épuisé. La mère nourricière prit ensuite Julien, encore endormi, et lui présenta un sein gonflé et généreux. L'enfant, plus habile que son frère, but avec gourmandise quelques tétées et se rendormit, les poings refermés sur le sein de Sagawee, émue et bouleversée.

* * *

En cette fin de journée où la vie et la mort s'étaient affrontées sur l'île endeuillée, le soleil formait un demi-cercle rougeoyant au-dessus de la ligne d'horizon. Impassible à la douleur des humains, il teintait sans gêne le ciel d'un riche coloris où se mariaient l'orangé et le rose, sur fond de ciel bleu foncé qui ne savait pas porter le deuil.

Le crépuscule mélancolique annonçait la fin d'une journée qui n'aurait jamais dû commencer, pendant que le glas funèbre annonçait aux paroissiens la mort d'une femme aimée et respectée.

Un long moment, Mathilde admira la beauté de ce paysage si paisible, paysage que sa mère aimait tant regarder l'hiver par la petite fenêtre ou, les soirs d'été, assise avec ses enfants sur le bout du quai, les pieds dans l'eau du fleuve.

Mathilde n'avait plus de larmes pour pleurer l'absence, et une dure tâche l'attendait. Tourmentée, inquiète, elle ne voyait plus le bel avenir dont elle osait rêver ce matin encore, projet de vie où le beau visage rassurant d'Henry émergeait du chaos intérieur qui la bouleversait. Elle entendait les premières paroles qu'il lui avait adressées : «Mathilde… j'aime beaucoup votre prénom. Vous saviez que ses racines signifient *"mighty in battle"* ou "puissante dans la bataille"?» Puissante dans la bataille ! «J'aurai bien besoin de courage», pensa-t-elle.

27

*L*e matin du 2 février, sur toutes les îles du fleuve, piégé dans les glaces, le temps était froid et sec comme un cœur aride. Le jour s'était levé sous un soleil frondeur qui promettait une journée rayonnante ; cette journée semblait trop belle pour porter le deuil. Le crêpe noir qui battait au vent, à la porte de la maison des Guillot, contrastait avec la clarté crue et immaculée de la neige qui scintillait sur toute l'étendue de l'île, où les habitants compatissants et généreux partageaient le peu qu'ils possédaient avec le malheureux Antoine et sa famille endeuillée.

Chacun se souviendrait d'Anne comme étant une femme douce, sage, charitable et vaillante. Elle avait fait sa place dans toutes les familles de l'Île Du Pas ; chaque paroissien avait une raison de pleurer sa mort prématurée. Elle était une épouse, une mère, une sœur, une amie, une voisine, une belle-sœur, une cousine… Tous étaient touchés et profondément chagrinés par la perte de cette femme dévouée. Elle avait su rire et chanter ; aider, soutenir et écouter les autres ; pleurer et parfois se taire devant l'indicible cruauté du destin. Son départ laisserait un vide dans le banc familial de l'église où elle se rendait chaque dimanche et les jours de fête. Souvent, elle fleurissait l'autel de la Vierge Marie en y déposant des roses de son jardin ; elle s'agenouillait, joignait ses mains et implorait, avec ferveur, la mère de Jésus de veiller sur les siens. Ensuite, elle regagnait discrètement sa place.

Fidèles à la solidarité légendaire des insulaires, les femmes s'étaient rapidement réunies chez Marie Huguenin pour y confectionner les vêtements de deuil pour les membres de la famille Guillot. Pour cette corvée, Anne n'était pas avec elles ; chacune travaillait dans le recueillement, priant pour le repos de l'âme de la défunte. Les hommes fournissaient aussi leur part de labeur : le menuisier Courchesne avait fabriqué le modeste cercueil, et le curé avait demandé à sa servante de préparer un ragoût de porc. La paroisse de Berthier aussi sut se montrer généreuse, et le boulanger Chaviot prépara pains et pâtisseries que Jacques Foucault livra aussitôt à la famille Guillot. L'infortuné père déambulait dans sa maison comme un automate et, emmuré dans sa peine, il remerciait à peine tous les bienfaiteurs.

Le seigneur Cuthbert, informé de la mort de la mère Guillot, demanda sur-le-champ à l'intendant Piet de porter une brève missive à la famille :

« Nous, James et Catherine Cuthbert, sommes profondément attristés de la mort de dame Anne et présentons nos sincères condoléances à monsieur Guillot et à ses enfants. Nous prendrons les dispositions nécessaires pour vous venir en aide, selon vos besoins. Monsieur Piet évaluera avec vous, et avec mademoiselle Mathilde, ce qui vous serait le plus utile dans les jours qui viennent.

Veuillez accepter, Monsieur, l'expression de notre profonde tristesse.

Fait au manoir de Berthier, le deuxième jour de February.

James Cuthbert, seigneur, et Lady Catherine Cairns, seigneuresse »

Lentement, trébuchant encore sur les mots, Mathilde lut à son père la lettre de *Mr* Cuthbert et remercia Guillaume Piet.

— Mon père est incapable de prendre des décisions ces jours-ci, il sait pas comment il pourra arriver à nourrir toute sa famille. Manger trois fois par jour est le premier besoin, j'pense. Comme j'dois remplacer mère, j'pourrai donc pas retourner travailler au manoir betôt, pis mon père ne recevra plus mes gages, pourtant ben nécessaires. Pour l'hiver, les provisions sont encore suffisantes, mais après… Dieu y verra !

— Vous en faites pas, Mathilde, *Mr* James saura compenser. Je verrai avec lui… Il pourrait engager l'un de vos frères à la seigneurie, où y a tant à faire.

— Merci ben, monsieur Guillaume.

— Madame Catherine m'a demandé si vous aviez besoin de vêtements pour les petiots… Elle en commandera à ses couturières, si vous voulez.

— C'est pas d'refus, il y a deux petits à habiller maintenant. Vous viendrez aux funérailles, demain matin ?

— Pour sûr ! Nous serons tous avec vous, c'est tellement triste, bredouilla, compatissant, le pauvre homme.

* * *

Tôt le matin des funérailles, le seigneur, sa femme et presque tous les domestiques du manoir, sauf Julia, défilèrent, recueillis, jusqu'à l'île endeuillée. Cinglante, la dame de compagnie avait répondu à *Lady* Catherine, qui l'avait priée de se joindre à eux afin de témoigner un peu de compassion à la famille si éprouvée : « Je refuse d'assister à une cérémonie papiste ! *Please*, n'insistez pas. Permettez-moi de vous rappeler que je ne comprends pas votre compassion… toute cette sympathie pour des Canadiens ingrats. »

— Julia, vous me chagrinez ; votre cœur est dur comme une pierre. C'est votre dernier mot ?

Julia ne répondit pas et reprit sa lecture.

Sur le chemin balisé, les carrioles et les traîneaux formaient une longue procession funèbre sur la route du fleuve ; elle s'étirait des rives de la seigneurie jusqu'à la petite église de l'Île Du Pas, toute drapée de tentures violettes. Les grands pins sombres, qui s'élevaient vers le ciel, comme des mains en prière, jetaient sur le sentier des ombres dentelées, pendant que les cloches sonnaient l'appel des fidèles, les invitant à accompagner Anne Guillot dans les derniers rites religieux offerts par l'Église à ses croyants.

Les fidèles, tristes et compatissants, attendaient l'arrivée d'Antoine et de ses aînés, Mathilde, Jean-Baptiste, Louis et le pauvre Firmin, tous vêtus de noir, et formant un cortège silencieux, derrière le cercueil de la mère sacrifiée. Le temps s'était arrêté, plus rien ne serait comme avant dans cette communauté insulaire. Personne n'entendrait plus la voix douce et mélodieuse d'Anne appelant ses petits ni ses rires complices avec son frère Olivier revenu dans son île. Jamais plus…

La cérémonie des défunts s'éternisait ; on entendait ici et là quelques sanglots, alors qu'Antoine peinait à retenir ses larmes. Mathilde, les yeux fermés, tenant fermement la main de Firmin, priait de nouveau sa mère de lui donner sa force et son courage. Elle pressentait le regard d'Henry fixé sur elle et luttait pour ne pas se retourner. « Puissante dans la bataille, puissante dans la bataille… », se répétait-elle, comme un mantra apaisant. « Mère, aidez-moi, je vous en prie. Aidez-moi ! » Et, à la lecture du *De Profundis*, des larmes s'échappèrent doucement de ses yeux, libérant le trop-plein de sa peine.

La messe terminée, malgré le froid mordant, les fidèles s'arrêtèrent un moment sur le perron de l'église pour réconforter Antoine et les enfants. Et oubliant parfois leur propre dénuement, ils offrirent aide et soutien. Le seigneur de Berthier et sa femme présentèrent à la famille Guillot l'assurance de leur appui, après quoi Adèle, en pleurs, serra longuement son amie dans ses bras, sans un mot, comprenant la force du silence, là où les paroles étaient bien vaines.

Henry restait à l'écart, attendant le moment propice pour voir Mathilde, seule. Il fit signe à James qu'il pouvait partir et fit gauchement les cent pas, soufflant sur ses mains roidies par le froid, perdu dans ses pensées. Que dire et comment le dire ? Il ne trouvait pas les mots qui consolent, qui apaisent et redonnent espoir. Dans sa langue maternelle, il chercherait l'expression qui convient, mais pour elle, où se cachait la clé du message qu'il voulait lui livrer ? Quelles paroles sauraient le mieux traduire l'expression des sentiments qu'il éprouvait si vivement ?

Il n'eut pas à chercher bien longtemps, c'est elle qui vint vers lui, et, secouée de sanglots, elle se blottit contre lui comme une petite fille affolée.

— Ma mie, pleurez… je suis là, je serai toujours là, ma douce Mathilde, lui murmura-t-il avec douceur, resserrant son étreinte. Chut… je suis là ! Je voudrais toujours être auprès de vous.

Ils oublièrent le temps, ignorant le froid et le vent qui se levait en faisant tourbillonner la neige folle autour d'eux. Cette longue étreinte silencieuse scella entre eux une promesse non dite, mais exprimée sans équivoque entre douleur et espérance. Pourquoi fallait-il que ce soit la mort d'Anne qui efface leur pudeur réciproque et les rapproche dans l'intimité de leurs désirs ? Mathilde ferma les yeux, se laissa imprégner par la force d'Henry et oublia un bref instant la tragédie qui frappait si durement les siens. Elle n'avait plus conscience d'aucune présence autour d'eux ; elle ne ressentait aucune gêne, aucun scrupule, bien enveloppée dans les bras de l'homme qu'elle savait aimer plus qu'elle-même. Sa mère Anne le savait aussi, mais elle avait emporté le secret avec elle.

— Allez, Mathilde, votre père vous attend. Je reviendrai et…

— Ne dites plus rien, Henry, je sais ! chuchota Mathilde à l'oreille du militaire qui la libéra de son étreinte.

Il la regarda partir. Quand la reverrait-il ?

Le cœur chaviré, le capitaine Cairns hésita à quitter l'Île Du Pas, où des liens invisibles le garderaient désormais prisonnier, tandis que Mathilde, plus forte que jamais, faisant face à son tragique destin, rentra à la maison où elle assumerait désormais les charges familiales.

* * *

Sagawee, forme silencieuse et discrète, balançait les minuscules bébés dans leur petit berceau, pendant que les trois enfants s'amusaient avec quelques bricoles près de la table. Il faisait froid et triste dans ce nid sans âme, et Mathilde ressentit, à ce moment précis, tout le poids de l'absence de sa mère.

— Les petits ont été nourris? s'enquit-elle auprès de l'Abénaquise.

— Étienne, pas boire beaucoup, pas pleurer, pas faim. Julien, gourmand, précisa la mère nourricière, douce et mystérieuse.

Les vêtements rangés, Mathilde se consacra aussitôt à la préparation du repas, sous le regard invisible de sa mère, qu'elle savait là, présente dans l'humble cuisine. Elle refaisait les mêmes gestes, posait ses pieds aux mêmes endroits qu'elle, utilisait les mêmes ustensiles, mijotait les mêmes plats. Elle devait se faire violence pour ne pas pleurer, Anne méritait que sa grande fille porte le flambeau avec vaillance et sérénité. Elle devait donner l'exemple ; les plus jeunes, et surtout Antoine, avaient besoin de sa force tranquille.

— Firmin, voudrais-tu m'aider à peler les légumes? proposa Mathilde, voulant distraire son frère de sa profonde tristesse.

Silencieux, renfermé sur sa détresse, le garçon déambulait dans la pièce comme un fantôme désarticulé. Sa mère adorée s'en était allée sans un adieu. Que de choses il aurait aimé lui dire, que de secrets jamais confiés, à jamais perdus. Qui sera là quand il aura peur ou froid ? Qui séchera ses larmes et le consolera de ses chagrins ? Qui l'écoutera quand il voudra confier ses rêves fous ? Qui le guérira quand il aura mal ? Qui le conseillera aux jours de réflexion ? Qui le guidera lorsqu'il sera question de son avenir ? Le pauvre enfant était désorienté ; désormais orphelin de mère, il étouffait les sanglots qui l'oppressaient et le bouleversaient.

— Viens, Firmin, aide-moi à servir les petits. Maman nous regarde et compte sur nous. Il ne faudra jamais en douter.

Mathilde lui sourit avec tendresse et le berça un moment dans ses bras. Des larmes coulaient sur son visage d'enfant.

Cherchant à le consoler, Mathilde murmura l'air d'une berceuse que leur chantait leur mère. Firmin sourit, enfin apaisé.

— Viens, maintenant.

Firmin suivit sa grande sœur et l'assista du mieux qu'il put. Mathilde lui sourit de nouveau ; elle savait lui communiquer sa force et lui inspirer confiance. Firmin venait de comprendre où serait désormais sa place dans cette famille orpheline de mère, où pour longtemps encore les pleurs des nourrissons rempliraient les lourds silences de l'absence.

***

Le curé missionnaire était inquiet de la présence assidue et maintenant indispensable de la sauvagesse dans la maison d'Antoine. Il ne savait comment aborder cette délicate question avec le pauvre homme, mais il se devait d'intervenir, au nom de la foi chrétienne et des bonnes mœurs. Profitant d'une visite à un malade dans le voisinage des Guillot, le prêtre vit là l'occasion souhaitée pour s'entretenir avec le veuf taciturne et peu amène.

— Mon ami, je vois que tu gardes Mathilde avec toi pour les soins de la maison. C'est une brave fille, elle saura bien remplacer ta pauvre femme auprès des nouveau-nés. Dieu ait son âme !

— Personne remplacera ma femme, monsieur le curé. Mais d'Mathilde, j'peux pas m'en plaindre, marmonna le pauvre homme ; c'est une fille dépareillée.

— Pour les besoins des bessons, c'est aussi Mathilde qui s'en charge ? questionna le prêtre, fixant Sagawee d'un regard inamical.

— Comment ma fille pourrait les nourrir, ces petiots ? riposta Antoine. Ils sont encore trop feubles, le lait de vache les ferait ben mourir, alors c'est elle qui veille sur mes petits, répliqua

Antoine, désignant Sagawee, imperturbable comme une statue de marbre brut.

— Cette sauvagesse est une païenne, elle ne peut vivre sous ton toit. Tu dois comprendre ça, tu es un bon chrétien, Antoine.

— Est-ce que l'bon Dieu m'a demandé la permission de m'enlever ma femme et de me laisser deux bouches de plus à nourrir ?

— Ne blasphème pas ainsi, mon ami. Que Dieu te pardonne, la souffrance te fait dire des bêtises !

— Mon père, mes petiots ont besoin de Sagawee, pis baptisée ou non, a va rester icitte ! J'reviendrai pas là-dessus ! déclara Antoine.

— Faudrait alors la convertir à la foi chrétienne, insista le curé.

— Ça, c'est elle qui en décidera.

Et coupant court à la conversation, il se dirigea vers la porte. Il ajouta : « Et merci de votre visite, m'sieur le curé. Votre cheval vous attend. »

Le missionnaire avait à peine fermé la porte qu'Antoine se tourna vers Mathilde et lui confirma les propos échangés avec le religieux :

— Sagawee restera avec nous tout l'temps qu'il faudra, pas besoin d'la permission du bon Dieu pour ça ! Ta mère serait ben contente de savoir que c'est l'Indienne qui prend soin des p'tits, elle l'aimait ben, t'sais...

— C'est une sage décision, père. Du haut du ciel, mère voit ses enfants et nous protège tous.

— Si tu l'dis, ma fille, si tu l'dis !

* * *

La nature tournait le dos au rude hiver et, s'éveillant peu à peu, elle allongeait les jours, tandis que l'on pouvait remarquer quelques bourgeons qui pointaient déjà sur les rameaux dénudés. La vie reprenait son cours sur l'île à demi endormie et Antoine retrouvait, avec les rires qui retentissaient de plus en plus souvent dans sa maison animée, un peu de la joie de celle qui lui avait donné cette famille.

Le courage démontré par son aînée lui insufflait une énergie nouvelle et l'invitait à répondre aux besoins de ses enfants. Il osait maintenant s'arrêter près du berceau trop plein et poser un regard de tendresse sur les bessons, repus du riche lait de Sagawee.

28

$\mathcal{P}$endant que le printemps se dévêtait de ses habits de neige dans un éclatement de lumière et de naissances, Julia, toute à sa joie d'être débarrassée de la Canadienne pour un bon moment, flottait sur un nuage.

« Et comble du bonheur, écrivit-elle à Françoise, *Esther passera tout l'hiver à Montréal, se laissant courtiser par de riches prétendants. J'ai surpris des confidences échangées entre Henry et la seigneuresse, il m'est alors apparu clairement que le capitaine ne se mettra pas à genoux devant elle pour lui demander sa main. La route est donc libre, et je compte bien occuper toute la place. Mon cher Henry et moi vivons sous le même toit, je m'attache à ses pas comme son ombre et tisse patiemment la toile qui l'emprisonnera dans mon amour.*

Il n'y a pas beaucoup de distractions au manoir, je me chargerai donc d'organiser des jeux et des activités qui lèveront le voile sur mes qualités et me rendront indispensable auprès de sa sœur bien-aimée. Bien éduquée, bilingue, je saurai me montrer, aux yeux de tous, comme étant une femme du monde, de beaucoup supérieure à cette sotte Canadienne, recluse sur son île.

Elle termina ainsi ses confidences : *Je m'assure de la qualité des repas et du sommeil de la seigneuresse qui attend son premier enfant. J'insiste, avec diplomatie, pour que la future mère ne fasse aucun effort. Je me consacre totalement à la protection de la descendance de James Cuthbert, comme si c'était la mienne. Je dois assurer ma place dans le cœur de Catherine afin de gagner celui de son frère.*

Ta tendre amie, Julia»

* * *

La dévotion de Julia envers la seigneuresse suscitait des commentaires de la part des domestiques du manoir, qui ne tardèrent pas à comprendre que *Lady* Catherine donnerait, dans les mois qui venaient, un héritier à leur maître.

— Un autre Anglais sur nos terres, commenta l'ébéniste Filiaud dit Dubois, mais celui-là, il parlera ben français comme nous.

— Comme le font *Mr* James et *Mr* Henry ; la seigneuresse parle notre langue de mieux en mieux. Mais voyez qui arrive ! s'exclama Adèle, tout heureuse de serrer Mathilde dans ses bras. Qu'est-ce qui t'amène ?

— J'ai profité du redoux pour vous rendre visite ; je m'ennuie de vous tous, de toi surtout, ma bonne amie, lui confia Mathilde, les larmes perlant au coin de ses yeux chargés de tant de peine. Et la chaleur de la cuisine d'icitte me manque tant.

— Viens, ma mie. Viens me raconter ça, dit Adèle, présentant une chaise à la visiteuse. Enlève ta crémone pis ton paletot. Je te prépare un bon lait chaud ?

— C'est pas d'refus si tu prends l'temps d'en boire un gobelet avec moi.

— Pour toi, j'ai tout mon temps, même si la fouine se pointe le museau dans ma cuisine, dit Adèle, agitant le lait dans le chaudron.

Elle y ajouta une goutte d'essence d'amande, une pleine cuillérée de chocolat et quelques grains de sucre du pays.

— Hum… que c'est bon ! Tu me gâtes, mon amie…

— Raconte, maintenant.

Mathilde lui décrivit, sans amertume, les tâches qui l'occupaient jour et nuit ; les enfants qu'il fallait nourrir et les pleurs à consoler malgré sa propre tristesse.

— J'me garde toujours le temps de lire une histoire aux petits, aux heures creuses du jour. Firmin montre même de l'intérêt pour apprendre, et le premier mot qu'il a voulu écrire, tu devines c'que c'est ?

— Son nom ?

— Pas du tout ! Mère ! Il a insisté pour écrire ce mot qu'il répète sans doute cent fois par jour dans son cœur si meurtri. Mère… mère… Il l'a écrit plusieurs fois, comme si, de cette façon, il se libérait d'une grande tristesse.

— Le pauvre môme, soupira Adèle. Et les jumeaux, ils profitent bien ?

— Sagawee, devenue leur mère nourricière, s'occupe seulement des bessons et de sa fillette, sevrée un peu rapidement. Sa mère la caresse un moment, lui permet quelques tétées, et la petite, satisfaite, retourne à ses jeux avec Marguerite et Nicolas qu'elle suit comme son ombre.

— C'est l'bon Dieu qui a placé Sagawee sur votre route.

— C'est pas l'avis du curé, qui fait des misères à père à son sujet ; le prêtre la juge indigne de vivre sous le même toit que nous. Père se met en colère quand le curé aborde la question ; il s'inquiète pour les bébés qui, sans Sagawee, n'auraient pas survécu. Il est souvent songeur, et ses silences lourds de regrets me font mal. Qu'est-ce que j'peux lui répondre, Adèle, quand, le cœur rempli de chagrin, il dit en regardant les bessons : « Vous connaîtrez jamais votre mère, est partie quand vous êtes arrivés » ?

— La guérison du deuil d'une compagne ou d'un compagnon bien-aimé est longue et pénible… Après tant d'années, mon Jeannot me manque parfois. Souvent, je me demande où nous serions s'il était encore en ce monde, confia Adèle, songeuse ; mais la vie est ben faite, je le retrouve avec bonheur dans les traits de nos enfants, surtout en Geneviève, qui lui ressemble tant. Elle n'a pas connu son père, mais au fil du temps elle a grandi avec l'aide d'autres personnes qui l'aiment. Il en sera ainsi des jumeaux, privés de leur mère. Dis à ton père qu'il doit faire confiance aux forces de la vie. Et il est jeune encore, peut-être trouvera-t-il une bonne compagne…

— Avec tous les enfants, ce sera difficile, et il faut qu'il passe ses deux années de veuvage avant d'penser à se remarier. Les p'tits auront déjà grandi. Mais pour le temps présent, c'est d'gagner assez d'argent pour nourrir toute la famille qui importe. Et comme j'travaille pus icitte, j'reçois pas de gages. J'viens demander à *Mr* James s'il a du travail pour Jean-Baptiste ou même Louis à la seigneurie. Est-ce qu'il est au manoir ?

— Les deux hommes sont partis, mais dame Catherine serait contente de te voir. Tu savais qu'elle attendait un petit pour l'été ?

— Non ! J'ai vu personne de la seigneurie depuis les funérailles de mère ; même Jacques Foucault n'est pas revenu. Il respecte notre deuil, j'suppose, pis l'hiver, sur le fleuve, ne s'aventure pas qui veut ! Est-ce que ça s'passe bien pour dame Catherine ?

— Il semble que oui, sa dame de compagnie veille sur elle comme une louve… Viens, à cette heure, *Lady* Catherine doit être avec Julia, près du foyer.

***

La seigneuresse, tout heureuse de revoir Mathilde, lui tendit la main, souriante et accueillante.

— *Dear* Mathilde ! *Come*…

— Madame Catherine, dit Mathilde, s'inclinant avec respect devant la seigneuresse.

— Comment va votre famille ? Et les deux bébés ? s'informa Catherine.

— Une amie indienne s'occupe des bessons, et je fais le reste d'la besogne, précisa Mathilde. J'pourrai pas revenir au manoir betôt, *Lady* Catherine.

— Thérèse t'a remplacée, elle fait très bien son travail, intervint Julia, jusque-là silencieuse.

— Mais votre place vous attendra toujours, Mathilde, rappela Catherine. Prenez le temps nécessaire…

— Merci ben, madame! J'aurais aimé parler à *Mr* James. Adèle m'a dit qu'il était parti.

— Henry et mon mari sont en voyage d'affaires à Saurel, ils seront ici dans quelques jours. Est-ce que je pourrais vous être utile, Mathilde? reprit la seigneuresse.

— J'pense ben… répondit Mathilde, hésitante devant le regard exaspéré de Julia. Est-ce que l'un de mes frères pourrait venir travailler pour *Mr* James au manoir ou à la seigneurie?

— Vous manquez d'argent? insinua la malveillante Julia, toujours à la recherche du mot qui blesse.

— Julia, laissez-nous un moment, pria Catherine.

Contrariée, la dame de compagnie sortit précipitamment de la pièce; elle s'enferma dans sa chambre et fit les cent pas.

— Je présenterai votre demande à mon mari dès son retour. Il vous aidera, soyez-en assurée. Et mon frère ira vous donner sa réponse, précisa Catherine, observant avec une attention amusée le doux émoi dans le regard limpide de la jeune Canadienne.

— Vous êtes ben bonne, madame. Dieu vous vienne en aide!

— Soyez prudente sur la route du retour et dites à votre père qu'il peut compter sur nous. La réponse de mon époux ne saurait tarder.

Lady Catherine ajouta:

— Si vous avez besoin d'autres choses, faites-le-nous savoir.

— Merci, madame. Dieu vous le rendra!

Mathilde s'arrêta à la cuisine pour saluer Adèle, embrasser Geneviève et prendre des nouvelles des garçons.

— Reviens-nous vite, Mathilde, avant que les glaces du fleuve fondent ; les enfants s'ennuient de toi, et tu me manques, ma bonne amie. La prochaine fois, amène avec toi Nicolas, Marguerite et Firmin, qui pourraient s'amuser avec mes petits.

— J'dis pas non, si père veut…

* * *

Un matin de mi-mars, Mathilde était très préoccupée par le front brûlant de Nicolas qui toussait et respirait avec difficulté. Que sa mère lui manquait dans de tels moments ! L'enfant refusait d'avaler le liquide amer qu'elle lui offrait et il gémissait, caché sous les couvertures, en demandant sa maman. Sagawee s'en approcha et, tout doucement, elle couvrit le front du gamin d'un linge mouillé ; elle frictionna ensuite sa poitrine d'un baume sentant le sapinage et, avec tendresse, le força à avaler le sirop qu'elle avait sucré avec un peu de miel de trèfle. Nicolas se calma et s'endormit.

C'était jour de lessive et Mathilde devait faire bouillir de grandes marmites d'eau sur le poêle, pour ensuite savonner, frotter, rincer, tordre et étendre les vêtements sur des cordes improvisées, et suspendre ensuite les longs draps au-dessus des portes. Depuis l'arrivée des bessons, la tâche était plus lourde. Les jaquettes, les couches, les couvertures, les langes de flanelle devaient être changés souvent, rendant plus ardue cette besogne que Mathilde n'aimait pas accomplir en saison hivernale, car la maison devenait alors tout humide et les fenêtres, si épaisses de givre qu'elle se sentait prisonnière.

Elle posa son regard fatigué sur ses mains rougies par le rude savon du pays et, un moment, elle regretta la cruauté du destin auquel elle ne pouvait échapper. Une quinte de toux inquiétante lui fit oublier sa propre peine, et elle accourut aussitôt auprès de Nicolas.

— Il est un peu moins chaud qu'au petit matin, dit Mathilde à Sagawee.

Rassurées, les deux femmes s'échangèrent alors un sourire complice et empreint d'une tendre amitié. Une fois de plus, un ange était passé dans la maison d'Antoine Guillot.

— Mère le protège, il va déjà mieux, assura Mathilde. Laissons-le dormir.

* * *

La nuit mangeait peu à peu le jour qui s'estompait dans l'orangé du crépuscule quand le hennissement d'un cheval retint l'attention des Guillot.

— Qui peut bien venir à cette heure-là ? s'inquiéta Antoine.

Mais Mathilde savait…

Sa bête attachée au pieu, près de la galerie, Henry gravit les marches et vit aussitôt la porte s'ouvrir. Mathilde semblait l'attendre. Son cœur ne fit qu'un bond.

— Entrez vous chauffer, Henry, l'invita la jeune femme, maîtresse d'elle-même.

— Bonsoir, monsieur Antoine. Mon beau-frère James m'envoie vous demander si l'un de vos fils pourrait venir travailler au manoir. Voici la lettre qu'il m'a demandé de vous remettre ; vous y trouverez les détails de la proposition que vous fait le seigneur de Berthier.

— Prenez une chaise, m'sieur l'Anglais. Laisse-lui ta place, Firmin.

— Prenez pas cette peine, je repars tout de suite. Vous penserez à cela et vous discuterez ensuite avec lui des gages et des conditions si, bien sûr, cette offre vous convient.

— J'y penserai, monsieur. Mes hommages au seigneur Cuthbert et à sa dame, conclut Antoine.

Et Henry, saluant le père Guillot, glissa discrètement un billet dans la poche de la robe de Mathilde, qui l'accompagna jusqu'aux marches de la galerie.

Aussitôt la porte refermée, les conversations enfantines reprirent leur droit, tandis que le père songeait à la possibilité d'accepter l'offre du seigneur de Berthier. Ce dernier payait bien, l'un des deux garçons irait donc travailler à la seigneurie, puisqu'en hiver le forgeron n'avait pas besoin de leurs services. Réfléchissant, il s'adressa à sa femme disparue :

— Qu'est-ce que tu penses de ça, toé, la mère ?

Longtemps, il regarda les flammes se tordre entre les fissures du poêle, perdu dans ses souvenirs et son chagrin. Il somnola un moment et Mathilde, profitant de la rêvasserie de son père, sortit sans bruit de la cuisine et monta à sa chambre pour lire le billet d'Henry : « *Je vous attendrai, ce soir, près de l'église de votre île. Henry* »

* * *

Mathilde rêvait du moment où elle pourrait rejoindre Henry et enfin échapper aux exigences de cette journée difficile. La cuisine rangée, les bébés bien langés, elle s'assura que Nicolas allait mieux et, comme elle le faisait si souvent depuis l'enfance, elle sortit dans la nuit froide et radieuse, sans qu'Antoine n'y porte attention. Il avait l'habitude de voir son aînée, le soir venu, s'esquiver sans bruit, pour ces longues promenades le long du fleuve ; pour elle, c'était comme un rituel, un pèlerinage, un moment de réflexion. Il la vit partir sans s'inquiéter.

La lune argentée éclairait généreusement le sentier qui encerclait l'Île Du Pas. La jeune femme marcha avec assurance jusqu'à la pointe est, certaine de n'y rencontrer que l'immensité qui s'étirait à perte de vue sur le fleuve sans limites. Sous le reflet bleuté de l'astre lunaire, les arbres se paraient de gris, tandis que les rares nuages éparpillés voyageaient sagement dans le ciel tout plein d'étoiles. Se sentant revivre, Mathilde respirait à pleins poumons, échappant un moment aux soucis et aux pleurs des petits. « La vie pourrait être si belle », soupira-t-elle en admirant la voûte mystérieuse qui dominait le ciel.

Elle approchait du cimetière où les ombres des croix et des stèles s'étiraient sous le regard froid de la lune, et à ce moment très précis elle perçut la présence tangible de sa mère ; elle n'osa se retourner de peur qu'Anne ne s'enfuie. Une grande paix l'envahit aussitôt, apaisant sa tourmente, comme si un sang rédempteur vivifiait son corps juvénile grâce à une énergie nouvelle. « Mère, merci d'être là. Je cherche mon chemin ; si vous le voyez, du haut du ciel, montrez-le-moi, je vous en prie. »

Le galop du cheval d'Henry la tira de sa méditation et, agitant la main, elle signala sa présence au cavalier qui commanda à sa monture de ralentir.

— J'étais inquiet de vous savoir seule dans la nuit et je regrette de vous avoir demandé de venir jusqu'ici ce soir, moi qui vous avais pourtant recommandé de ne plus vous promener sans escorte le jour tombé. Mais j'avais tant besoin de vous voir aujourd'hui, dit Henry, sautant prestement par terre.

— Rassurez-vous : ici, je ne crains rien, et je ne suis pas seule, mère est avec moi. Je viens de lui parler.

— Votre mère veillera toujours sur vous et sur toute sa famille, je n'en doute pas. Pensant à votre chagrin, j'ai voulu vous consoler un brin en vous offrant une esquisse de la silhouette de votre mère, telle que je l'ai perçue lors de mes brèves visites dans votre maison : elle m'a semblé une femme douce, affectueuse, attentive. J'ai fait de mon mieux pour la représenter le plus fidèlement possible ; j'espère que ce modeste dessin vous plaira. Le voici, c'est pour vous et les vôtres.

— Mère ! C'est bien elle, votre mémoire vous a pas fait défaut. Vous avez su exprimer la chaleur de son regard et la tristesse de son sourire. J'suis très émue, Henry. J'vais attendre le bon moment pour le faire voir aux autres ; père se poserait trop de questions, pis j'veux pas y répondre.

— Vous avez sans doute raison, Mathilde.

Songeur, il ajouta :

— Et son départ tragique a changé nos vies.

— La mienne, c'est vrai, mais la vôtre ?

— Depuis la mort de votre mère, vous ne vivez plus au manoir, et votre présence me manque. Vous n'êtes plus auprès des enfants, ni au service des repas, ni avec dame Adèle à la cuisine ou au rangement des chambres. Votre sourire taquin, votre voix enjouée qui fredonne sans cesse en besognant, votre vivacité d'esprit, votre fierté, vos sautes d'humeur… tout ça me manque, ma mie. Quand vous êtes au manoir, je suis heureux. Je voudrais que vous soyez toujours à mes côtés, je le sais maintenant plus que jamais.

— Henry, vous savez aussi que j'dois rester auprès des miens, j'suis pas libre de partir comme ma cousine Angélique l'a fait.

— Voulez-vous quand même entendre ce que j'ai à vous avouer, belle Mathilde ?

— J'suis pas certaine, pas maintenant.

— Le temps me presse, car je suis venu ce soir pour vous apprendre que je dois partir dans la semaine qui vient pour rejoindre mon régiment. Nos troupes se remettent en route pour défendre l'Angleterre contre les rebelles des colonies qui menacent de faire sécession.

— Vous aussi, après Angélique et William, vous prendrez la route des colonies du Sud ?

— Je suis un soldat de l'armée anglaise, je dois obéir aux ordres et défendre les intérêts de mon pays. Les révolutionnaires américains veulent soustraire les colonies de l'Amérique du

Nord à l'autorité de l'Angleterre et nous chasser des terres conquises au Canada. Ils s'apprêtent à prendre les armes contre le roi George, nous devrons alors reprendre le combat afin de les repousser.

— Et cette guerre viendra jusque sur nos terres ?

— On ne sait jamais où les guerres s'arrêteront, ma mie, jamais… soupira Henry, mélancolique, se rapprochant de la jeune femme, embarrassée par la sincérité d'Henry.

Hélas ! les aveux du capitaine Cairns arrivaient trop tôt dans sa vie ; elle n'avait ni la liberté ni l'envie de s'engager à jamais.

— Mon ami, vous savez que tout nous sépare : famille, langue, religion, classe sociale, et maintenant la guerre. Laissons passer les années…

— Des années ? Je partirai dans les prochains jours, et qui sait quand je reviendrai. Dites-moi seulement un mot, celui que j'attends.

— Pourquoi ces guerres ? demanda Mathilde, voulant détourner la conversation. La paix est si importante pour le bonheur de tous…

— Vous avez raison, ce n'est pas le peuple qui fait éclore les conflits ; depuis la nuit des temps, les ambitions des dirigeants ont formé des armées pour les entraîner ensuite dans des guerres meurtrières. Cette fois, les colonies du Sud rejettent certaines lois imposées en 1763 par le roi George III, lors de la proclamation royale, et veulent maintenant se soustraire à la tutelle de l'Angleterre qui leur refuse l'indépendance.

— J'entends rien à ces affaires de territoires que se disputent les rois.

— Et les colons n'ont pas encore oublié qu'il y a à peine deux ans, en 1765, la Loi sur le cantonnement ordonnait aux autorités coloniales d'assurer le logement aux soldats de la Couronne britannique, ce qui a déplu à la plupart d'entre eux, forcés de loger des soldats.

— J'me souviens de ça, aux alentours d'icitte, pendant la guerre. Les habitants avaient à peine de quoi s'nourrir et n'acceptaient pas cette situation, mais fallait ben obéir. J'comprends les Anglais du Sud, mais de là à faire la guerre !

— D'autres lois les poussent à la révolte aussi, comme l'augmentation des taxes : les timbres, le sucre et le précieux thé ont été taxés pour acquitter l'énorme dette accumulée pendant la guerre de Sept Ans. De plus, il est interdit, depuis 1763, d'émettre du papier-monnaie, ce qui prive les colonies d'argent comptant et mécontente tout le monde. Voyez, Mathilde, les rebelles semblent avoir trouvé bien des raisons pour se libérer de l'Angleterre, et ils sont plus déterminés que jamais à vaincre le roi.

— Vous irez au combat, Henry ?

— La guerre est la guerre ! Je rejoindrai ma compagnie dès la semaine prochaine, mais secret militaire oblige, je ne pourrai vous révéler où l'armée m'enverra.

— Vous rencontrerez William et Angélique ?

— William sera l'un des soldats de ma formation. Et j'essaierai de voir votre cousine avant notre départ.

— Vous pourriez lui remettre une lettre ? demanda Mathilde, la voix vibrante d'une émotion empreinte de joie.

Une chance inespérée de communiquer avec sa cousine.

— Bien sûr, ma mie. Mais faites vite, je partirai dans quelques jours. Vous viendrez ici, disons, dimanche soir, ce sera notre dernier rendez-vous avant mon départ.

— Promis, j'y serai, avec une lettre pour Angélique.

— Et une promesse pour moi ?

— Rien n'aura changé dimanche, Henry ; je vous en prie, ne me tourmentez plus, j'pourrai rien promettre, répondit la jeune femme qui resserra son long foulard de laine.

Leurs ombres se confondaient dans la nuit, seules les paroles échangées troublaient le silence. Encore plus près de Mathilde, Henry la regarda droit dans les yeux et, usant de toute la force de son amour pour elle, il chercha les mots les plus justes, les plus éloquents :

— Je n'ai plus aucun doute, ma douce Mathilde, je sais que je vous aime et vous aimerai jusqu'à mon dernier souffle. Votre trop longue absence au manoir m'a fait comprendre combien vous m'êtes précieuse. Je vous attendrai tout le temps nécessaire, vous êtes encore si jeune, si pleine de vie, si belle. Je vous aime, ma mie. N'en doutez jamais !

— J'suis pas de votre monde, Henry, vous le savez bien. J'suis du pays, vous êtes l'ennemi… Et tout le monde répète que *Miss* Esther vous est promise.

— Ne dites plus rien, belle amie. J'ai écrit à Esther pour lui rendre sa liberté, prétextant un long engagement dans les colonies. Elle est jeune, séduisante et fortunée, elle trouvera mari plus aimant que moi ; je garderai peut-être son amitié, mais dès que je vous ai connue, j'ai compris que je ne l'aimais pas assez pour en faire ma femme. Je sais maintenant que vous serez toujours pour moi la plus vraie, la plus simple, la plus merveilleuse des femmes. Vous m'apprendrez vos îles, je vous apprendrai le monde, et plus rien alors ne nous séparera.

— Mais en attendant, vous ferez la guerre.

— J'accomplirai mon devoir envers mon pays en pensant à vous à chaque instant, nourrissant l'espoir que vous m'attendrez. M'aimez-vous, Mathilde ? demanda-t-il en la pressant tout contre lui.

— C'est trop tôt pour moi, Henry. J'ai peur. Que me réserverait la vie si vous ne reveniez pas, si vous étiez fait prisonnier,

si vous étiez blessé ou si vous mouriez sur le champ de bataille ?
Je serais liée par une promesse folle ! Vous êtes arrivé trop tôt ;
je veux pas vous enchaîner par un serment que j'pourrais pas
respecter. J'regrette de vous peiner, Henry.

— Réfléchissez encore. Vous me donnerez votre réponse
dimanche, dit-il, insistant, posant ses lèvres brûlantes sur celles
de Mathilde, troublée et tout enivrée d'une douce volupté. Je
vous aime, avoua-t-il en français ; cette langue est si romantique
pour dire l'amour. Je vous aime, ma bien-aimée ! Je ne vous
oublierai jamais. *I promise you…*

Plongeant un regard insistant dans celui de Mathilde, il
poursuivit : « Je vous offre ce souvenir, c'est un bijou qui appartenait à ma mère, morte depuis quelques années. Il sera vôtre
maintenant. Il vous rappellera à chaque instant que je vous
aime et que je vous resterai fidèle jusqu'à mon dernier jour.
Cette chaîne me lie à vous à jamais. »

Et sautant sur son cheval impatient, il l'éperonna et partit au
galop, sans se retourner et sans laisser à Mathilde le temps de
réagir.

Abasourdie par tant de mots, elle se dirigea vers le cimetière
où reposait sa mère ; elle s'étendit sous la lune dorée, sur la
couche immaculée d'Anne. Elle ferma les yeux et s'abandonna,
soumise et confiante, à la force de son destin. Anne la guiderait
sur cette route qui serait sienne et sur laquelle elle tracerait elle-
même ses propres sillons.

29

*N*icolas allait mieux, la fièvre était tombée et il ne toussait presque plus. Il avait recommencé à manger et à jouer, au grand plaisir de tous. Marguerite, mais surtout la fillette aux yeux sombres et aux cheveux de jais avec qui il partageait maintenant sa maison, ses jeux enfantins et même sa famille, avaient vite retrouvé leur compagnon de jeu avec qui ils partageaient une certaine complicité fraternelle, tissée au fil des jours. Mathilde regardait ces petits qui s'amusaient candidement, enveloppés dans le cocon douillet de l'enfance ; ils riaient et babillaient innocemment, faisant fi du deuil qui affligeait les plus grands. « Dans peu de temps, ils ne se souviendront même plus de mère », se désolait Mathilde, en proie à une profonde mélancolie.

— Toi, triste ? s'enquit Sagawee, attentive à la peine de son amie.

— Je m'ennuie de notre mère. Je sens qu'elle veille sur nous, mais sa présence, sa voix douce et patiente, son pas lent autour de la table, tout ça me manque tant ! J'la vois et j'l'entends partout… Et pis la tristesse de Firmin me fait plus mal encore que ma propre peine.

— Le Puissant aider vous, Mathilde. Son esprit, ici, avec vous, lança l'Abénaquise pour la rassurer, tenant un bébé dans les bras.

— J'le crois, Sagawee, mais j'ai mal, si mal… J'me demande si c'est mère qui a guéri Nicolas si vite ou tes cataplasmes de graines de lin et de gomme de pin, confia Mathilde, d'une voix teintée de mélancolie.

— Les deux, répondit Sagawee, adressant un sourire affectueux à Mathilde.

— T'as raison, mère et toi, vous avez guéri Nicolas. Merci, Sagawee. Qu'est-ce qu'on ferait sans toi ?

— Grand Ouvrier aurait donné autre personne à vous, dit humblement la jeune indienne.

— Mère t'aimait bien, et elle doit être très contente que tu t'charges des bessons.

— Toi pourrais t'en occuper aujourd'hui ? Moi faut aller cabane chercher herbes pour faire plus de lait. Faut lait pour deux.

— Pour trois, même ! précisa Mathilde en souriant. Ben sûr, tu pourras partir après le boire, quand les petits dormiront.

* * *

À peine Sagawee venait-elle de rentrer, chargée d'herbes médicinales et de peaux tannées pour faire des couvertures aux bébés, qu'un vent violent se leva. Une neige mouillée et abondante se mit aussitôt à tomber, effaçant toute trace laissée par les bêtes et les humains. L'hiver tenace luttait avec acharnement pour ne pas céder la place au printemps, déjà aux portes du pays, et démontrait avec une opiniâtreté infatigable qu'il pouvait encore, à la fin de mars, emprisonner les habitants dans leur maison.

— J'ai comme idée qu'il va faire une bonne tempête, affirma Antoine en secouant ses bottes, tenant quelques bûches de bois dans les bras ; la dernière de c'te dur hiver, j'espère ben !

— Une tempête de mars, c'est pas rare, ajouta Mathilde, cherchant à cacher le trouble qui l'inquiétait depuis le premier souffle du vent. C'est souvent les pires !

Bien qu'elle tentât de cacher sa fébrilité, elle ne pouvait s'empêcher de s'arrêter près de la fenêtre pour évaluer la fureur de la tempête, et chaque fois son cœur se serrait. «Il viendra pas demain soir si ce temps dure, songeait-elle. Ce serait trop risqué de voyager sur le fleuve.»

Pour rester maîtresse de ses sentiments, elle s'activait à brasser le potage sur le poêle, tout en répondant distraitement aux questions de Marguerite qui voulait aider sa grande sœur.

— Oui, il faut faire cuire les œufs dans leur coquille avant de les ajouter au potage.

— Du sel aussi?

— Ben oui, sans oublier les herbes séchées.

— C'est mère qui les a préparées, précisa Marguerite. Nicolas, Firmin pis moi, on l'a aidée.

— J'sais, j'sais, ajouta Mathilde, peu loquace et plus attentive à la voix inquiétante du vent qu'au babillage incessant de sa sœur.

Elle servit le repas en silence, taciturne et résignée. Que pouvait-elle contre les éléments de la nature furibonde? Quel pouvoir avait-elle sur son destin? Qu'avait-elle pu faire pour empêcher Anne de les quitter en laissant deux nourrissons? Rien! Elle ne pouvait rien faire, et cette impuissance fit naître en elle un profond sentiment d'abattement. Et tout en prodiguant les soins aux enfants de sa mère, elle ravalait ses larmes.

Son sourire s'était envolé avec le vent tenace, l'éclat de ses yeux s'était voilé sous la fatigue qui l'accablait. Ses gestes étaient lents et répétitifs, ses phrases, brèves et laconiques. Elle avait hâte au moment où elle se retirerait dans sa chambre, où, sans autre témoin que sa sœur endormie, elle pourrait enfin pleurer tant que le flot de larmes ne se tarirait pas. Malgré le va-et-vient de la maisonnée, les idées se bousculaient dans son esprit, et elle se disait: «Cette tempête est peut-être la voix du destin qui me parle.»

— T'as ben l'air triste, à soir, ma fille, fit remarquer Antoine, juste comme Mathilde se préparait à monter à sa chambre.

— C'est la tempête, j'cré ben. Faites-vous-en pas pour moé ; ça ira mieux demain !

La nuit venue, elle écouta le sifflement du monstre qui se faufilait par toutes les brèches de la maison assaillie, et tant pour se réchauffer que pour garder sa sœur bien au chaud, elle se lova tout contre elle et l'enveloppa de draps de laine. Cherchant désespérément le sommeil, elle tenta d'oublier les lèvres chaudes d'Henry, sa voix douce et tendre… et la promesse… Ces efforts furent vains, ce souvenir revenait la hanter comme une lame de fond qui l'entraînait vers sa destinée.

Cette longue nuit lui sembla éternelle, mais elle finit par s'endormir, vaincue par la fatigue et le chagrin. Son sommeil agité fut troublé par un songe fugitif qui vint habiter son monde… Anne était là, vêtue d'une robe nuptiale, souriante et belle, et peu à peu les traits mûrs de la mère se transmuèrent en sa propre silhouette juvénile. Elle se voyait les cheveux tressés sous un voile diaphane, une couronne de roses posée sur sa tête et, au loin, s'avançait vers elle la forme imprécise d'un jeune homme qui lui offrait un anneau d'or…

Elle ressentit une grande paix et dériva vers les abîmes du rêve, mais les pleurs énergiques d'un bébé la réveillèrent prestement et l'extirpèrent de sa béatitude. À demi éveillée, elle chercha vainement le visage de l'aimé, perdu à jamais dans l'aube qui pointait au loin, chassé par les cris incessants de Julien.

Au petit matin de ce dernier jour de mars, le vent grondait toujours comme une bête féroce, et la neige accumulée sur les sentiers balisés ne laissait aucune issue à quiconque aurait voulu s'y aventurer. La cloche de l'église de l'Île Du Pas sonna en vain ; par un temps pareil, aucun fidèle n'aurait risqué sa vie pour remplir son devoir de chrétien. Le curé célébrerait donc sa messe seul, dans une nef déserte.

Pour une rare fois, la famille Guillot n'assisterait pas à la messe dominicale, mais Mathilde prit l'initiative de rassembler ses frères, sa sœur et son père devant la statue de la Vierge Marie pour la remercier de la guérison de Nicolas. Devant la famille agenouillée, elle alluma un lampion, récita le chapelet, lut un psaume et se signa. Tous l'imitèrent en murmurant Amen. La petite de Sagawee les fit rire en répétant : « men... men. » Mathilde la prit dans ses bras et déposa un baiser sur ses joues basanées.

Malgré son calme apparent, Mathilde n'avait pas retrouvé la paix intérieure ; elle était tourmentée par sa rencontre secrète avec le capitaine Cairns, quelques jours auparavant, et, depuis, son esprit luttait vainement contre les élans de son cœur. Elle doutait et craignait de se perdre dans le tourbillon de l'amour affolant qu'Henry lui avait déclaré. Et il l'attendrait ce soir...

Vers la fin de l'avant-midi, la bourrasque sommeilla un brin, et pendant un bref instant Mathilde reprit un peu d'espoir. Mais l'accalmie fut de courte durée, et la rafale redoubla d'ardeur, balayant tout sur son passage. Antoine et ses fils aînés peinèrent à se rendre à l'étable pour soigner les bêtes et durent s'agripper les uns aux autres pour ne pas être emportés par le vent en furie.

Mathilde avait maintenant la certitude qu'Henry ne viendrait pas.

* * *

Le capitaine avait passé une partie de la nuit à préparer ses bagages, à classer ses livres, ses souvenirs, ses aquarelles, et dès qu'il entendit Catherine se lever, il frappa à la porte de la chambre de sa sœur.

— Tu as mal dormi ? demanda-t-elle, inquiète, devant la mine défaite de son frère.

— Quelques heures seulement ; j'ai mis du temps pour tout ranger… Je ne sais pas quand je vais revenir.

— Tu me sembles si triste, *my dear brother*.

— *I am, too.*

— À cause de Mathilde ?

— Tu me connais si bien que je ne peux rien te cacher ; tu devines mes sentiments, chère Catherine. Je partirai malheureux et inquiet. Nous avions un rendez-vous, hier soir, mais la tempête nous a ravi cette dernière rencontre avant mon départ. Je quitterai la seigneurie sans l'avoir revue.

— Est-ce que je peux lui faire porter un message par une personne de confiance ?

— Je me proposais de te le demander. Adèle pourrait agir discrètement et remettre à son amie Mathilde la lettre que je te laisserai. *Thank you, dear sister.*

D'une voix coquine, caressant le ventre rond de sa sœur, Henry s'enquit : « Et ce petit, il ne te cause pas trop de soucis ? »

— Il bouge beaucoup ; son père affirme qu'il sera grand et fort.

— Prends bien soin de toi, et de lui… ou d'elle ! Je reviendrai pour le baptême, promis !

— Sois prudent ; ne prends pas de risques inutiles. On raconte que les rebelles attaquent souvent par petits groupes, en embuscades meurtrières. James me raconte parfois des scènes barbares rapportées dans *La Gazette de Québec*.

— Il ne devrait pas t'effrayer ainsi, pas dans ton état ! Je peux lui en glisser un mot, proposa Henry, inquiet pour la santé de sa sœur.

— N'en fais rien, protesta Catherine. Je me porte fort bien, et mon époux me protège avec bienveillance. Je suis pleinement heureuse ; je te souhaite de trouver le même bonheur que James et moi, avec une compagne aimante et aimée, et de connaître enfin un amour partagé.

— Mais quand reviendrai-je ? L'avenir d'un militaire, en temps de guerre, est bien incertain. Je dois servir mon pays, et je ferai mon devoir en toute loyauté, même au péril de ma vie.

— Tu es brave, Henry ! Nos parents seraient fiers de toi ; je le suis aussi et je m'inquiéterai de toi, chaque jour, jusqu'à ton retour.

— Je t'écrirai aussi souvent que je le pourrai. Et j'espère bien que tu en feras autant, que tu me raconteras ta vie de seigneuresse, sans oublier de me parler d'elle.

— Je ne te laisserai pas dans l'ignorance au sujet de celle que tu aimes ; au besoin, je veillerai sur elle et sa famille. Je le ferai pour toi ; je lis en toi comme dans un livre ouvert, et je sais maintenant que tu l'aimes profondément. Je souhaite que tu ne souffres pas à cause de cet amour, disons, romanesque et chimérique. Tu te fais peut-être des illusions…

— C'est ce que je voulais vérifier avant mon départ, mais j'ose croire qu'elle m'aime aussi ; certains signes ne trompent pas.

Serrant très fort sa sœur dans ses bras, il demanda : « Est-ce que je peux te confier mes précieux dessins ? Je ne voudrais pas qu'ils tombent sous le regard indiscret de ta dame de compagnie. »

— Tu peux compter sur moi ; je les rangerai dans un lieu sûr. Tu partiras ce matin, avec James ?

— Oui, tout est prêt. Dès le repas terminé, nous monterons les chevaux qui nous attendent déjà.

***

Des coups brefs, frappés à la porte de la chambre, mirent fin aux confidences du frère et de la sœur ; Julia était là, c'était le moment de la toilette matinale de *Lady* Catherine. Toujours d'une ponctualité monacale, Julia s'acquittait de sa tâche avec une fidélité presque maniaque. Tout était calculé : les repas, les bains chauds et tonifiants, les heures de repos, tout devait assurer le mieux-être de la seigneuresse et du bébé que celle-ci attendait. Seuls James et Julia étaient témoins de la transformation de la silhouette de *Lady* Catherine : la dame de compagnie veillait jalousement sur l'apparence de la future mère et dissimulait, sous les amples jupons, le ventre fécond de sa maîtresse.

Ce matin, elle tournait autour du capitaine, austère dans son habit militaire. Il était peu bavard et semblait plutôt morose. Julia savait que son départ était imminent.

— Vous partez avant la fin de l'hiver, Henry. J'osais espérer que l'armée ne vous rappelle qu'avec l'arrivée du printemps.

— Je dois obéir aux ordres, Julia, et servir mon pays. Les rebelles des colonies du Sud sont à nos portes, l'Angleterre doit défendre ses terres.

— La guerre est une malédiction !

Prenant un ton plus doux, elle proposa : « Pouvez-vous m'attendre un moment ? J'ai tricoté un foulard, des mitaines et un bon chandail de laine qui vous protégeront du froid. »

— Ce n'était pas nécessaire, ma bonne Julia ; l'armée du roi George nous fournit tout ce dont nous avons besoin. Vous pourrez offrir ces lainages aux habitants de la seigneurie ; ils en profiteront bien plus que moi.

— Mais j'ai tricoté ces vêtements pour vous, insista Julia, *just for you*.

— Je comprends. Vous vous êtes donné bien de la peine ; je les accepterai donc. Apportez-les-moi ; je les rangerai dans mon havresac.

— Je prierai pour vous chaque jour et suivrai le développement du conflit en lisant le journal, quand le postillon le livrera au manoir. Nous vivons tellement à l'écart du monde, ici, se plaignit Julia.

— Mais c'est un si beau coin de pays, il faut seulement savoir le reconnaître.

Et prenant ses lourds bagages, le capitaine se dirigea vers le grand escalier.

— Au revoir, Julia. Et merci pour les tricots ! lança-t-il sans se retourner.

— Je vous les apporte à l'instant.

Elle se dirigea vers sa chambre en souhaitant qu'au moins il daigne poser sur elle un regard de reconnaissance.

Toute la soirée de la veille, et même tard dans la nuit, elle l'avait épié, avait écouté les bruits venant de sa chambre ; elle était maintenant rassurée : il n'était pas sorti du manoir et n'avait donc pas revu la « *stupid Canadian* » avant son départ. Son espérance, aussi ténue qu'obstinée, ne voulait pas mourir : tel un navire à la dérive, Julia s'accrochait désespérément au moindre phare qui illuminait ses jours.

Après un déjeuner copieux, partagé avec Catherine et James dans le recueillement qui précède un départ, Henry fit des adieux brefs et touchants ; la seigneuresse ne put retenir ses larmes quand son frère la pressa affectueusement contre lui. Les domestiques, un à un, se présentèrent pour lui souhaiter la meilleure des chances, tandis que Julia attendait un signe qui ne vint pas. Retirée, loin des autres serviteurs qui entouraient le capitaine, elle resta de marbre, froide et esseulée comme une banquise à la dérive.

— Tu es prêt, Henry ? demanda James, embarrassé par les étreintes qu'il souhaitait abréger ; les chevaux s'impatientent.

— Sois prudent, conseilla de nouveau Catherine. *God bless you !*

* * *

Le vent s'était arrêté aussi rapidement qu'il s'était levé, et un soleil radieux faisait fondre la neige nouvellement tombée. Une nappe d'eau ruisselait dans les sentiers boueux. Les toits se déchargeaient de leur lourd manteau blanc en laissant choir de larges tranches d'hiver sur les sols détrempés. Les gouttes d'eau qui s'échappaient des fenêtres et des branches des arbres encore dégarnis chantaient à l'unisson le réveil de la terre. Les journées restaient éveillées plus longtemps, les bêtes demandaient leur liberté et les enfants passaient une bonne partie de leur journée à s'amuser dehors.

Empruntant le chemin bourbeux qui laissait deviner que le printemps s'annonçait déjà avec toutes ses promesses, Henry quitta la seigneurie le cœur bien lourd, en désaccord avec la nature qui chantait le renouveau et la résurrection.

30

*T*oute cette vie, qui s'agitait et reprenait son souffle, laissait Mathilde indifférente ; le départ d'Henry pour un lieu et un temps indéterminés la remplissait de mélancolie ; seul son sens aigu des responsabilités envers sa famille réussissait à garder son esprit en alerte. Ne voulant laisser personne mener sa vie ni assombrir son existence, elle se remit vaillamment à la tâche. Les bessons gazouillaient, se développaient et reconnaissaient maintenant la voix patiente de leur nourrice, à qui ils souriaient de plus en plus souvent.

En homme d'Église avisé, le curé s'arrêtait fréquemment chez les Guillot, d'abord pour s'assurer que Sagawee ne transgressait pas les bonnes mœurs, et surtout pour préparer le baptême officiel des bébés ondoyés à leur naissance.

— Mon bon Antoine, proposa-t-il, en visite le dimanche des Rameaux, faudrait faire baptiser les enfants samedi, pendant l'office du matin.

— C'est une bonne idée ! répliqua Antoine, bougonneux et peu enclin à la discussion.

— Tu pourras passer au presbytère pour que je prépare le registre de la fabrique. Et… cette sauvagesse qui s'occupe de tes jumeaux, comme elle habite sous ton toit, il faudrait la faire baptiser aussi, de même que sa petite.

— Ça, mon père, ça regarde qu'elle.

Sagawee comprit, aux regards qui se tournaient vers elle, que les deux hommes s'entretenaient à son sujet. Elle aurait voulu se faire invisible, et elle baissa ses yeux de braise, attendant humblement un signe de l'un d'eux. Antoine en laissa l'initiative au curé qui, embarrassé, s'adressa à l'Abénaquise.

— Tu comprends quand on s'adresse à toi ? demanda le religieux, tentant de se faire conciliant.

— Oui, murmura Sagawee.

Le prêtre reprit lentement, en prononçant bien tous les mots afin de s'assurer que Sagawee comprenne le sens de chaque parole.

— Samedi matin, la veille du jour de Pâques, les jumeaux seront baptisés à l'église, après la bénédiction de l'eau. Tu sais ce que veut dire « être baptisé » ?

— Un peu…

— Tu n'es pas baptisée, n'est-ce pas ?

— Non.

— Ton enfant non plus ?

— Non.

Se tournant vers Antoine, le curé le sermonna :

— Je te rappelle que l'Église catholique ne permet pas à des chrétiens comme toi de garder des païens sous leur toit… J'avais évoqué cette loi morale à la mort de ta femme, y as-tu réfléchi depuis ?

— Mon père, icitte, sous mon propre toit, je garde qui j'veux. Sagawee restera tant que ce sera nécessaire et tant qu'elle voudra ben habiter avec nous autres.

— Mon bon ami, l'Indienne peut très bien demander le baptême, pour elle et sa fille, en même temps que celui de tes jumeaux. Elle sauvera ainsi son âme et celle de sa fillette.

— C'est à elle d'en décider. Pour moi, ça change rien, pour les bessons non plus !

— Tu connais très bien les règles de notre Église, Antoine, et pour éviter tout scandale, Sagawee devra être baptisée si elle veut rester dans ta maison.

— J'vous répète que c'est pas moi qui vais lui dire quoi faire. J'en parlerai avec elle, pis avec Mathilde. J'vous informerai de sa décision en allant au presbytère. Mais baptisée ou non, pas question qu'elle parte d'icitte !

— Moi demande baptême avec ma fille et bessons, balbutia Sagawee qui voulait éviter tout affrontement entre Antoine et le missionnaire.

— Fort bien, Sagawee. Fort bien. T'es une bonne fille et tu seras aussi une bonne catholique. Avant ton baptême et celui de ton enfant, il faudra que tu viennes au presbytère chaque jour de cette semaine afin que je prépare ton âme à recevoir ce sacrement.

— Moi irai chaque jour. Promis !

— Maintenant, suggère-moi un nom chrétien pour remplacer ton nom de sauvagesse et un prénom pour ta petite fille. Et… qui est son père ? questionna le missionnaire en posant un regard inquisiteur sur l'Abénaquise, intimidée.

— Ça, c'est privé. Pis elle gardera le prénom de Sagawee. C'est pas l'temps d'changer de nom à cet âge-là ! Et pour la petite, on verra. J'vous l'dirai quand j'passerai vous voir au presbytère pour les arrangements.

Le curé, content d'avoir gagné deux âmes aussi rapidement, se garda bien de répliquer et pardonna à Antoine son agressivité ; il comprenait sa détresse et son désarroi. Sagawee était devenue indispensable, il devait bien l'admettre, mais pour sauvegarder les bonnes mœurs de ses ouailles, il devenait impérieux que cette païenne soit purifiée par les eaux baptismales. Elle aurait ensuite le droit de partager le toit de la famille Guillot… Mais il faudrait d'abord lui enseigner des dogmes de la religion catholique et surtout respecter le commandement de

Dieu : « *Tu n'auras pas de désir impur volontaire.* » Il ne manquerait pas de le lui rappeler.

* * *

Le samedi saint, les glaces du fleuve se disputaient âprement la voie du chenal qui se libérait peu à peu de sa paralysie hivernale. La débâcle tant attendue éclatait avec force et puissance. On aurait dit que des monstres secouaient les entrailles du fleuve, faisant éclater les blocs de glace dans un vacarme infernal. Le craquement lugubre de l'épaisse couche de glace retentissait dans toutes les îles et se faisait entendre jusque sur les rives des seigneuries qui jouxtaient le fleuve, enfin affranchi des rigueurs de l'hiver. Les glaces résistaient un moment, puis se fracassaient en gros morceaux qui se bousculaient, se cabraient, bondissaient et retombaient dans un grondement sourd et terrifiant.

Comme la pierre tombée du sépulcre avait libéré le Ressuscité au matin de Pâques, les blocs de glace délivraient les eaux tumultueuses du grand fleuve qui poursuivait ensuite sa course vers les océans. Dans sa précipitation, il emportait les résidus de la saison morte : branches, folles herbes, cadavres d'animaux et détritus qui voyageaient pêle-mêle dans un désordre et un vacarme indescriptibles.

Et ensuite, le fleuve reposé refleurirait ses rives.

* * *

La petite chapelle de l'Île Du Pas attendait Antoine et sa famille ; levés à l'aube, ils se hâtèrent vers l'église où les rejoignirent les autres paroissiens. Endimanchés, portant le deuil, père et enfants entrèrent dans la nef, remplie de fidèles recueillis, tandis que Sagawee et sa fillette, n'étant pas encore reçues dans le giron de l'Église, durent attendre derrière le dernier banc. L'église était sombre, nulle lampe ne veillait sur l'assemblée qui se tourna vers la grande porte afin d'accueillir le feu nouveau. Le curé récita les oraisons de la bénédiction du cierge pascal et chanta *Lumen Christi* ; les fidèles s'agenouillèrent en répondant : « *Deo gratias.* »

La longue cérémonie se poursuivit par la bénédiction des fonts baptismaux et de l'eau à laquelle il ajouta le saint chrême, et traçant le signe de la croix, il termina l'oraison : « *In nomine Patris, et Filii, et Spiritus Sancti.* » « *Amen* », reprit l'assistance. Mathilde et Jean-Baptiste, parrain et marraine de l'Abénaquise, de même que Marie et Olivier, qui avaient accepté d'assumer cette responsabilité envers la petite métisse, s'avancèrent vers les deux Indiennes, les invitant à recevoir le baptême. Le célébrant, vêtu de la chasuble violette, versa l'eau bénite sur le front de Sagawee en prononçant la formule sacrée. Il fit de même pour l'enfant : « Marie-Anne, je te baptise au nom du Père, du Fils et de l'Esprit-Saint. »

Deux âmes venaient ainsi de prendre leur billet pour une éternité de bonheur.

*　*　*

Les échanges entre les îles et les villages riverains étaient mis entre parenthèses, tant que les glaces voyageuses flânaient encore sur les eaux glaciales du fleuve insoumis. Sachant Mathilde retenue sur son île, Julia faisait plaisir à voir ; on la voyait parfois sourire et elle se montrait presque gentille avec les domestiques, étonnés de tant d'amabilité. Elle s'intéressait davantage aux enfants d'Adèle, parfois même osait-elle glisser une gâterie dans leur assiette.

Dans l'intimité, elle devenait le témoin privilégié de la transformation physique de la seigneuresse, et elle se dévouait corps et âme à son service, souhaitant se rendre indispensable aux yeux de Catherine. Elle comptait se voir confier les soins du bébé, dès sa naissance, s'attribuant ainsi un statut particulier. À coup sûr, elle gagnerait le cœur du capitaine Cairns, parrain de l'enfant ; elle n'en doutait plus. Tous ses temps libres, elle les occupait à lire ou à correspondre avec

Françoise, à qui elle décrivait une vie qui ne lui était jamais apparue aussi prometteuse.

Alors que Julia se tricotait une existence à la mesure de ses rêves, Mathilde marchait pesamment sa peine sur la rive de son île. Elle enviait les oiseaux migrateurs qui revenaient de leur habitat d'hiver, libres et désinvoltes ; ils allaient d'une rive à l'autre, se posaient parfois sur la glace à la dérive, sans se soucier des dangers. Ils gazouillaient, pépiaient, chantaient, se courtisaient même en appelant l'amour. Le ciel, chargé de plumes et de cris, envoûtait la jeune femme qui portait son regard vers le large. D'un geste machinal, elle lança une pierre dans l'eau qui sembla lui sourire.

Fin d'avril, déchargé de sa lourde chape immaculée, le fleuve pouvait enfin respirer. Les habitants des îles aussi : ils pouvaient de nouveau mettre leur embarcation à l'eau. Ils reprenaient rames et avirons pour voyager aussi loin que le vaste cours d'eau le leur permettait. La population insulaire retrouvait sa liberté, en même temps que les vastes plaines dénudées laissaient apparaître les sillons fertiles qui appelaient les semences.

Mathilde patientait depuis longtemps dans l'attente de ce matin libérateur pour confier les petits à Sagawee et se rendre enfin, avec Marguerite, Firmin et Nicolas, à la seigneurie de James Cuthbert. Une sorte de bonheur tranquille émanait d'elle quand elle détacha la chaloupe et entreprit la traversée vers l'autre rive. Elle ramait avec hâte, tout en surveillant ses frères et sa jeune sœur, bien énervés à l'idée de retrouver les enfants d'Adèle qui, de son côté, attendait ce jour en suivant la migration des glaces voyageuses, dans l'espoir de voir enfin arriver son amie.

L'étreinte fut longue et cordiale, les deux femmes avaient tant à se raconter qu'elles ne trouvaient plus les mots pour relier les longs silences de l'absence. Afin de pouvoir converser avec Mathilde, la cuisinière proposa à ses enfants d'amener leurs amis à l'étable pour voir les petits qui venaient de naître : veaux, chatons, poulets ne manqueraient pas d'éveiller leur intérêt. Et

Adèle était certaine qu'ils passeraient de longs moments devant la stalle, où une jument avait mis bas la veille. Le poulain était l'attraction de tous les serviteurs qui s'étaient rendus à l'écurie pour le voir et le caresser. Sauf Julia, qui ne voulait pas s'abaisser à imiter ces vulgaires domestiques qui profitaient de toutes les possibilités pour se soustraire à leurs obligations.

— Pis quand vous aurez assez flatté le petit, vous donnerez un coup de main à monsieur Piet, qui a bien besoin de bras pour préparer les semences. Il sera ben content si vous lui proposez votre aide.

— Quelle énergie, ma bonne amie, remarqua Mathilde. Je t'avoue que j'en ai pas tant. J'travaille d'une étoile à l'autre.

— Ma pauvre fille ! Je pleure souvent quand je pense à toi.

Et après s'être assurée que la fouine ne les espionnait pas, elle poursuivit, sous le ton de la confidence.

— Tu occupes aussi les pensées d'un autre… Avant son départ, le capitaine Cairns a laissé, pour toi, une lettre et un colis à la seigneuresse ; elle m'a chargée de te les remettre. Le dimanche de la tempête, *Mr* Henry était comme un cheval impatient ; il se promenait d'une fenêtre à l'autre, marchait sans cesse, sondait le temps, écoutait la fureur du vent. Il est venu me voir dans la cuisine et m'a informée que vous aviez un rendez-vous devant l'église de l'Île Du Pas, mais la force de la tempête ne lui permettait pas de risquer sa vie pour te voir avant de partir. Il était désespéré de ne pouvoir te faire ses adieux.

— J'vivais moi aussi une grande tourmente. J'ai vite compris qu'il viendrait pas.

— Tu l'aimes, n'est-ce pas ?

— J'pense à lui souvent, j'lui fais confiance, et pis comme ma cousine Angélique et toi avez fait pour suivre l'homme que vous aimiez, j'serais prête à tout abandonner pour lui. J'pense ben que c'est ça, aimer.

— Henry t'aime sincèrement et il ferait un bon époux. Il est très épris de toi, mais est-ce qu'une longue séparation éteindra la passion qui l'aveugle ou l'attisera davantage ? Peut-être faut-il vous laisser un peu de temps… Tant de choses vous séparent. Presse-toi pas à t'engager, car il arrive souvent qu'avant le mariage ils font beaucoup trop de manières, et qu'après ils n'en font plus assez.

— Ce que tu dis me rappelle la fuite d'Éloi, l'ancien soupirant d'Angélique ; on s'était ben promis alors, toutes les deux, de pas nous faire prendre par des belles paroles et des yeux doux ni par n'importe quel bon parti qui nous conterait fleurette. Mais tu vois, maintenant, Angélique vit un grand amour, et moi, j'crois que les sentiments d'Henry sont sincères… Ses yeux peuvent pas mentir, mon cœur me le dit.

— Je le crois aussi, mais cet amour résistera-t-il à une longue séparation ?

— Tu as raison ; je dois rester sage et prudente. D'ailleurs, j'pourrais pas partir maintenant de la maison en abandonnant père et les enfants.

— La lettre qu'il t'a laissée t'aidera à y voir clair.

— Tu permets que j'la lise seulement quand j'serai seule chez moi ? J'sais que j'vais pleurer. Depuis que mère est morte, les larmes sont toujours très proches… J'voudrais pas que Firmin voie ma tristesse ; il m'inquiète, il pleure souvent tout seul dans son coin, mais comme je suis incapable de surmonter ma propre douleur, j'arrive pas toujours à le consoler.

— Je comprends. Et si Firmin venait vivre avec nous ? Le seigneur et sa dame permettraient sans doute que ce pauvre enfant partage la chambre de mes garçons. Et sans remplacer votre mère auprès de lui, je te promets que je l'aimerais comme un fils.

— J'en doute pas, ma bonne Adèle. Merci! Veux-tu en discuter avec les seigneurs? De mon côté, j'en glisserai un mot à notre père. Mais j'ai idée que c'est déjà accepté.

— Faut bien s'entraider dans les malheurs. As-tu le temps de manger avec nous avant de t'en retourner?

— C'est pas de refus, mais j'me mets à la tâche avec toi, ce sera comme au bon temps de l'an dernier, avant que tous ces malheurs arrivent.

— Et tu auras le temps de saluer *Mr* James et *Lady* Catherine. Ils sont là tous les deux aujourd'hui.

— Et Julia, la chipie, aussi? riposta Mathilde, retrouvant son sourire.

— C'est bon de te voir rire de nouveau, ma chère amie.

* * *

De retour à l'Île Du Pas, Mathilde prépara à la hâte le repas du soir et, les appétits satisfaits, elle appela de tous ses vœux le moment d'être seule; elle avait peine à cacher son impatience devant la lenteur du temps qui s'étirait. Jean-Baptiste et Louis jouaient aux cartes à la lueur de la lampe, tandis que Firmin s'amusait avec les plus petits qui faisaient des rondes. Antoine hachait patiemment son tabac à pipe, tout en chiquant son préféré; il le pétrissait un moment, comme pour l'attendrir, le hachait et le déposait ensuite soigneusement dans la belle boîte de fer-blanc offerte voilà déjà de nombreuses années par le père Huguenin. Il songeait à tous ces êtres aimés, partis vers l'au-delà, et son regard encore chagriné se posa sur la patiente Sagawee qui préparait les bessons pour la nuit. Mathilde profita de ce moment pour filer dans sa chambre, son trésor caché dans les replis de son tablier.

Elle hésita un long moment avant de lire les mots qui, appréhendait-elle, bouleverseraient sa vie. Elle ferma un instant les yeux et implora Anne, sa mère, de la guider sur la route de l'amour. Elle se sentit aussitôt imprégnée d'une douce paix qui la fortifia ; plus sûre de ses sentiments, elle décacheta l'enveloppe.

Elle s'arrêta sur la première page de la lettre et sourit en admirant une toute petite aquarelle représentant l'ovale de son beau visage, coiffé d'un bonnet d'où s'échappaient quelques boucles d'or. *« Je vous aimerai toujours, ma belle Mathilde. Henry »* Ces quelques mots suffirent pour lui faire comprendre qu'Henry l'aimait autant qu'elle l'espérait ; mais curieuse de découvrir la force, la puissance des mots de cette touchante confession, elle irait jusqu'au bout de la lettre…

« Ma mie, mon tendre amour,

Depuis que cette tempête terrifiante s'est levée, je n'ai connu aucun repos, cherchant par tous les moyens le chemin qui me mènerait vers vous. Le destin s'est moqué de nous et nous a privés de notre dernière étreinte, celle qui aurait pu sceller notre promesse. Je partirai donc dès que le vent se sera calmé, sans avoir le bonheur de vous serrer dans mes bras. Je partirai aussi le cœur inquiet, car vous ne m'avez rien promis… pas encore. J'avais pourtant tellement rêvé de ce moment…

J'emporte avec moi le goût de vos lèvres, la chaleur de votre regard et le souvenir de vos traits gravés à jamais dans ma mémoire. Je me rappelle avec bonheur la première fois où je vous ai parlé dans l'aube frileuse et incertaine d'un dimanche matin. J'ai compris dès ce moment-là que je ne vous oublierais jamais. Votre courage et votre force m'inspireront dans les pires moments de notre périlleuse mission. Je porterai comme un talisman la première aquarelle que j'ai peinte en vous observant à votre insu, elle est et restera sur mon cœur tant que vous ne vivrez pas à mes côtés.

William fera partie de mon régiment, et nous veillerons l'un sur l'autre jusqu'à la fin de notre engagement. Je demanderai aussi que votre cousine soit protégée, bien à l'abri avec les femmes des autres militaires.

Je sais plus que jamais que je vous aimerai jusqu'à ce que mon cœur cesse de battre. Veuillez accepter le témoignage de mon amour en gardant précieusement ces trois bouquins : Les voyages de Gulliver *de Jonathan Swift,* Candide *de Voltaire et* Le Père de famille *de Diderot. Vous les lirez en pensant que j'ai éprouvé beaucoup de bonheur à lire ces aventures romanesques. J'admire votre courage et je vous aime.*

Avec tout mon amour, Henry»

Mathilde resta un long moment à relire cette lettre qu'elle dissimula ensuite sous sa paillasse, remonta ses cheveux sous son bonnet pour se donner bonne contenance et descendit dans la cuisine fort animée.

— Tu viens jouer à la belote avec nous, Mathilde ? proposa Louis.

— Si vous trichez pas, mes petits fripons !

La grande sœur fit équipe avec Firmin, saisit les cartes distribuées par Jean-Baptiste et les classa en faisant bien attention de les dissimuler aux yeux indiscrets de son cadet, qui n'hésitait devant aucune astuce pour gagner. Ils perdirent la première partie et, ne se laissant plus distraire, ils remportèrent la deuxième, sous les protestations de leurs adversaires.

Antoine somnolait, et fatigué de sa longue journée de labeur, il se leva, ajouta un peu de bois dans le poêle et se dirigea vers sa chambre.

— Oubliez pas d'éteindre la lampe, dit-il, comme il le faisait chaque soir.

Et la nuit venue, nichée au creux de ses oreillers, Mathilde alluma une bougie et relut les mots d'amour d'Henry ; elle sombra ensuite dans un profond sommeil, rêvant de flammes vives qui pétillaient dans un gros poêle de fonte entouré d'enfants qui dansaient et chantaient. Elle s'éveilla brusquement, son rêve très précis encore à portée de main ; ce feu ardent lui révélait toute l'intensité de l'amour que lui vouait le capitaine Cairns. Elle n'en douterait plus.

31

*L*e 5 mai prenait habituellement un air de fête chez les
Guillot, car ce jour marquait l'anniversaire de l'aînée
de la famille, et Anne avait coutume de souligner, avec simplicité et beaucoup d'amour, la naissance de chacun de ses enfants.
Un repas plus élaboré était servi et une attention particulière
était portée à celui ou celle qui comptait une année de plus.

Mais cette année, les heures passaient, et personne ne
songeait à souligner les dix-sept ans de Mathilde. Plus le temps
filait, plus la mélancolie s'emparait d'elle. Elle peinait à soutenir une conversation, aucun sujet ne retenait son attention, tout
lui semblait futile et vain. Souvent, au cours de la journée, elle
dut retenir ses larmes… Qui pourrait comprendre la profondeur de sa souffrance ? Jamais sa mère ne lui avait autant
manqué qu'aujourd'hui… Elle pensait se confier à Sagawee,
mais celle-ci saurait-elle panser les blessures du cœur aussi bien
qu'elle soignait les corps avec ses herbes et ses pommades ? Et
sa confidente Adèle ? Elle habitait sur l'autre rive. Angélique et
Henry ? Partis si loin ! Et Antoine, qui ne s'était jamais soucié de
souligner les anniversaires de ses enfants, n'y fit aucune allusion.
Elle se sentait abandonnée de tous, comme une barque secouée
par la force du destin, perdue dans la tempête intérieure qui se
livrait en elle.

La nuit venue, elle quitta la maison et marcha sous les étoiles,
jusqu'au fleuve d'ébène. Elle repéra un endroit où elle ne
risquait pas d'être importunée, enleva sa coiffe, dénoua sa
longue chevelure, retira ses chaussures et, seule dans l'obscurité, s'assit sur une souche échouée sur la rive. Bercée par le
doux clapotis des vagues, elle mesura la profondeur de son
désarroi : «Comment peut-on survivre à tant de peine ? se
demandait-elle. Où est maintenant ma route ? Attendre Henry

ou accepter la demande pressante de Jacques qui a recommencé ses pèlerinages à la maison paternelle, chaque dimanche après la messe ? »

La jeune femme, perdue dans son amour pour Henry Cairns, ressentait tout le poids de sa solitude et laissa couler les larmes qu'elle retenait depuis trop longtemps. Là, sans témoins, elle put enfin crier toute sa peine dans la nuit de mai ; une longue plainte lancinante voyagea au-dessus des eaux et se perdit au loin, répercutant l'écho de sa désespérance sous la voûte du firmament tout constellé d'étoiles inaccessibles.

Mathilde n'avait plus envie de rentrer à la maison, elle désirait une autre vie que celle-là ; elle était condamnée à servir les autres et à répondre sans cesse aux besoins insatiables de sa famille. Pourquoi le bonheur de s'occuper des enfants qu'Henry pourrait lui donner était-il inaccessible ? Pourquoi n'avait-elle pas la liberté d'aimer et de se laisser aimer ? Avait-elle le droit d'oublier ses responsabilités et de parvenir à la félicité promise aux âmes de bonne volonté ? N'avait-elle pas déjà fait assez de sacrifices pour enfin toucher la récompense ? Ces mille questions qui la tourmentaient ne trouvèrent aucune réponse. Elle dut admettre qu'il lui fallait se résigner à traverser le désert avant d'accéder au jardin d'Éden.

Le chien Comète l'avait suivie et, impatient, il posa son museau froid sur les pieds nus de la jeune femme, la tirant de ses rêveries. Elle ramassa ses vêtements et remonta, à regret, le sentier sablonneux tant de fois emprunté. De loin, elle entendit les pleurs d'un bébé et hâta le pas. Elle ouvrit doucement la porte de la maison redevenue silencieuse ; Étienne venait de se rendormir dans les bras de Sagawee, qui lui fit signe que tout allait bien.

* * *

— Bonjour, mademoiselle Mathilde, lança joyeusement Jacques, sur le parvis de l'église de l'Île Du Pas. Je peux vous accompagner jusque chez vous ?

— Faites, mon bon ami.

Jacques, volubile, et tout à son bonheur de retrouver Mathilde, racontait les événements vécus à la seigneurie et au village. Il lui apprit alors que dame Catherine était partie à Montréal avec le seigneur pour y faire quelques commerces, et que l'épouse du boulanger Chaviot, très malade, ne quittait plus sa chambre. Le docteur Généreux lui rendait visite chaque jour, mais le mal faisait impitoyablement son œuvre de destruction ; il ne pouvait rien pour la guérir. Chaviot avait même consulté Cunégonde, malgré l'interdiction du curé Kerberio, mais la sorcellerie de la veuve Nolan n'avait pas réussi, jusqu'à maintenant, à conjurer le mal qui rongeait la pauvre Hélène.

— L'âme de votre femme est déjà partie, avait déclaré Cunégonde à Paul-Henri, bouleversé. Son corps malade ira betôt la rejoindre.

— Quel malheur ! soupira Mathilde.

— Mon maître est bien triste, vous savez. L'arrivée des beaux jours ne réussit pas à dissiper ses soucis. Et il a de plus en plus de travail, les Cuthbert achètent maintenant presque toutes leurs pâtisseries et tous leurs pains à la boulangerie.

— Adèle ne boulange donc plus le pain ? Elle est malade ?

— Elle déborde d'énergie, mais depuis que vous êtes partie, elle n'arrive plus à faire tout le travail, même avec l'aide de la jeune Thérèse.

D'un propos à l'autre, les deux jeunes gens, chaperonnés par Firmin, se rendirent rapidement à la maison des Guillot, sous un soleil radieux. Les roseaux communs avaient relevé leur chevelure écrue et les saluaient gracieusement, tandis que l'herbe de Sainte-Barbe ornait la bordure du sentier de grappes dorées. Des bourgeons gonflés de vie s'apprêtaient à livrer leurs fruits, alors que des feuilles vert tendre pointaient aux branches nues des saules qui pleuraient, les pieds baignant dans l'eau du fleuve.

— Vous êtes bien songeuse, Mathilde. Je vois encore trop de tristesse dans vos beaux yeux, ma mie.

— Laissons ça, Jacques, j'veux pas chagriner Firmin, mère lui manque tellement! confia Mathilde, d'une voix contenue. Vous entrez manger avec nous? proposa-t-elle, sachant fort bien la raison qui amenait Jacques à leur table, en ce premier dimanche de mai.

— Fort bien, il a été entendu avec votre père que je m'amènerais ce dimanche pour lui parler de vous. Vous ne dites rien? dit le jeune homme, fort épris de la jeune femme.

— Mon père sait que j'veux épouser personne maintenant. Notre deuil durera encore plus d'un an et demi. Et qui s'occuperait de la famille si j'me mariais betôt? Inutile d'insister. Entrez tout de même partager notre table, mais j'partagerai pas votre vie ni celle de personne, pas maintenant.

Le prétendant, sûr de l'accord du père Guillot, se donna bonne contenance et offrit son bras à Mathilde pour entrer dans la maison. Le repas dominical, servi dans la gaieté, ne laissa rien paraître des soucis de Jacques qui taquinait les garçons en se moquant de leur accent. Au dessert, l'apprenti boulanger offrit une délicieuse tarte au sucre du pays à la famille Guillot. Mathilde et Sagawee desservirent ensuite la table, tandis que Jacques et Antoine se retiraient sur le perron pour fumer un cigare offert par Henry, après les fêtes du Nouvel An.

Même si Antoine regrettait la décision de sa fille, il se devait de la respecter; d'ailleurs, avait-il vraiment le choix?

— Mon brave, tu serais un bon parti pour ma fille aînée, mais c'est pas possible qu'elle parte avant quelques années. Depuis la mort de ma femme, ben des choses ont changé, ben des rêves sont partis avec elle. Maintenant, t'as le choix de l'attendre ou de regarder ailleurs. À toi de décider, et à elle, ben sûr! conclut Antoine, laissant échapper des ronds de fumée de son cigare venu des colonies du Sud.

— Me permettez-vous de lui faire la cour, en attendant que votre deuil soit terminé ?

— Pas d'raison de te refuser ça, t'es un bon parti, y pas de doute là-dessus. Tant qu'tu la respecteras, j'peux pas m'opposer à tes visites.

— Merci, père Guillot ; je vous promets de me conformer aux règles de la morale et de protéger votre fille comme la prunelle de mes yeux.

— Celui qui te reste, tu veux dire, s'esclaffa Antoine.

— Il ne m'en reste qu'un, c'est vrai, mais je vois quand même où se trouvent les filles bonnes à marier.

— Ça ben l'air de ça, mon brave ! Pis si tu décides d'attendre Mathilde, j't'accorderai sa main quand les bessons auront un peu grandi. Si elle veut, ben sûr ! promit Antoine.

— Je l'attendrai ; je l'aime et veux en faire ma femme.

— T'auras ma bénédiction, le moment venu, assura Antoine, secouant la cendre incandescente de son cigare.

* * *

Mai écoulait l'un après l'autre ses jours ensoleillés, et tant chez les Guillot qu'à la seigneurie, tout le monde se remettait à la tâche, espérant que la récolte de cette année se montrerait de nouveau généreuse. Les bœufs attelés tiraient paisiblement le soc des charrues qui perçait la terre et la retournait ; les paysans traçaient ensuite des sillons qui accueilleraient la semence prometteuse.

Les habitants creusaient des rigoles d'assèchement afin de préparer les prairies à recevoir les graines des céréales : blé, avoine, seigle ou sarrasin. Les bêtes mettaient bas, les oiseaux s'affairaient à construire leur nid, les écureuils, les tamias et les moufettes se disputaient les cavités des arbres pour y élever leur marmaille, les grands hérons peuplaient de nouveau les marais environnants, redonnant vie à tout ce pays qui ressuscitait. De nouveau, l'hiver et ses grands froids étaient oubliés.

Près du manoir, les premiers lilas, d'un blanc de neige, formaient de minuscules boutons encore clos qui, dans quelques jours, s'épanouiraient en grappes parfumées. Julia commençait à apprécier cette saison de fleurs et d'odeurs, ce ciel de pur et inaltérable azur. Le temps qui réchauffait et la brume qui s'évaporait sur le fleuve au petit matin la rendaient plus calme, presque enjouée. Il lui arrivait même de s'attarder sur la galerie avec Catherine, au milieu du jour, et de s'arrêter aux allées et venues incessantes des guêpes et des abeilles qui voltigeaient et s'introduisaient dans les calices des fleurs ; elles buvaient avidement, la tête en bas et le corps fébrile, le nectar sucré des roses trémières. Un énorme bourdon doré, presque immobile, se balançait paresseusement sur une feuille de rosier, comme dans une nacelle, tandis qu'entre les treillages de la balustrade une araignée velue tissait artistiquement une toile pour y emprisonner ses proies. Ces moments de grâce adoucissaient le caractère ombrageux de la dame de compagnie de la seigneuresse, la réconciliant presque avec la beauté du monde.

* * *

Mi-mai, alors que les habitants s'activaient aux champs, dans le silence pastoral à peine troublé par quelques cris d'oiseaux en quête de compagnie, voilà que les tocsins des églises de la seigneurie et de l'Île Du Pas s'unirent dans un même appel qui résonnait par-dessus les toits et se rejoignait en une longue plainte, appelant les habitants à l'aide.

— Un drame s'est sans doute produit, affirma Mathilde, accourant aux champs pour rejoindre son père.

Rapidement, les paysans délaissèrent leur besogne pour se diriger vers leur église et organiser promptement les secours sollicités. Les insulaires se joignirent aux hommes de la seigneurie, regroupés sous les ordres de l'intendant Guillaume Piet.

— Hélène Chaviot, la femme du boulanger, est disparue depuis le matin. Séparons-nous en équipes et dirigeons les recherches vers le fleuve, la Bayonne, les granges et les bosquets. Il faudra peut-être aussi sonder les puits, précisa l'intendant.

Le Chat, le fou du village, même boiteux et maladroit, était toujours le premier à répondre à l'appel. Sans attendre les ordres, il se faufila parmi les sauveteurs et glissa dans la Bayonne ; afin d'éviter la noyade, il se cramponna à une racine de saule, tout en appelant à l'aide en bégayant. Son attention fut aussitôt attirée par un vêtement de femme qui flottait librement à quelques pieds de lui ; il réussit à l'agripper avec une branche et le remit aussitôt au boulanger, atterré.

— C'est ben sa chemise de nuit, constata-t-il avec regret. Elle a dû tomber à l'eau et se noyer.

Sans tarder, l'intendant intensifia les recherches à cet endroit, et, sous l'eau glauque, il reconnut rapidement l'œuvre de la mort. Hélène Chaviot, qui venait tout juste d'avoir vingt-huit ans, s'était rendue jusqu'au bout de sa folie.

Le matin des funérailles, les censitaires, les paysans des autres paroisses et la noblesse des seigneuries avoisinantes vinrent témoigner leur sympathie au boulanger Chaviot, aimé et respecté de chacun. Le seigneur Cuthbert et Catherine, vêtus de noir, ouvraient le cortège qui conduisit la pauvre femme à l'église.

Le curé parla de miséricorde et accepta d'inhumer la pauvresse dans le cimetière catholique, même si la mort s'apparentait à un suicide. Le docteur Généreux, à la demande du veuf désemparé, et muni d'un certificat de décès, s'était auparavant rendu au presbytère pour intercéder auprès du prêtre afin que la mort d'Hélène Chaviot soit considérée comme accidentelle.

La messe des funérailles terminée, le peuple silencieux accompagna la défunte jusqu'au cimetière, où le curé prononça les dernières prières et invocations pour le salut de l'âme de cette malheureuse. La petite paroisse de Sainte-Geneviève de Berthier venait de perdre une autre jeune femme.

«Aujourd'hui encore, écrivit Julia à son amie, *les Cuthbert ont sympathisé avec des habitants papistes. J'ai refusé d'accompagner ma maîtresse à la cérémonie des funérailles, prétextant une indisposition. Elle n'a pas été dupe, je ne suis jamais malade… En l'absence de Mathilde, dont je t'ai si longuement entretenu dans ma dernière lettre, la vie au manoir de Berthier est plutôt agréable.»*

*** *** ***

La cérémonie terminée, Mathilde et Jacques quittèrent ensemble le cimetière, devisant sur la triste fin de cette malheureuse.

— Nous sommes maintenant deux hommes seuls. Si vous acceptiez de m'épouser plus tôt, monsieur Chaviot et moi, nous vous ferions la vie belle, mademoiselle Mathilde.

— J'en doute pas, mon ami, mais vous savez que ce serait pas raisonnable que j'laisse ma famille dans le besoin. Votre demande arrive trop tôt.

— Je sais, mais promettez-moi que vous y penserez ; maintenant que notre situation a changé, une femme serait bienvenue à la boulangerie.

— J'veux rien vous promettre, Jacques, répéta Mathilde, qui pressa le pas pour rejoindre Adèle, tentant de se libérer de son insistant cavalier.

— Tu viens un moment avec moi ? J'ai quelque chose pour toi, chuchota-t-elle.

Les deux femmes saluèrent aimablement Jacques, déçu de se voir privé si tôt de la présence de Mathilde. D'un pas pesant, il rejoignit le maître boulanger et remit son tablier.

Les deux amies prirent la direction du sentier qui longeait le fleuve, afin de pouvoir converser à leur guise, sans crainte d'être entendues.

— Dame Catherine s'est récemment rendue à Montréal où elle a rencontré un militaire de la même garnison qu'Henry. À la demande de ce dernier, il lui a remis une enveloppe qui t'est adressée. Elle me l'a discrètement confiée…

— Tu l'as icitte, avec toi ?

— Mais oui, mon amie, j'avais bon espoir de te rencontrer à l'église. La voici.

— Tu peux me la lire ? J'ai trop hâte de savoir…

— T'es bien certaine ?

— Oui, vas-y.

« Mathilde, ma bien-aimée,

Votre cousine Angélique a donné naissance à une petite fille prénommée Anne, en souvenir de votre mère. Elle a été baptisée selon le rite de la religion catholique, avant notre départ pour notre nouvelle mission. J'ai accepté la responsabilité d'être son parrain, avec la permission spéciale de votre Église ; Angélique tenait à ce que vous soyez la marraine, par procuration. Votre nom accompagne donc le mien sur le baptistaire de la petite Anne. Angélique semble être une femme comblée.

Chaque jour, j'admire l'aquarelle de votre beau visage, peint en me souvenant de vous. Vous êtes le lys d'eau qui embellit mes jours et mes nuits. Vous me portez chance. Puis-je espérer recevoir de vous ne serait-ce qu'un bref message, maintenant que vous connaissez l'écriture ? Si vous préférez, votre bonne amie Adèle pourrait vous rendre le service de rédiger une lettre en votre nom. J'attendrai impatiemment un mot de vous, ma belle amie. Je vous aime chaque jour davantage.

Avec tout mon amour,
Henry Cairns, capitaine »

— J'suis toute à l'envers… Angélique est maman ! Il faut le dire à tante Marie tout de suite ; elle s'inquiète de sa fille chaque jour. Et la petite se nomme comme mère… Anne, la petite Anne. Que j'aimerais la voir ! ajouta la jeune femme, émue aux larmes.

— Ton père doit te retrouver au manoir comme d'habitude ? Rentrons alors trinquer à la naissance d'Anne et à tes amours, proposa Adèle. Dis, tu répondras à la lettre d'Henry ?

— J'vais attendre que mon cœur soit moins fou ; si j'lui répondais tout de suite, j'lui avouerais tout l'amour que j'éprouve pour lui en ce moment et je lui promettrais de l'attendre. Et ce serait de la folie.

— Il m'apparaît que la distance n'a en rien altéré l'amour que te voue Henry. Enrichie de ma triste expérience, je te recommande maintenant de ne pas le laisser languir trop longtemps ; si t'es certaine de tes sentiments envers le capitaine Cairns, donne-lui un peu d'espoir. Il est à la guerre, rappelle-toi qu'il affronte constamment des dangers, lui conseilla Adèle.

— Il faut que j'commence par mettre de l'ordre dans mes idées, j'suis sûre de rien. C'est pas aussi clair dans ma tête que dans mon cœur, soupira Mathilde. Pour ma cousine Angélique, le choix a pourtant semblé si facile…

— Ma chère amie, tu as la chance d'être aimée ; il faudrait pas passer à côté de ce bel amour.

— Mais j'ai si peur d'avoir mal. Henry est un militaire qui risque sa vie chaque jour ; de plus, il est beau, riche, charmant ; toutes les femmes tournent autour de lui. Est-il sincère ou se joue-t-il de moi ? J'suis pas aussi naïve que ma cousine ; j'pense avant de m'engager.

— Il t'aime, Mathilde. Pas de doute.

— T'as peut-être raison. J'vais y réfléchir encore et je reviendrai la semaine prochaine avec des mots et des idées que j'écrirai comme je les pense. Tu écriras ensuite, en mon nom, une lettre avec des beaux mots, comme ceux de Jacques. Tu voudrais bien m'rendre ce service ?

— Je trouverai les mêmes mots que je disais à mon Jeannot quand il me serrait contre lui. De si belles années, si tu savais, confia Adèle, les larmes aux yeux.

— T'es encore si jeune, un autre homme saura ben t'aimer de nouveau. Voilà mon père qui vient, mais j'peux pas partir sans te remercier au nom de Firmin, qui retrouve peu à peu son sourire depuis qu'il passe beaucoup de temps avec vous. Merci, Adèle, de prendre soin d'lui comme s'il était ton fils. Dieu te le rendra !

— L'affection qu'il me témoigne me récompense largement. Il fait maintenant partie de notre famille.

Un coup à la porte de la cuisine interrompit les deux femmes ; ses affaires étant réglées, Antoine était prêt à retourner à l'Île Du Pas.

* * *

Mathilde et son père, chargés de victuailles achetées chez les marchands du village et à la boulangerie, ramèrent presque silencieusement dans la quiétude de ce matin de la fin de mai. De temps à autre, une grenouille sautait dans l'eau, effrayée par les rames qui violaient son territoire, et se cachait dans les roseaux sauvages qui habitaient les marais. Les ménés et les alevins frétillaient sans repos dans l'eau vaseuse, tandis que les patineurs d'eau taquinaient la bouche gourmande des perchaudes affamées.

Distraite, remplie de rêves et de projets, Mathilde suivait machinalement la cadence imposée par son père ; rapidement, ils accostèrent au ponton, où Nicolas et les deux petites filles les attendaient en agitant les bras comme des oiseaux de rivage et de paradis. Antoine esquissa un sourire ; un vent de bonheur venait de se lever au-dessus de sa maison.

32

*S*ur l'autre rive du fleuve, à la seigneurie de Berthier, James Cuthbert ne manquait jamais une bonne occasion d'affaires et tirait de faramineux profits des transactions diverses qu'il menait avec droiture, honnêteté et circonspection. Jamais il n'avait regretté les livres investies dans l'achat de cette terre que le seigneur Courthiau, neveu et héritier de Pierre de Lestage, désespérait de vendre depuis le début de la guerre de Sept Ans. Désormais bien enraciné dans la nouvelle colonie, le seigneur s'attendrissait devant le ventre rond de sa femme et se promettait que sa famille connaîtrait la prospérité et la paix sur les rives de ce fleuve magnifique qui pénétrait jusqu'au cœur du pays.

Attirées par la croissance de la seigneurie de Berthier, des familles françaises et anglaises, de plus en plus nombreuses, venaient s'installer entre Dautray et la Rivière-du-Loup. Elles arrivaient de France, des colonies anglaises ou du pays, bien décidées à profiter de la paix que les rois de France et d'Angleterre venaient de signer. Si les pères de famille étaient paysans, des terres leur étaient alors concédées par James Cuthbert, qui achetait et vendait au gré des circonstances ; s'ils maniaient plutôt le marteau et le rabot, ils mettaient leur talent à bâtir et à rénover les édifices publics et les maisons négligées pendant les années de guerre. La population augmentait et se permettait de rêver à un avenir florissant.

L'été 1767 annonçait l'abondance. Les arbres donnaient généreusement leurs fruits, les prés ployaient sous les épis, les enfants naissaient et grandissaient ; toute cette prospérité aiguisait la fierté du seigneur de Berthier qui constatait que la vie de ses censitaires devenait chaque jour plus douce et plus confortable. Certains achetaient quelques poules, une vache, parfois même un cheval, alors que d'autres cultivaient plus d'un lopin de terre ou faisaient commerce.

James Cuthbert observait le développement du village, analysait les besoins croissants des habitants et parvint à la conclusion qu'il manquait encore quelques outils avant de pouvoir offrir tous les services nécessaires à la bonne marche de la société : il fallait un bureau de poste et une école. Il se mit aussitôt en quête d'un postier et recruta, dès la fin de mai, le premier maître de poste, Alexander McKay, qui installa son bureau dans une pièce de la maison que Cuthbert mit à sa disposition, tout près du manoir. Ce service postal faisait l'envie des autres seigneuries, car seules les villes de Québec, de Montréal et de Trois-Rivières avaient alors un bureau de poste pour servir leurs citoyens.

Un aubergiste, un cordonnier et un tailleur de pierres vinrent s'établir autour de l'église et du manoir de Berthier. Tous des gens de métiers, mais peu lettrés, ce qui ne manqua pas d'inquiéter le seigneur, préoccupé par l'ignorance du peuple, situation qui, estimait-il, nuisait au développement de la société. Ce problème généralisé le tracassait, et il crut bon d'en discuter avec Catherine afin de trouver la meilleure solution.

— Vous avez raison, James, trop d'hommes et de femmes d'ici ne savent pas lire, les enfants paressent et s'amusent sans se préoccuper d'apprendre ; seule la brave Adèle instruit ses enfants et Firmin, qu'elle vient de prendre avec elle. Discutons-en avec le curé Kerberio, proposa la seigneuresse. Il nous aidera, il connaît bien les habitants, et c'est un homme de bon sens, cultivé et dévoué à ses paroissiens.

— Ce conseil est bien sage ; je le rencontrerai dès demain et je lui offrirai de payer le salaire d'un maître, s'il accepte de le recruter et de le loger.

— Vous êtes bien charitable, James. Quand un maître d'école sera engagé pour les enfants du peuple, notre bonne Adèle sera ainsi déchargée de l'instruction des siens, ajouta Catherine, touchée par l'inépuisable générosité de leur cuisinière.

— Elle instruit des adultes aussi ; j'ai bien vu que c'est elle qui a appris à lire à la fille Guillot.

— Elle a agi ainsi à la demande de Mathilde, qui est une femme fort intelligente. Elle ira loin…

— Votre frère l'aime toujours ?

— Plus que jamais.

— Folie ! reprit Cuthbert, offusqué. Une folie !

— Ni vous ni moi n'y pouvons rien. Ils s'aiment, et si le destin en a décidé ainsi, ils formeront un couple amoureux, comme vous et moi, *my love,* dit la jeune femme en caressant les longs cheveux de son époux, déjà généreusement parsemés de fils d'argent.

* * *

Le curé de Berthier, messire Kerberio, homme de grand savoir, s'attristait lui aussi de constater qu'un grand nombre de ses paroissiens étaient analphabètes. Il rêvait de partager le savoir avec ses paroissiens, surtout depuis qu'un prêtre ami lui faisait parvenir régulièrement, de son pays natal, des extraits de l'*Encyclopédie* de Diderot et d'Alembert, philosophes du siècle des Lumières. Il devait cependant se faire discret quant à la diffusion de ces écrits, car ils étaient encore à l'index dans la plupart des diocèses de France.

L'*Encyclopédie universelle*, qui recueillait, classait et publiait les connaissances de divers domaines dont la philosophie, les sciences et les arts, ouvrait toutes grandes les portes du savoir. Le curé de Berthier lisait attentivement tous les articles reçus, il les annotait méticuleusement et savait même glisser quelques-unes de ses découvertes dans son sermon dominical afin d'éveiller la curiosité de la population. Un dimanche, il osa même parler d'école, projet qui semblait encore un luxe inaccessible.

C'est alors qu'intervint le seigneur qui invita le prêtre au manoir afin de discuter de la possibilité d'offrir l'enseignement aux enfants de Berthier. Les deux hommes ne discutèrent que quelques minutes avant de conclure une entente à l'amiable.

— Je m'engage, *Mr* James, assura le curé, à trouver la perle rare, même si je dois ratisser tout le pays, voire chercher jusqu'en France. Ce maître devra posséder des aptitudes à enseigner toutes les matières nécessaires à une bonne instruction et obtenir de l'évêque un certificat de bonne conduite. Il devra être un exemple pour les paroissiens, devenir leur guide et leur modèle.

— Je lui offrirai le même salaire que reçoivent les maîtres laïques à Montréal ou à Québec. Je prendrai information à ce sujet, afin de le payer équitablement pour les services rendus.

— S'il le veut, le presbytère lui offrira chambre et pension. Au besoin, il officiera aussi comme sacristain et maître-chantre.

— S'il ne chante pas trop faux, s'esclaffa James, avant de conclure l'accord en buvant une bonne rasade de whisky écossais.

***

La canicule persistante de la mi-juillet sévissait sur toute la région et ralentissait les travaux des habitants qui, au milieu du jour, devaient s'arrêter et se reposer à l'ombre des arbres, dont les feuilles frémissaient à peine sous la brise chargée d'humidité. Certaines journées, entre l'Angélus et les Vêpres, des nuages noirs et menaçants envahissaient le ciel et laissaient entendre, au loin, les sons sourds du roulement du tonnerre, qui annonçaient sans équivoque l'arrivée imminente d'un orage.

La pluie s'abattait ensuite avec force, ruisselant sur les terres, accompagnée d'éclairs éblouissants, aussi magnifiques qu'inquiétants. Le ciel s'embrasait alors d'un feu qui serpentait entre les nuages, jaillissant en étincelles qui s'éteignaient ensuite en tombant sur le sol. Et quand la pluie cessait son vacarme, le soleil impudent venait dire bonsoir aux habitants dans un éclatement de lumière crépusculaire. Naissait alors le plus beau des arcs-en-ciel qui auréolait magistralement la ligne des eaux, séparant le ciel et la terre.

Catherine était fatiguée, cette chaleur accablante lui était très pénible ; elle ne connaissait le repos ni le jour ni la nuit, car le bébé prenait toute la place et la privait d'une posture confortable pour dormir. Elle changeait souvent de position, se levait discrètement dans la nuit humide et sombre ; elle arpentait seule la grande galerie, souvent sous la protection du fidèle Groggy, intrigué de voir Catherine errer dans l'obscurité crue de la nuit.

Le seigneur était inquiet et ne s'éloignait plus du manoir ; à peine se rendait-il jusqu'à la plantation de pins rouges, qu'il commençait tout juste à exploiter dans la partie ouest de la seigneurie. Il exigeait de Julia qu'elle soit continuellement auprès de Catherine, qu'elle veille à son bien-être et reste attentive au moindre signe annonciateur de la naissance de leur enfant. La dame de compagnie s'acquittait de ses responsabilités avec efficacité et suivait sa maîtresse comme son ombre. Elle lui faisait la lecture de *The Gazette*, qui arrivait régulièrement, livrée par leur nouvel ami, Alexander McKay, maître de poste ; elle la distrayait en s'amusant avec elle à des jeux de société et en invitant quelques dames de la bourgeoisie des seigneuries avoisinantes à prendre le *tea*.

Adèle, habituellement secondée par Thérèse, préparait des repas nourrissants et appétissants avec les produits du potager, et elle recevait les invités avec courtoisie et raffinement. Les Cuthbert vivaient alors un merveilleux été sur les rives du fleuve tranquille, qu'ils contemplaient tous deux, assis sur la galerie, face au fleuve, alors que venait la fin du jour et que s'illuminait le ciel dans la splendeur du couchant.

Dans ces moments d'intimité, Julia se faisait discrète ; elle lisait devant la fenêtre de sa chambre ou elle marchait le long des rives, vers l'ouest, observant les couleurs mouvantes du crépuscule. Toute cette sereine beauté l'apaisait, lui faisant presque oublier son enfance, l'orphelinat, le quai de Boston et Mathilde, cette ignorante Canadienne qui habitait sur l'autre rive. Elle connaissait une heure de quiétude, un moment de grâce qui se dissipait aussitôt qu'elle revenait au manoir, où les voix des enfants, et surtout la présence de Firmin, la ramenaient à sa morne existence : elle se devait de servir ses maîtres et de diriger les domestiques ingrats et insolents.

Après une année entière passée à Berthier, elle n'arrivait pas à s'adapter à ce rôle ingrat qui l'humiliait chaque jour davantage. Seule et aigrie, elle s'enfermait dans sa chambre ; une sorte de folie s'emparait alors d'elle, la conduisant inéluctablement vers les abîmes obscurs et mystérieux de la perdition.

* * *

Dans son île, très loin de celui qui occupait ses pensées, Mathilde, plus résolue que jamais à répondre à la lettre d'Henry, poursuivait sa réflexion ; elle cherchait à identifier tous les sentiments qui l'animaient, à rassembler tous les mots qui rassuraient et à composer toutes les phrases qui enjolivaient la vie. Dès que ses charges familiales lui laissaient un rare moment de liberté, elle s'isolait, priait la sainte Mère Marie pour l'homme aimé, et ensuite elle alignait maladroitement sur un papier vierge les mots venant du plus profond de son cœur.

Comme elle n'avait pas encore l'habileté requise pour exprimer tout ce qu'elle voulait faire comprendre à celui qu'elle aimait, elle se rendit au manoir pour remettre ce brouillon à son amie Adèle afin que celle-ci rédige, pour elle, la première lettre d'amour qu'elle adresserait au capitaine Cairns.

Le soleil était encore haut dans le ciel quand Mathilde entra dans la cuisine du manoir.

— Bien le bonjour ! Je t'attendais pas aujourd'hui, mais plutôt demain, jour de marché.

— C'est père qui viendra faire commerce demain; il a récolté de beaux légumes et les offrira lui-même au marché public. Les champs donnent généreusement cet été, père est satisfait. Marguerite et mes frères l'aident à l'entretien; tout le monde met la main à la pâte. Tout va bien à la maison.

— Tu m'en vois fort aise! Qu'est-ce qui t'amène, alors? Tu as préparé la lettre pour Henry?

S'étant assurée que l'Anglaise ne rôdait pas aux alentours, Mathilde s'assit et répondit à voix basse:

— J'ai écrit quelques idées et j'suis venue cet après-midi pour t'apporter le gribouillis de mes notes afin que tu puisses écrire ma lettre au capitaine Cairns.

— Je veux bien, mais une lettre adressée à son amoureux, c'est très personnel et secret. Tu veux vraiment que j'écrive au capitaine en ton nom?

— Le notaire, qui fait aussi office d'écrivain public, aurait pu écrire cette lettre pour moi, mais à toi seule j'fais confiance. Toi, tu parles avec des mots jolis, venus de France, comme ceux de Jacques, des mots qui racontent si bien ce qu'on a sur le cœur. Mes mots à moi ne savent pas encore exprimer tout l'amour que j'ressens pour Henry. Toi, tu sais. J'ai noté, sur ces feuilles, quelques idées et phrases maladroitement écrites. Avec ça, tu sauras c'que j'veux lui dire.

— Je suis touchée par la confiance que tu m'accordes; j'y mettrai tout mon cœur, crois-moi. J'essaierai de traduire fidèlement tout ce que tu ressens pour ton beau militaire. Tu pourras revenir la semaine prochaine, j'aurai certes terminé ta lettre. Tu ajouteras, si tu veux, quelques mots, juste de toi, et tu signeras toi-même ce message. Je dois rester très discrète, Julia est curieuse et jalouse; elle surveille toutes les correspondances et toutes les conversations; j'irai moi-même déposer cette lettre au bureau de *Mr* McKay. Je vois souvent la fouine, assise sur la galerie, face au fleuve, en compagnie de dame Catherine; elle écrit de longues missives qu'elle remet ensuite à la seigneuresse. J'ai idée que ces lettres sont adressées à Henry, qu'elle est loin d'avoir oublié.

— Tu crois qu'Henry portera attention à ses lettres?

— Il les lira certainement, ça le distraira; elle y raconte probablement la vie au manoir, comment se passent les dernières semaines avant la naissance du bébé. Il s'y intéressera sans doute, mais quels que soient les sentiments exprimés par Julia, le cœur d'Henry t'appartiendra toujours, j'en mettrais ma main au feu! Je n'oublierai jamais le soir de tempête où il n'a pu se rendre à votre rendez-vous. Un homme qui pleure d'amour restera à jamais fidèle à la parole donnée. Crois-moi!

— T'as raison, j'doute plus de la sincérité d'Henry, mais je peux rien lui promettre, le destin en a décidé ainsi. C'est ce que j'veux lui écrire dans cette première lettre, j'te demande de trouver les mots justes pour lui faire comprendre ça. J'reviendrai lundi prochain. Promis!

— Tu agis bien sagement, mon amie. Que Dieu te vienne en aide! Lundi, t'amèneras Marguerite? Geneviève s'ennuie parfois, car elle n'a pour compagnie que ses frères turbulents.

— Bien sûr! Elle aime bien venir au manoir où elle retrouve aussi Firmin.

— Celui-là me donne bien du bonheur! C'est un enfant raisonnable et travaillant qui a soif d'apprendre. Tu sais que Mr James a demandé au curé de trouver un maître d'école?

— Oui, Jean-Baptiste me l'a dit. C'est ben généreux de la part du seigneur.

— J'aurai ainsi plus de temps pour écrire tes lettres d'amour.

— Ton amitié m'est si précieuse, rappela Mathilde, étreignant son amie avec affection et tendresse.

* * *

Le soir venu, Adèle relut les notes confiées par son amie ; elle laissa parler son cœur et tenta de s'approprier les sentiments de Mathilde. Elle avait déjà follement aimé Jean de Beauval et se souvenait avec émotion de ses premiers émois amoureux. Minutieusement, elle écrivit les mots d'espérance, cherchant dans ses souvenirs les expressions poétiques et romantiques qui font battre les cœurs et qui ne s'oublient jamais.

« Mon bien-aimé,

Dame Catherine, votre sœur, m'a remis une lettre de vous, lettre que je récite de mémoire, chaque nuit, avant de m'endormir. J'en connais aussi bien les mots que ceux de mes prières. L'été dernier, une rose est venue embellir mes jours ; votre arrivée au manoir de Berthier a changé ma vie. Je ne doute plus maintenant que je vous aime ; jamais personne ne prendra votre place dans mon cœur, même si les tristes événements de l'hiver dernier ont bouleversé nos existences et brisé nos rêves. En perdant ma mère, j'ai aussi perdu mes racines et mon passé. Quand je vois tous mes frères et ma jeune sœur, j'entends l'appel du devoir auquel je ne peux me soustraire. Le destin en a décidé ainsi, ma liberté s'est envolée en même temps que mes illusions.

Rassurez-vous, mon bien-aimé, mes nombreuses obligations familiales n'empêchent pas mon cœur de vous aimer ; je sais maintenant que si cela m'était possible, je vous suivrais au bout du monde. J'ai confiance en vous, vous êtes et resterez toujours le seul et unique amour de ma vie.

Mais que nous réserve l'avenir ? Vous êtes en guerre au service de votre pays, et moi, ancrée dans mon île, au service de ma famille. Cet avenir incertain ne me permet pas de vous promettre ce que vous attendez de moi, de me lier à vous pour toujours. Je vous aime trop pour vous attacher à jamais par une promesse peut-être sans lendemain. Ce serment, celui que nous n'avons pu sceller un certain soir de tempête, doit rester entre nous comme une espérance, un désir, un projet à inventer. Peut-être était-ce la sagesse du destin qui a permis que nous gardions notre liberté ?

Laissons passer quelques années, et si notre amour reste gravé dans nos cœurs, si nous restons fidèles l'un à l'autre dans cette pudique confiance mutuelle, si nos rêves sont encore habités par nos amours, alors là, je serai à vous. Jamais je n'aimerai quelqu'un d'autre comme je vous aime. »

Adèle sécha l'encre avec un papier buvard et relut lentement la lettre ; elle souffla ensuite la chandelle qui frémit un moment avant de laisser l'obscurité et le silence s'infiltrer dans la chambre. Elle mit du temps avant de s'endormir, encore accrochée à la mémoire de son Jeannot, parti dans la tourmente de la guerre de Sept Ans. Elle rêva de feu, de tonnerre, de destruction, de sang et de fleurs qui poussaient sur les vastes plaines, en haut de la falaise de Québec. Jean de Beauval se dirigeait vers elle en courant ; souriant, il posait ses lèvres sur les siennes en lui disant adieu. Aux aurores, elle se réveilla réconciliée avec son destin, comprenant que l'esprit de son Jeannot avait trouvé la paix dans la béatitude éternelle.

* * *

Le lundi suivant, Mathilde s'esquiva en fin de journée et se rendit au manoir où l'attendait Adèle ; la cuisinière lui servit une brioche et une tasse de thé bien sucré. Mathilde avait peu de temps devant elle, et dès qu'Adèle lui remit discrètement la lettre, elle en lut tous les mots qui traduisaient si adroitement les sentiments qui l'habitaient. Émue par la force et la clarté du message adressé à son amour, elle serra très fort Adèle dans ses bras.

— Merci, mon amie, ma sœur. Jamais, jamais j'aurais cru pouvoir lire et comprendre les mots comme j'les pense. C'est à toi que j'dois ce bonheur. En m'apprenant à lire, tu m'as ouvert une fenêtre sur le monde et sur la vie. J'aurais jamais cru ça possible ! Mère avait raison en me conseillant de venir travailler au manoir, «pour que tu connaisses un autre monde, une autre vie qu'la mienne», m'avait-elle dit avant que j'parte l'an dernier. J'vois maintenant combien elle devait m'aimer pour me laisser partir, au moment où elle avait si besoin de moi.

— Ta mère est sûrement fière de toi et t'accompagne chaque jour, il y a pas de doute, dit Adèle, rassurante. Maintenant que tu as lu ce que j'ai écrit en ton nom, je propose que tu ajoutes un mot plus personnel, Henry sera très ému de voir que tu as fait des progrès.

— Tu as encore un peu d'encre ? demanda Mathilde. Juste quelques mots, je ne suis pas encore aussi habile que toi avec les mots écrits, et je fais encore pleurer la plume ; de grosses larmes foncées tachent souvent les feuilles.

— Je reste tout près ; si tu as besoin, je te guiderai.

« Tous les mots écrits par Adèle sont sincères et expriment mes sentiments. Je pense à vous, vous me manquez ; je prie pour que Dieu vous protège. Saluez Angélique et William ; posez un baiser sur le front de la petite Anne, notre filleule. Je vous aimerai toujours.

Avec tout mon amour, Mathilde »

— Mon cœur bat très fort, Adèle. C'est ma première lettre d'amour adressée à Henry. Comme promis, tu la remettras discrètement au postier ? Faudrait pas que la fouine la trouve parmi le courrier de la seigneuresse.

— J'y veillerai. Je devrai toutefois demander l'adresse à *Lady* Catherine, mais je le ferai en l'absence de Julia. Une entente a été conclue, entre Henry et sa sœur, juste avant le départ du capitaine : elle facilitera les rapports entre vous deux, elle se fait complice de vos amours, sans aucun scrupule. Régulièrement, elle reçoit la poste venue de Montréal, *Mr* McKay apporte fidèlement les colis et les lettres ; la tienne partira sans doute dans les prochains jours et voyagera en compagnie des longues missives de Julia, dit Adèle d'un ton moqueur.

— J'peux pas en vouloir à Julia d'aimer le capitaine Cairns. Il a tellement de charme…

— Mais il ne l'aimera jamais, tu peux dormir tranquille. Elle est sûrement très loin de ses pensées, alors qu'il pense à toi, engagé dans la guerre contre les rebelles du Sud. Tu occuperas toujours la première place dans son cœur.

— Que Dieu protège Henry et William ! Un champ de bataille fait toujours des morts et des blessés !

— J'entends dire que les opérations entre rebelles et l'armée ne sont pas encore vraiment commencées, ce ne sont que des escarmouches, des combats tactiques de part et d'autre plutôt qu'une guerre.

— Que Dieu t'entende ! souhaita Mathilde, remerciant son amie pour les services rendus.

Mathilde revint chez elle, seule avec ses rêves et ses projets. Habitée par un sentiment nouveau, soutenue par l'amour véritable et profond d'Henry, elle se sentait désormais plus forte devant l'ampleur de la tâche à accomplir. Toute la vie qui habitait les rives et les eaux du fleuve lui insufflait une énergie nouvelle ; elle savait qu'elle faisait partie de cette race qui se renouvelait sans cesse, certitude qui la rendit heureuse. Après avoir posé ses rames, elle remonta le sentier en chantonnant.

33

— *E*ntrez donc, monsieur le curé. *Mr* James est dans son bureau, précisa Adèle qui était affairée autour du poêle. Je vais vous annoncer.

— Merci, mais ne vous dérangez pas, dame de Beauval. *Mr* Cuthbert m'attend ; je connais le chemin.

Adèle salua respectueusement ce prêtre aimable, au regard chaleureux et au sourire amical, et elle poursuivit sa tâche en suffoquant dans sa cuisine, où mijotait un ragoût de pattes de porc ; de grosses gouttes d'eau perlaient sur son front et faisaient frisotter ses mèches de cheveux qui débordaient de sa coiffe de coton beige. Elle plaignait sa maîtresse qui traînait son ventre lourd par cette chaleur écrasante. Aucun vent n'agitait les rideaux des fenêtres ouvertes ; le chat Peluche, perché sur le dossier d'un fauteuil, chassait paresseusement de grosses mouches bourdonnantes, tout en rêvant de souris et d'oiseaux. Firmin et les enfants, assez responsables pour rendre de menus services, étaient occupés au poulailler et à l'écurie. Adèle régnait seule dans son royaume, tendant l'oreille aux propos échangés entre son maître et le curé.

— Je vous apporte deux nouvelles, annonça le prêtre au seigneur de Berthier qui venait à sa rencontre.

— De bonnes ? riposta James. Venez dans mon *office*, nous serons plus à l'aise pour discuter.

— Bien sûr, répondit Kerberio en souriant.

— Racontez…

— Monseigneur Jean-Olivier Briand m'a fait parvenir deux documents : le premier concerne notre requête pour obtenir les services d'un maître d'école, demande que les autorités ont acceptée de bonne grâce.

— Vous m'en voyez pleinement satisfait, et je vous rappelle mes engagements que j'honorerai dès que le maître d'école sera installé à Berthier. Et la deuxième nouvelle?

— Il s'agit d'une nouvelle mission pour moi.

— Ce qui veut dire? s'empressa de demander James, qui aimait bien le curé, un homme érudit, compréhensif et dévoué. Vous partiriez?

— Vous avez bien deviné. L'arrivée d'un professeur dans la paroisse de Berthier sera ma dernière mission importante dans cette paroisse. En guise de maître d'école, l'évêque nous recommande Thomas Mandeville, un fils de famille qui a voyagé en Europe et qui s'intéresse, semble-t-il, au Canada. Il est arrivé à Québec au début de l'été; il s'est mis sans tarder au service de notre évêque, qui en dit grand bien. Je quitterai donc cette belle paroisse en ayant accompli mon devoir jusqu'au bout.

— Vous nous quitterez prochainement?

— Monseigneur Briand me propose la cure de la paroisse Saint-Laurent à l'île d'Orléans; je devrai m'y installer avant le retour de l'automne. J'ai accepté aujourd'hui, le 13 août 1767, cette nouvelle mission.

— Nous regretterons votre départ, monsieur. Et vous connaissez déjà votre successeur nommé par votre évêque?

— L'évêque m'a informé de la nomination de Basile Papin, actuel curé de La Valtrie et de La Norraye. Il a été chargé de la paroisse de Sainte-Geneviève de Berthier.

— Il est canadien ou français comme vous?

— Il est né au pays et, de plus, il est très estimé par monseigneur Briand. Il vient d'une noble famille. On m'a même dit qu'il était le grand-oncle de Barthélemi Joliette.

— Voilà qui est de bon augure ! Nous le recevrons avec tous les égards attribuables à son rang.

— Je vous en remercie et souhaite que vous entreteniez des rapports amicaux et productifs pour le bien des habitants de Berthier. Je dirige cette paroisse depuis presque vingt ans, j'ai connu la fin du Régime français et l'arrivée des Anglais. J'ai soutenu ce peuple pendant les années de guerre, j'ai vu naître et grandir beaucoup d'enfants et j'ai participé, avec vous, au retour de la prospérité dans la seigneurie. J'aime mes paroissiens, et c'est avec regret que je les quitterai.

— Nous sommes peinés de votre départ imminent et vous souhaitons de belles années dans votre nouvelle paroisse. Vous serez encore parmi nous quand naîtra notre enfant ?

— Sans doute, je ne partirai pas avant la mi-septembre. J'aurai donc le bonheur de bénir votre premier héritier. Comment se porte *Lady* Catherine ?

— Elle est incommodée par la chaleur et l'humidité, mais le docteur Généreux, qui la visite chaque jour, affirme que tout va bien et que l'enfant naîtra très prochainement. Je n'ose plus m'éloigner.

— Que Dieu lui vienne en aide ! souhaita le prêtre avant de prendre congé du seigneur de Berthier.

* * *

Adèle, endormie et bien ancrée dans ses rêves, fut réveillée par des coups énergiques frappés à la porte de sa chambre. Elle se leva rapidement et fit face à Julia, affolée.

— *Come*, Adèle, *Lady* Catherine va avoir son bébé !

— Du calme, Julia ! dit Adèle. Est-ce que *Mr* James est allé mander le docteur Généreux ?

— Il vient de partir… Venez vite…

Adèle s'habilla en coup de vent et courut vers la chambre de la seigneuresse, où des lampes dispensaient une lumière diffuse et rassurante. Catherine, le souffle court, attendait anxieusement l'arrivée réconfortante de la cuisinière.

— Allez, dame Catherine, je vais vous soutenir. Il faut marcher, vous aurez moins mal, proposa Adèle avec douceur.

— Il ne vaudrait pas mieux qu'elle reste au lit ? demanda Julia, affolée, qui s'agitait comme un fauve en cage.

— Il reste sans doute plusieurs heures avant la délivrance. Un premier bébé n'est jamais pressé de venir au monde, précisa Adèle. *Lady* Catherine souffrira moins en position debout. Venez, madame, donnez-moi votre bras.

— Et si le docteur n'est pas chez lui, qu'est-ce qui va arriver ? se tourmenta Julia, en proie à la panique.

— Restez calme, Julia. *Lady* Catherine ne donnera pas naissance à son enfant dans l'heure qui vient, le docteur a le temps de venir.

L'angoisse qui se peignait dans tous les traits de Julia n'avait rien pour rassurer Catherine qui, désemparée, se laissa guider par la voix calme d'Adèle et fit quelques pas dans le corridor silencieux.

— Respirez profondément, conseilla Adèle. Détendez-vous, respirez… Allons, marchons encore un peu.

La parturiente s'abandonna comme une enfant dans les bras de sa mère ; elle se calma et retrouva la force de sourire de bonheur quand les contractions lui laissaient un peu de répit.

— Notre enfant s'en vient. Je suis si heureuse, mon époux attend ce grand moment depuis tellement longtemps, confia Catherine à sa servante.

— C'est un bien grand bonheur, madame. Croyez-moi, un bien grand bonheur qui ne ressemble à aucun autre. Bientôt, l'enfant sera là.

Une violente contraction provoqua une douleur aiguë qui vrilla les flancs de la seigneuresse, qui ne put retenir des cris d'effroi. L'enfant cherchait patiemment sa route dans les entrailles de sa mère.

— Doucement, respirez quand vous souffrez, venez…

Et les deux femmes, enlacées et complices, avançaient lentement dans la pénombre de la chambre.

— Vous n'avez rien à lui offrir pour soulager ses souffrances, insista Julia, livide comme un fantôme.

— Julia, je vous prie de vous retirer dans une autre pièce ; en geignant comme un bébé, vous n'aidez en rien votre maîtresse, grommela Adèle, ennuyée.

Sans se faire prier, Julia sortit comme un chat effarouché. Elle arpentait la galerie, courant presque, guettant l'arrivée du seigneur et du médecin. Le hululement de la chouette perchée sur le grand chêne l'effraya ; son cœur battait à tout rompre. Elle n'avait jamais imaginé que la naissance d'un enfant puisse être si éprouvante ; lui revint alors en mémoire la mort de dame Guillot, en février dernier. Elle tremblait d'effroi.

Des pas précipités sur le gravier du chemin retinrent son attention ; le médecin et James Cuthbert revenaient vers le manoir. Elle se détendit et leur emboîta le pas quand ils entrèrent dans la chambre principale.

Rassurée, Catherine s'abandonna aussitôt aux mains exercées du médecin.

— Adèle, je peux compter sur vous pour m'assister ? s'enquit le docteur Généreux.

— Bien sûr. Je vous apporte ce qu'il faut. L'eau bout déjà, et les linges propres sont ici.

* * *

Vers l'heure du midi, Catherine Cairns donna naissance au premier fils du seigneur James Cuthbert. Les cris du bébé se firent entendre dans toute la maisonnée, inquiétant Geneviève, gardée jusque-là dans l'ignorance de la venue d'un enfant dans la maison. Intriguée, elle interrogea Thérèse :

— Pourquoi maman n'est pas avec toi à la cuisine, comme d'habitude ?

— Ta maman est avec *Lady* Catherine, dans sa chambre.

— Je veux voir mère.

— Elle viendra bientôt ; écoute le bébé qui pleure.

— Maman a un nouveau bébé ?

— Non, c'est *Lady* Catherine, rectifia Thérèse.

— Pourquoi le bébé pleure ? Il est malade ?

— Rassure-toi, il est en bonne santé ; tous les bébés pleurent quand ils naissent.

— Pourquoi ? insistait l'enfant, curieuse.

— Juste pour dire que tout va bien. C'est leur manière de parler.

— Est-ce que je peux le voir ?

— Plus tard ; ta maman l'amènera quand il sera bien reposé.

Geneviève dut se contenter de ces réponses en attendant le retour de sa mère, qui ne tarda pas à rejoindre ses enfants pour partager avec eux le bonheur d'une vie nouvelle et son premier repas de la journée.

* * *

James Cuthbert, seigneur de Berthier, n'avait jamais connu un tel bonheur : l'arrivée d'un fils plein de vie, promis au meilleur avenir dans cette colonie qui se développait sous le drapeau anglais, le comblait de fierté. Il était reconnaissant envers sa bien-aimée Catherine, qui lui remit l'enfant endormi, repu de lait, les poings fermés, recroquevillé comme une feuille d'automne.

— Il s'appellera Alexander, proposa le père, ému. Notre premier fils. Je n'ai jamais été aussi heureux qu'en ce jour. *I love you, dear Catherine.*

Il posa délicatement ses lèvres sur le front moite de sa femme qui se reposait, les cheveux épars sur ses oreillers. Une scène attendrissante qui fit naître des larmes dans les yeux de Julia... « Un jour, je te donnerai un fils, Henry Cairns... »

Lorsque le curé Kerberio fut informé de la naissance d'Alexander Cuthbert, il demanda au sacristain de faire sonner la Marie-Louise, en même temps que la cloche du manoir, pour annoncer la bonne nouvelle à tous les habitants de la paroisse. Les deux cloches carillonnèrent d'un même accord ce jour de joie, jour de fête !

Le lendemain matin, le seigneur convia le curé, l'intendant et les serviteurs afin de leur présenter le premier-né de la famille Cuthbert. Ce fut Julia qui eut l'honneur de porter le nourrisson et de le remettre à son maître devant l'assemblée. Elle exultait de bonheur, comme si cet enfant était le sien.

— Voici Alexander, né ce 14 août 1767 au manoir de Berthier, déclara le seigneur Cuthbert. Que Dieu lui accorde de nombreuses années de vie, la prospérité et le bonheur, ajouta-t-il, bouleversé et les larmes aux yeux.

— Que Dieu te bénisse, Alexander Cuthbert, dit gravement le curé Kerberio en signant l'enfant sur le front.

— Longue vie à Alexander! reprirent les domestiques, émus et heureux pour leurs maîtres.

— Tant qu'ils aimeront ce coin de pays et qu'ils y feront des rejetons, chuchota le palefrenier à l'endroit de l'intendant, ils resteront ici et feront prospérer leur domaine.

— *Mr* James et sa dame sont maintenant bien enracinés sur cette rive du fleuve. T'as rien à craindre, mon Malouin! rétorqua Guillaume Piet.

La fin de ce jour s'estompa dans la promesse d'une vie qui s'épanouirait entre le lys et la rose.

* * *

Les Cuthbert tenaient à faire baptiser leur fils dans un temple protestant de Montréal. Le lieu choisi pour la cérémonie, prévue pour le 29 août, exigeait un long déplacement; or, pour mieux assurer le confort de Catherine et du nourrisson, James prit la décision de réserver des places sur un bateau de passagers plutôt que de voyager en cabriolet. Dès lors, Julia mena rondement les préparatifs du voyage tout en se préoccupant des moindres pleurs d'Alexander. Afin de ne rien oublier, elle rédigea minutieusement une longue liste d'articles qu'elle crut nécessaires, tant pour le bébé que pour *Lady* Catherine, et rangea tous les produits avec un soin presque maniaque dans des malles surchargées. Elle avait la certitude d'être utile et efficace.

Le matin du 25 août, tout était fin prêt pour le départ; très tôt le matin, les domestiques transportèrent sur le quai tous les bagages préparés par la très dévouée dame de compagnie. Le temps était magnifique. Le fleuve était habité par une faune vivante qui égaierait le voyage jusqu'au port de Montréal.

Le seigneur avait judicieusement choisi le mode de transport entre Berthier et Montréal: pas d'arrêts inutiles, pas de retards importuns, pas de cours d'eau à traverser sur un chaland, mais plutôt la quiétude de la navigation fluviale qui offrait aux passagers un paysage enchanteur et toujours renouvelé. Ici, quelques îlots regroupés où s'attardaient déjà quelques outardes ; là-bas se dessinait un village autour du clocher d'une église, et, plus loin, les rives s'éloignaient, laissant place à une véritable mer intérieure. Jamais le seigneur de Berthier n'avait autant aimé ce pays et son grand fleuve qui poussait ses racines jusqu'au cœur des Grands Lacs.

Le cousin de Catherine, Alexandre Cairns, et sa femme Rebecca avaient préparé avec soin la chambre d'invités pour recevoir les Cuthbert et leur nouveau-né ; ils mirent tout en œuvre pour agrémenter le séjour de la mère et de son enfant. Les serviteurs, aussi efficaces que discrets, se montraient attentifs aux moindres besoins des Cuthbert, qui acceptèrent avec gratitude de recevoir leurs invités dans la magnifique résidence des Cairns, après la cérémonie baptismale.

Le 29 août 1767, Rebecca portait l'enfant sur les fonts baptismaux, où s'étaient regroupés les parents, ainsi que le parrain, Henry, venu en permission, le temps d'assister à la fête. Voulant éviter une rencontre embarrassante avec le capitaine Cairns, Esther, sœur de Rebecca Mc Connell, avait refusé d'être la marraine du bébé ; elle était déjà promise à un officier britannique qu'elle devait épouser au début de novembre. Une autre amie de la famille Cuthbert-Cairns signerait les registres auprès du capitaine Cairns.

Tout le temps de la cérémonie, Julia se tint en retrait, essayant par tous les moyens d'attirer l'attention du capitaine Cairns, qui l'ignora jusqu'à la sortie de l'église.

— Bonjour, Julia ! Mon filleul ne vous cause pas trop de soucis ? dit-il pour entamer la conversation.

— Oh non ! Votre neveu est un enfant sage et aussi beau que son parrain, gloussa Julia d'une voix enjouée.

— Le sourire vous va bien, Julia. Je suis bien aise de vous voir heureuse, souligna Henry, avec une pointe d'humour.

— La naissance d'Alexander me réjouit ; rien n'est plus pareil au manoir.

— Vous avez sans doute raison, et je vous envie de le voir grandir.

— Si vous le souhaitez, dans mes prochaines lettres, je vous décrirai tous ses progrès, dans les moindres détails.

— Je vous en serais très reconnaissant, et merci, ma bonne Julia, pour les lettres que vous m'adressez. Grâce à vous, William et moi restons toujours bien au fait de tous les événements qui se passent à la seigneurie. Vous savez raconter les faits avec précision, et c'est toujours avec beaucoup d'intérêt et de curiosité que nous lisons les descriptions détaillées dont vous agrémentez vos longues missives. Si vous y ajoutez désormais les péripéties de mon filleul, je serai davantage comblé.

— Vous faites lire mes lettres à un inconnu ? dit-elle, dépitée.

— Je n'y trouve rien de bien personnel, Julia. Désolé, je dois vous laisser maintenant, car je repartirai dès ce soir, et je veux bien profiter de mon après-midi pour connaître un peu mon filleul. Au revoir, Julia, et merci pour vos lettres que nous apprécions beaucoup, croyez-moi !

La dame de compagnie de Catherine refoula ses larmes, amère et déçue par l'attitude désinvolte de celui qu'elle aimait avec tant de passion et d'obsession.

*　*　*

— Catherine, tu as donné à ton époux un enfant magnifique. Je t'aime, *little sister* ! dit Henry, serrant Catherine dans ses bras.

— *I love you, too, Henry !* confia la jeune mère, si heureuse en ce jour unique et inoubliable.

— Malheureusement, je ne peux m'attarder ni aller voir Mathilde à Berthier. Parle-moi d'elle, insista-t-il, conduisant sa sœur dans la pièce voisine.

— Je ne la vois pas beaucoup, mais il se peut qu'elle vienne dorénavant plus souvent au manoir, car je pense lui demander de venir s'occuper du bébé; ni Julia ni moi n'avons assez d'expérience avec un nourrisson. Mathilde, elle, ne manque certes pas de connaissances pratiques, surtout avec les jumeaux nés l'hiver dernier.

— Elle pourra laisser sa famille et revenir au manoir ?

— Faudra voir avec elle, peut-être pourrait-elle m'accorder quelques jours par semaine. Tu l'aimes toujours ? demanda Catherine, fixant son frère dans les yeux.

— Plus que jamais. Voici une lettre pour elle.

— Je la lui remettrai moi-même, promis.

— Merci, Catherine. Surtout, prends bien soin de mon filleul, insista Henry, embrassant sa sœur avec tendresse.

Avant de s'en aller, il caressa un moment, du bout de son doigt, le visage joufflu du bébé et salua ensuite chacun des invités. Il ne s'attarda qu'un bref moment à bavarder avec la marraine d'Alexander, et discuta avec James et leur hôte jusqu'à l'heure du départ. Chevaleresque, il salua Julia d'un signe de la main et sortit. Le bateau de la marine anglaise, accosté au port de Montréal, lançait déjà sa plainte rauque et vibrante que l'on entendait jusqu'à la rue Saint-Jacques.

Henry ne pouvait plus se soustraire à l'appel et quitta à regret sa famille bien-aimée.

34

Au retour de la famille Cuthbert à la seigneurie de Berthier-en-Haut, Catherine s'émerveilla devant le cadeau inusité de James. Il avait déniché secrètement un meuble singulier, lors de son passage à Montréal, dans une brocante tenue par un marchand bostonnais.

— Merci, *my love*! Notre fils s'endormira plus facilement quand je le bercerai, confortablement installée dans cette chaise… comment dire?

— Faudra demander à Adèle, je ne connais pas de mot français pour nommer cette *rocking chair*, avoua James, pris au dépourvu.

La chaise devint rapidement l'attraction au manoir, attirant les regards curieux et intrigués des domestiques, qui l'appelaient tout simplement «la berçante». Elle était faite en bois joliment tourné, munie de berceaux qui la faisaient osciller d'avant en arrière, d'un haut dossier, de bras larges et ouvragés. Tous commentaient ce curieux meuble réservé exclusivement à calmer et à endormir bébé Alexander. La nouvelle ne tarda pas à se répandre partout dans la seigneurie, et l'ébéniste Filiaud dit Dubois chercha aussitôt un prétexte pour voir cette merveille qui faisait tant parler dans le village.

— C'est t'y beau d'avoir tant d'argent à dépenser, commenta l'artisan devant Adèle, amusée.

— Mon bon Joachim, répliqua la cuisinière, cette chaise rend bien service, car le bébé s'endort rapidement quand il est bercé, et avoue donc que tu la trouves bien originale!

— C'est une ben bonne invention, y a pas à dire, déclara l'homme, examinant de près la qualité du bois et la singularité de l'ensemble. J'me demande qui a ben pu inventer une chaise pareille ! C'est pourtant ben simple, il suffisait d'penser à ajouter des berceaux à une chaise, comme pour les bers d'enfants. Pas fou pantoute ! J'vais m'y mettre, mais faire du bel ouvrage comme ça, pardi, ça demandera du temps !

— Tu y arriveras, Joachim, et ça se vendra comme des petits pains chauds. Les colons ont un peu plus d'argent maintenant, et les Anglais qui s'installent aux alentours de la seigneurie ne manqueront pas de s'intéresser à tes meubles.

— Que Dieu t'entende, Adèle ! dit l'ébéniste pour conclure, la tête pleine de projets novateurs.

* * *

La jeune seigneuresse souffrait de solitude depuis la naissance du bébé. Elle avait l'impression que ses amis la négligeaient et elle se sentait exclue des activités sociales auxquelles elle participait habituellement. Tout le luxe et l'amour que lui offrait son époux ne suffisaient pas à combler son besoin de compagnie. Trop souvent, elle se retrouvait seule avec Julia et le nourrisson, qu'elle devait apprivoiser peu à peu, pendant que le seigneur s'occupait d'autre chose, notamment de la guerre qui se préparait au sud de la frontière.

Souvent fatiguée par ses nuits écourtées, Catherine ne cachait pas sa mélancolie et se confia à Adèle, si sereine, si énergique, malgré tout le travail fastidieux qui remplissait ses longues journées.

— Vous êtes bien pâlotte, ce matin, dame Catherine, lança Adèle, inquiète, posant la tasse de thé devant la jeune mère attablée, le regard lointain.

— Le bébé s'est réveillé souvent la nuit dernière ; je n'ai pas beaucoup dormi.

— Il vous faudrait de l'aide, madame. Vous devez dormir pour reprendre vos forces.

— Depuis l'arrivée d'Alexander, je pense à faire revenir votre amie Mathilde. Julia nous est bien dévouée, mais elle n'a pas plus d'expérience que moi auprès d'un bébé. Croyez-vous que la fille Guillot accepterait de venir s'occuper de l'enfant quelques jours par semaine ?

— Elle ne manque pas de travail dans sa famille, mais faudrait voir avec elle. Voulez-vous que je me charge de préparer une missive pour Jean-Baptiste aujourd'hui ? Il pourrait la remettre à sa sœur dès ce soir.

— Vous êtes bien bonne, Adèle. Faites seulement savoir à Mathilde que j'aimerais la voir le plus tôt possible.

— Ce sera fait avant la fin du jour, dame Catherine. Et en attendant la visite de Mathilde, je peux prendre votre petiot avec moi dans la cuisine, vous avez bien besoin de repos. Je le surveillerai pendant que vous irez dormir, même que Geneviève serait très contente de prendre cette responsabilité ; je garderai l'œil sur lui, rassurez-vous, précisa Adèle.

— Merci, j'accepte avec plaisir ; un peu de sommeil et de silence me feront grand bien. Julia vous amènera Alexander dès qu'il aura bu, je pourrai alors me reposer quelques heures.

— Comptez sur moi, madame.

Geneviève s'affaira aussitôt à décorer le panier d'osier dont sa mère se servait pour transporter les vêtements ; elle trouva une épaisse couverture avec laquelle elle en tapissa l'intérieur et un bout de ruban dont elle fit une boucle qu'elle fixa à la tête du lit improvisé.

— Le berceau est prêt ? la pressa Adèle, entendant les pas nerveux de Julia.

— Oui, mère, dit l'enfant, se retirant au fond de la cuisine, attendant que *Miss* Julia soit partie avant de revenir près du berceau.

Sans un mot ni un regard, la dame de compagnie déposa avec regret le nourrisson dans le panier ; elle remonta la couverture, le contempla un moment et sortit de la pièce.

— Pourquoi Julia ne sourit pas au bébé ? demanda Geneviève, intriguée par le comportement étrange de la jeune femme.

— Elle est sans doute très malheureuse ; ne t'en occupe pas ! Viens plutôt voir cette petite frimousse.

— Est-ce qu'on pourra le garder avec nous ?

— Alexander grandira au manoir, tu le verras aussi souvent que tu le voudras, mais ses parents, ce sont les Cuthbert.

— Est-ce que tu auras des bébés comme *Lady* Catherine ?

— Allez savoir ! Mais tu es bien curieuse, ma belle ! lança Adèle pour plaisanter, replaçant la coiffe de sa fillette.

* * *

Lady Catherine ne mit pas longtemps à convaincre Mathilde de revenir à son service ; cette fois, la servante se consacrerait exclusivement aux soins d'Alexander, quatre journées par semaine. La seigneuresse rappela ensuite à Julia les charges qui lui avaient été confiées avant la naissance de l'enfant : dame de compagnie, organisation de la vie mondaine et gérance des domestiques.

— Vous pouvez maintenant nous laisser, Julia. J'ai encore quelques détails à régler avec Mathilde. Je vous rappellerai plus tard, précisa la seigneuresse.

Julia était furieuse. Humiliée par cette sotte Canadienne, cette « *idiot girl* », elle se sentait exclue, bannie. Depuis le premier jour où elle avait appris la grossesse de *Lady* Catherine, elle avait espéré qu'on lui confierait l'entière responsabilité du soin et de l'instruction des enfants de ses maîtres. Qui d'autre qu'elle pouvait obtenir un aussi lourd mandat que celui d'éduquer les descendants des seigneurs ? N'était-elle pas instruite, dévouée et, de surcroît, anglaise ? Elle ne pouvait admettre que sa maîtresse lui ait préféré une ignorante. Où avait-elle manqué de vigilance ? Depuis son arrivée au manoir, n'avait-elle pas été attachée au service de la seigneuresse ? Elle ne comprenait pas… Profondément blessée, trop enragée pour pleurer, elle s'enferma dans sa chambre où elle prit tout son temps pour cuver sa déception ; d'une écriture fine et serrée, elle épancha sa bile dans son journal personnel. Cet épisode de son histoire venait de rallumer le feu de la haine qui couvait dans son esprit rancunier. Il ne s'éteindrait que lorsque la vengeance serait accomplie.

$$* * *$$

Lady Catherine attendit que Julia soit sortie et, s'adressant à Mathilde, elle ajouta, d'un air quelque peu moqueur :

— Avant que vous partiez, je dois remplir la promesse faite à mon frère la journée du baptême d'Alexander. Il m'a parlé de vous et m'a remis une lettre. Je le connais bien, et je ne me trompe pas en affirmant qu'il vous aime profondément. Je l'ai compris dès les premiers jours de son arrivée au manoir. Je voudrais tant qu'il soit heureux comme je le suis avec James, qu'il ne soit pas déçu par un amour impossible.

Et regardant attentivement Mathilde, elle poursuivit : « Et vous, l'aimez-vous ? »

— De tout mon cœur, madame, mais tant de choses nous séparent, avoua Mathilde, soutenant le regard pénétrant de Catherine qui lui souriait.

— Il vous aime tant qu'il saura bien vous attendre si vous lui donnez le moindre espoir. Voici la lourde enveloppe qu'il vous envoie, elle est sans doute remplie d'amour pour vous, ma bonne Mathilde.

— J'vous remercie de votre aimable complicité, *Lady* Catherine. J'suis ben touchée par votre confiance envers moi ;

j'prendrai grand soin de votre petit, promit Mathilde, reconnaissante et heureuse de revenir au manoir, chargée, cette fois, de la plus agréable des tâches.

* * *

En fin d'après-midi, à l'heure où le jour change ses couleurs, Mathilde s'esquiva discrètement en passant par le jardin de sa mère et y cueillit les quelques roses encore belles. Elle se rendit ensuite au cimetière en longeant le sentier qui jouxtait la rive du fleuve au repos et cueillit, en passant, quelques lys d'eau. Des goélands argentés, posés sur l'onde comme de grosses balles cotonneuses, indifférentes et muettes, se laissaient porter sur les flots paresseux. Les vagues, à peine perceptibles, caressaient langoureusement la rive en un doux clapotis. Tout ce calme familier remplit Mathilde d'assurance et de sérénité.

Heureuse et confiante, elle se rendit auprès de sa mère et déposa, sur la modeste stèle, les fleurs fraîchement cueillies. Elle s'assit comme Sagawee, les jambes repliées sous sa jupe plissée, et se confia à Anne avec l'abandon d'une enfant, comme si la mort ne les avait jamais séparées. «Mère, j'viens me recueillir sur votre tombe avec affection et tendresse pour lire en votre présence la lettre de mon bien-aimé. Bien avant moi, vous aviez compris ce que mon cœur refusait d'admettre. Je l'aime et je sais maintenant que j'aimerai jamais un autre homme autant que lui. Protégez-le chaque jour.»

Lentement, méthodiquement, Mathilde décacheta la précieuse lettre de son amoureux comme un chirurgien ouvre le cœur d'un patient. Devant le charme toujours changeant du crépuscule, elle entreprit laborieusement la lecture des pages sur lesquelles courait une écriture élégante et bien maîtrisée.

«Mathilde, mon bel amour,

C'est avec le cœur rempli d'espoir que j'attendais un signe de vous, venu dans cette lettre qui m'est parvenue au milieu de l'été. Je l'ai relue tant de fois que je la récite maintenant de mémoire, tout particulièrement les dernières phrases écrites de votre main. Chaque mot de cette première lettre me rappelle que votre cœur reste bien sage, et je vous aime encore davantage. J'y vois là votre sens du devoir envers votre famille et un gage de fidélité envers ceux que vous aimez ; je m'attache encore plus à vous, mon aimée.

Les longues soirées de cet été se passent sur la rive d'une rivière, où nos troupes préparent la défense de la colonie. Les couchers de soleil, bien que magnifiques en ce coin de pays, n'égalent en rien la splendeur de ceux que j'ai admirés en explorant vos îles. Et quand je dispose d'un moment de liberté, je peins en pensant à vous ; ainsi, vous trouverez, dans cet envoi, des aquarelles qui représentent les paysages qui m'entourent. Je vous envoie aussi, vous l'aurez sans doute deviné en ouvrant l'enveloppe, un portrait de la petite Anne, notre filleule, dans les bras de sa mère. Angélique est une jeune femme heureuse et aimée. William est un époux aimant et un père affectueux. Votre cousine est, comme vous dites en français, « la coqueluche » du camp militaire, car elle séduit tout le monde par sa bonne humeur et sa débrouillardise. Ne vous souciez plus d'elle et rassurez ses parents : elle respire le bonheur avec son enfant et son amoureux. Quand je la rencontre, je pense davantage à vous et j'envie le bonheur contagieux de William, souhaitant que très bientôt nous vivions ensemble, belle Mathilde, la même félicité.

J'attendrai avec impatience et espérance une autre lettre de vous, ma mie, ma seule, mon tendre et unique amour.

Je vous serre très fort contre mon cœur qui ne bat que pour vous,

Avec tout mon amour, Henry »

Mathilde ignorait pourquoi elle se sentait le cœur si léger. La lettre d'amour de son bien-aimé ? Le retour au manoir ? Le ciel magnifique de cette fin d'été qui s'inclinait doucement à l'horizon pour mieux caresser la terre ? Cette sensation de plénitude physique causée par la quiétude de son île ? Le silence apaisant que rien ne troublait à cette heure de repos ?

Elle ne pouvait ni ne cherchait à expliquer cette béatitude qui pénétrait en elle comme un baume revivifiant. Elle était vivante, jeune et belle, bien-aimée d'un capitaine de l'armée anglaise.

Son destin était entre ses mains, il lui appartenait de diriger sa barque vers sa propre rive.

Mais elle ignorait encore qu'elle n'était pas seule à ramer et à se diriger vers le même rivage…

* * *

Sur l'autre rive du fleuve, irisé par le couchant, Julia cachait mal son dépit ; depuis la conversation qu'elle avait eue plus tôt avec *Lady* Catherine, elle n'avait pas reparlé à sa maîtresse et, contrairement à ses habitudes, elle ne montra aucun signe de zèle. Ses tâches terminées, elle fila vers le fleuve où, loin des regards, elle assouvit sa rage en arrachant les lys d'eau que Mathilde aimait tant, les piétina furieusement et les offrit au fleuve indifférent qui les dispersa dans les chenaux. Et comme un navire à la dérive, elle laissa son esprit s'emporter, comme s'il était ballotté par une vague de fond, pris dans un tourbillon de haine et de vengeance. Son aversion pour Mathilde devint alors une véritable obsession. Il lui fallait trouver le moyen de s'en débarrasser avant qu'elle prenne davantage de place dans la vie des Cuthbert.

Le jour déclinait ; la vie nocturne commençait sa ronde, alors que les oiseaux diurnes regagnaient leur nid en gazouillant. Julia erra sur la grève jusqu'à la tombée de la nuit, épiant les étoiles qui s'allumaient une à une dans un ciel sans nuages ; elle déambulait sans but tout en ruminant ses sombres projets. Levant les yeux vers le firmament, elle repéra les quatre étoiles de Cassiopée et se souvint, avec mélancolie, des promenades qu'elle fit, à son arrivée à la seigneurie, en compagnie du capitaine Cairns. C'étaient de belles nuits du plein été, chaudes et troublantes, nuits propices à faire naître l'amour.

Patient et courtois, Henry avait alors pris plaisir à lui apprendre la position des étoiles et le nom des constellations. « Où es-tu, mon beau capitaine ? » cria-t-elle dans la nuit silencieuse. L'écho de sa voix, perdue de désespoir, se perdit bien au-delà des îles, et, secouée de sanglots, Julia s'agrippa désespérément à un gros arbre, à l'écorce rugueuse, comme si elle cherchait une bouée. Elle avait honte de sa faiblesse, elle qui pleurait rarement, et après un long temps de silence, elle respira profondément, se détendit, essuya ses larmes et replaça ses cheveux défaits.

Elle reprit sa marche, en direction de la rivière Bayonne, et réalisa qu'elle s'était rendue, à son insu, jusqu'à la masure de dame Cunégonde. Elle vit là un présage, et aussitôt jaillit en son esprit retors un éclair de folie : « Voilà, j'ai trouvé ! Il faut que j'entre dans la maison de la sorcière, sans être vue, et je la paierai pour qu'elle jette un sort à cette *bastard*. Mathilde ne mérite pas ce qui me revient, moi qui suis de la même race que nos maîtres : l'amour du capitaine Cairns et l'estime des Cuthbert. *Lady* Catherine est bien trop bonne avec elle. Il faut régler ça, et vite ! »

Et lui revint en mémoire l'oracle du prophète Sophonie :

« Le Seigneur ton Dieu se trouve au milieu de toi
Tu ne connaîtras plus le malheur
Je vais en finir, ce jour-là
Avec tous tes oppresseurs… » (ch. 3, versets : 17-19)

S'appuyant sur les paroles de la Bible, la puritaine orpheline de Boston retrouva son esprit combatif. Guidée par l'épée du Tout-Puissant, elle remporterait une victoire décisive contre l'ignare Canadienne. Elle n'en doutait plus.

Certaine d'avoir été guidée jusque-là par son Dieu, elle frappa discrètement à la porte de la cabane de la veuve Nolan.

GLOSSAIRE

abrier (s') : se recouvrir de couvertures

accoutrement : habit singulier

accraire : faire croire des choses à quelqu'un

arpent : ancienne unité de superficie valant 10 perches au Québec ou 180 pieds français, soit 58,47 mètres

astheure : à présent, maintenant

bâdrer : ennuyer, importuner, déranger

berlander : perdre son temps

bessons : jumeaux

betôt : bientôt

bougonneux : de mauvaise humeur, grincheux

bougrine : vêtement, type de veste doublée ou canadienne

caribou : boisson traditionnelle, faite de vin rouge et de whisky

cossin : objet sans valeur

crémone : foulard de laine

dégreyer : enlever ses vêtements d'extérieur : manteau, chapeau, mitaines…

dépareillé : qui n'a pas son pareil

écrapoutir (s') : s'écraser de fatigue

encanteur : qui fait des ventes à l'encan. Autrefois, l'encanteur faisait « la criée » sur le perron de l'église paroissiale après la messe.

enfarger : entraver, empêtrer, embarrasser

en masse : beaucoup, en abondance, autant qu'il en faut

escousse : secousse, un certain temps (attendre une bonne escousse)

être ben d'adon : être très accommodant

étriver : taquiner, faire rire

faire le train : soigner et nettoyer les animaux à l'étable

feluette : fluet, maladif, faible, chétif, malingre

feuble : faible

gargoton : gorge, gosier, pomme d'Adam

gosser : tailler, sculpter un morceau de bois

hardes faites : vieux vêtements démodés

icitte : ici

jarnigoine : intelligence, bon jugement

lieue : ancienne unité de distance dont la valeur varie entre 4 et 6 km

magané : maltraité, endommagé

malavenant : détestable, mal élevé, impoli

maquillon (ou maquignon) : marchand de chevaux, pas toujours honnête

menoire : limon, chacune des deux pièces de bois fixées au devant d'une voiture et entre lesquelles on attelle le cheval

mouches à feu : lucioles

ordinaire : les repas au quotidien. Faire l'ordinaire : faire la cuisine.

pantoute : pas du tout

partie pour la famille : être enceinte

ratoureux : rusé, espiègle, pas très honnête

ravauder : rôder, vagabonder, fureter

snoreau : bougre, enfant espiègle, désobéissant, fanfaron

soupane : gruau d'avoine, de maïs

souventes fois : souvent

Remerciements

L'écriture de ce roman historique n'aurait pu être possible sans l'indispensable collaboration de monsieur Jacques Rainville, président de la Corporation du patrimoine de Berthier inc. Il m'a généreusement fourni de nombreux documents, il a toujours su répondre à mes questions et me guider sur les sentiers de la seigneurie des Cuthbert. Je l'en remercie profondément.

Il m'apparaît important de souligner le travail de révision effectuée par mon ami Réjean Pelletier, qui m'a soutenue et encouragée tout le long du processus d'écriture.

Merci aussi à mes premiers lecteurs et lectrices : Lise, Claire, Lucie, Linda, Philippe. Leur sens critique a su m'éviter certains écueils.

Merci à toute ma famille qui m'accompagne dans la réalisation de mes projets d'écriture.

Marquis imprimeur inc.

Québec, Canada
2012